KU-338-913

La friction du temps

DU MÊME AUTEUR

Dossier Rachel, Albin Michel, 1977 ; Motifs, 2003.
Money, Money, Éditions Mazarine, 1987 ; Le Livre de Poche, 2015.
D'autres gens, Bourgois, 1989 ; Le Livre de Poche, 2015.
Les Monstres d'Einstein, Bourgois, 1990.
London Fields, Bourgois, 1992 ; Folio, 2013.
La Flèche du temps, Bourgois, 1993 ; Folio, 2014.
Visiting Mrs Nabokov, Bourgois, 1997.
L'Information, Gallimard, 1997 ; Folio, 2005.
Train de nuit, Gallimard, 1999 ; Folio, 2001.
Poupées crevées, Gallimard, 2001 ; Folio, 2003.
Réussir, Gallimard, 2001 ; Folio, 2003.
Expérience, Gallimard, 2003 ; Folio, 2005.
Chien jaune, Gallimard, 2007 ; Folio, 2008.
Guerre au cliché, Gallimard, 2007.
La Maison des rencontres, Gallimard, 2008 ; Folio, 2012.
Koba la terreur : les vingt millions et le rire, Gallimard, 2009.
Le Deuxième Avion, Gallimard, 2010.
La Veuve enceinte : Les dessous de l'histoire, Gallimard, 2012 ; Folio, 2013.
Lionel Asbo, L'état de l'Angleterre, Gallimard, 2013 ; Folio, 2014.
La Zone d'intérêt, Calmann-Lévy, 2015 ; Le Livre de Poche, 2016.

MARTIN AMIS

La friction du temps

Bellow, Nabokov, Hitchens, Travolta, Trump. Essais et reportages, 1994-2017

Traduit de l'anglais (Grande-Bretagne)
par Bernard Turle

Titre original :
THE RUB OF TIME
Première publication : Jonathan Cape, Londres, 2017

Reportage « Le président Trump discourt dans l'Ohio »
Première publication : *Esquire*, novembre 2017

COUVERTURE
Maquette et illustration : Louise Cand

ISBN 978-2-7021-6183-8

À Isaac & Eleanor

Sommaire

Une préface française

Martin Amis

Les pays sont comme les gens et les gens sont comme les pays – du moins telle est ma conviction. Comme les gens, les pays ont leur propre provenance, leurs ancêtres, leur enfance, leurs traumatismes, leur éducation sentimentale et ainsi de suite. Inversement, je connais des gens qui sont des États ratés, des théocraties ignares, des superpuissances régionales, des ploutocraties avares, d'austères dictatures… Heureusement, la plupart d'entre nous sommes des démocraties parlementaires, affublées de quelques graves vices constitutionnels.

D'un point de vue anthropomorphique, nous savons deux choses sur les pays. Une convention désuète, chère aux historiens d'antan, voulait qu'on parle des pays plutôt au féminin, comme des *contrées* : mais ce n'était guère plus qu'une mielleuse galanterie de façade, censée, probablement, consoler les femmes d'être exclues de la réalité du pouvoir. Cette convention n'a pas survécu au XXe siècle. Qui pourrait penser l'ex-Union soviétique *au féminin* ? Et n'est-il pas absurde d'écrire : « Jusqu'en 1912, *la* Chine croyait qu'il était dans son intérêt de maintenir le statut des femmes à peu près au niveau de celui du bétail. » Ou, dans un registre pas très éloigné : « Après *sa* campagne victorieuse de 1940 en Europe occidentale, *une* Allemagne *nazie* tourna son attention vers une guerre d'annihilation et un génocide à l'est. »

Non. Les pays sont *mâles*. Une nation s'est-elle jamais comportée comme une femme ? Le seul exemple auquel je songe est l'Allemagne d'Angela Merkel dans son approche hautement imaginative et politiquement périlleuse face à l'afflux de réfugiés en 2015 (inconcevable, d'ailleurs, dans un Royaume-Uni dirigé par Margaret Thatcher). Oui, hormis cette exception, la règle est que les pays se comportent en *hommes*.

En partie et peut-être entièrement pour cette raison, si on les compare aux humains, les pays seraient incapables de relations sociales : ils se montreraient, comme on dit en français, absolument *insortables**. L'État-nation incarné serait en constante alerte rouge, fébrilement obnubilé par son statut social, en proie à une fixation morbide sur le paraître. Lunatique, vaniteux et violent comme un ivrogne en pleine mutation alcoolique, il ne serait pas de bonne compagnie.

Néanmoins, tentons d'imaginer la France en *mec**, avec ses spécificités – forces ou faiblesses. Au hasard, dénommons ce mec : Jean-Jacques.

---

* Tous les mots et expressions en italique suivis d'un astérisque sont en français dans le texte. *(N.d.T.)*

I

Jean-Jacques professerait un intérêt singulier pour le pervers et l'antinomien. « La moralité, ai-je appris aux élèves de mon cours sur l'*Art du roman* à la New York University, est l'une des pierres angulaires de ce dernier, au même titre que la structure, l'unité thématique et la cohérence interne. Si votre moralité est décentrée, alors votre roman le sera tout autant. Il n'est pas moins vrai qu'il existe un sous-genre littéraire composé de romans amoralistes. Tous *français*. »

Ce qui précède est, bien sûr, une exagération éhontée, et les véritables polyglottes pourraient s'insurger et dresser, je n'en doute point, une longue liste de classiques dénués de conscience – dont certains infestés d'umlauts et d'autres écrits en cyrillique. Combien de romans français n'ont-ils pas été inspirés par le farouche francophobe Dostoïevski et son *Crime et Châtiment* fort d'un *acte gratuit** archétypal ? Hormis l'œuvre de l'anomalie et quasi-génie absolu D.H. Lawrence, le roman amoral ou immoral n'existe dans la littérature anglaise que par inadvertance, incompétence ou (le plus souvent) du fait d'une piété tourmentée : citons ainsi *Pamela, ou la Vertu récompensée*, de Samuel Richardson, voire, mais il est vrai que c'est plus contestable, *Mansfield Park*, de Jane Austen (sa glaciale pénitence pour l'infectieuse gaieté d'*Orgueil et Préjugés*). Dans ces exemples, l'écrivain loue ce qui n'est pas louable et méprise ce qui n'est pas méprisable. Comme on pourrait l'attendre d'une culture plus jeune et plus hybride, il existe dans la littérature américaine une tendance plus vigoureuse à l'iconoclasme éthique : Norman Mailer s'est laissé tenter (*Un rêve américain*), et des figures aux marges, entre autres Jack Kerouac,

Charles Bukowski et William S. Burroughs, ont chacune trouvé en France un créneau douillet – ce qui n'est pas une coïncidence.

Car la France est le havre naturel des amoralistes. En France, l'amoralisme est le courant moderniste dominant. Par ordre chronologique : Louis-Ferdinand Céline, Jean-Paul Sartre, Samuel Beckett, Jean Genet, Albert Camus, jusqu'à Michel Houellebecq. Je ne m'explique pas cette étonnante prépondérance (cela vient-il du binôme catholicisme/anticléricalisme ?). Quoi qu'il en soit, personne ne saurait choisir d'ignorer chez les Gaulois leur « fascination de la pourriture », leur goût de l'inexplicablement rebelle, leur confondante *nostalgie de la boue**. Quelque part dans l'âme de Jean-Jacques rôde un quartier Pigalle.

Je me propose de terminer cette première partie avec un aperçu du destin d'un des plus incorrigibles amoralistes littéraires…

Dans ses derniers jours, le gouvernement fantoche de Philippe Pétain (alors âgé de quatre-vingt-huit ans) fut transféré de force par les nazis d'une villégiature à une autre, du centre de la France au sud de l'Allemagne, à Sigmaringen – une petite ville avec un grand château. Le maréchal occupait le cinquième étage (au-dessus de la mêlée), des sommités de Vichy comme Pierre Laval et François Darlan occupaient le quatrième, et ainsi de suite jusqu'au rez-de-chaussée où la valetaille s'entassait pour se tenir chaud dans l'hiver glacial, invoquant sans y croire une victoire de l'Axe, tout en peaufinant ses monologues en vue d'un inévitable procès.

Il se trouve que la littérature occidentale déploie une noble chaîne d'humanisme bifide, sous la forme d'écrivains médecins, à commencer (à notre connaissance) par Rabelais et comprenant Tobias Smollett, Friedrich Schiller, Anton Tchekhov, Mikhaïl Boulgakov et William Carlos Williams. À Sigmaringen, la muse de l'histoire mit en scène un éclatant coup de théâtre : l'écrivain-médecin en résidence n'était autre que le nihiliste au 45e degré, l'impénitent, le misanthrope et antisémite docteur Destouches, alias Louis-Ferdinand Céline. Lorsqu'il traitait Laval pour son ulcère, il dut écouter pendant des heures le vieux collabo répéter sa défense.

On entretiendrait volontiers le méchant espoir que ce soit Céline en personne qui ait remis à Laval la capsule de cyanure qu'il avala le 15 octobre 1945, le matin de son exécution. On dut lui faire dix-sept lavages d'estomac avant de le traîner jusqu'au peloton d'exécution.

En fin de compte, le seul bénéficiaire de Sigmaringen fut Céline, qui en tira un roman.

II

Jean-Jacques a un appétit féroce d'illusions et une capacité exceptionnelle à s'illusionner. Je me confinerai à deux exemples.

En premier lieu, la Bastille. À en croire la démonologie, l'ancienne forteresse représentait l'oppression monarchique incarnée dans une architecture abominable, infestée par la vermine : vaste salle des tortures et d'atrocités inquisitoriales, pinces, tenailles et tisons chauffés à blanc. En réalité, comme on le sait, en 1789, l'édifice était presque désaffecté. Pour utiliser une analogie russe, il ressemblait non point à la prison de la Boutyrka à Moscou pendant la Grande Purge de 1937-1938, dont les hurlements de forcenés qu'on entendait de l'extérieur « terrifiaient » les passants, mais plutôt à la forteresse Pierre-et-Paul de Saint-Pétersbourg (disons vers 1913), où Trotski était toujours heureux de passer un mois ou deux : il déclarait y jouir de tout le confort et apprécier le fait de ne pas avoir à y « craindre d'être arrêté ».

Quant au Marquis de Sade – dont l'amoralisme lui aurait valu la geôle sous n'importe quel régime sur Terre –, installé comme un prince à la Bastille, il avait à sa disposition toute une garde-robe, des flacons de trois parfums différents, des tableaux, des tapisseries de famille et une bibliothèque de cent trente-trois volumes (dont des ouvrages de Smollett, écrivain-médecin écossais qui avait écrit quelques années plus tôt *Voyages à travers la France*...). Aux roturiers on servait aussi du vin (et on leur permettait d'avoir du tabac) ; ils mangeaient plus à leur faim que le citoyen ordinaire. Après la prise de la Bastille, on relâcha les prisonniers. Ils étaient au nombre de sept : quatre faussaires, deux aliénés (mais pas Sade, qui avait été transféré à Charenton le 2 juillet), et un jeune noble prodigue, incarcéré à la demande de sa famille. Imperturbablement, le mythe de la Bastille et l'industrie afférente (distribution de vraies reliques et fabrication de fausses) se poursuivirent longtemps après la démolition, au mois de novembre suivant, de cet « anachronisme perpétué en sous-effectif » (pour reprendre les termes de l'historien Simon Schama).

Manifestement, la Bastille n'était qu'un symbole. De même, à sa façon, 1789. Joseph Conrad a traité la Révolution française de « phénomène médiocre » : le bref et violent interrègne entre un roi et un empereur. Il n'y eut pourtant rien d'ordinaire ni dans sa cruauté ni dans son pharisaïsme – et rien d'ordinaire, loin de là, dans ses répercussions. Elle demeure le symbole d'un pouvoir immense et durable, pour l'Europe et pour le monde entier. 1789 marqua un tournant *évolutionnaire*. Pour la première fois, les droits de l'humanité eurent force de loi.

La seconde grande illusion française concerne l'Occupation (1940-1944) et hante Jean-Jacques encore aujourd'hui – avec raison.

Le 22 août 1944 partit de France le dernier train pour Auschwitz, portant le nombre des déportés à environ 76 000 personnes. Le 22 août était un mardi. Le vendredi, le général de Gaulle présidait à la Libération de Paris, où, lors de son fameux discours à l'Hôtel de Ville, il proclama :

> « Paris ! Paris outragée ! Paris brisée ! Paris martyrisée ! mais Paris libérée ! libérée par elle-même, libérée par son peuple avec le concours des armées de la France, avec l'appui et le concours de la France tout entière, de la France qui se bat, de la seule France, de la vraie France, de la France éternelle. »

De Gaulle invoquait une nation autonome et unie ; mieux que quiconque, il savait pourtant que les armées de la France combattante n'auraient rien pu faire sans les armées des États-Unis, du Canada et du Royaume-Uni qui, fortes de 150 000 hommes, avaient débarqué sur les plages de Normandie début juin. En outre, au moins 25 000 Allemands se démenaient dans le sang à l'intérieur de leurs frontières – et ils seraient plus de 1 million dans les Ardennes à Noël. Du moins les Italiens étaient-ils hors jeu. Mais l'être pétri de conscience devra se rappeler ceci : l'endroit le plus sûr pour les Juifs dans la France de 1940-1943, ce n'était pas, bien sûr, la Zone occupée, ce n'était pas non plus la Zone non occupée, plus connue sous le nom de Zone libre : c'était le Sud-Est, occupé par les Italiens.

Comme on le dit longtemps de l'Italie à l'époque napoléonienne, la France d'août 1944 n'était « guère plus qu'un terme géographique ». La « France éternelle » était comme dissoute dans un bouillon de pâtes alphabet : Assemblées, Associations, Fraternités, Bureaux, Centres, Comités, Confédérations, Commissariats, Compagnies, Conseils, Délégations, Fédérations, Groupes, Infiltrations, Instituts, Légions, Mouvements, Offices, Organisations, Secrétariats, Sections, Services et Syndicats. Or, presque toutes ces configurations étaient, semble-t-il, cloisonnées, rivales et farouchement indépendantes… Comme de Gaulle le reformulerait plus tard, sa vraie tâche consista à « ramasser la République dans le caniveau ».

On affirme que l'art de mener les hommes en politique comme à la guerre dépend surtout d'un sens parfait du *timing*. De Gaulle semble avoir été exceptionnellement sensible au tempo de la politique et au rythme de l'Histoire. Faute de mieux, il a imposé le mythe de la panrésistance concertée : que pouvait-il faire d'autre ? La « virilité » de la France, dans toute sa nudité, avait besoin du bouclier, de l'écran de la fiction, le temps de se refaire une image. Le mythe demeura l'orthodoxie jusqu'à la fin des années 60, date à laquelle le général avait achevé son œuvre. Mais, au cours de la décennie suivante, l'image du résistant mal dégrossi, coiffé de son béret et mitraillette au poing, se ternit.

Étrangement, le mythe avait duré juste ce qu'il fallait, quasiment au jour près. Dans les années 70, parmi d'autres facteurs, le poids de la contribution française à la Shoah s'alourdit considérablement, tout comme les chiffres de la Shoah elle-même. Les efforts des Français pour régler la question de leurs crimes de guerre ont été bien plus énergiques qu'on ne le croit d'ordinaire, ainsi que, entre autres, Julien Green l'a montré dans son très impartial *Devant la porte sombre (1940-1943,* Journal III) ; mais ils ont été compliqués et entravés par la persistance de l'antisémitisme en France. Sur ce plan-là, on note toutefois une certaine amélioration. En 2014, la carte globale de la judéophobie dressée par l'Anti-Defamation League attribuait à la France un score de 37 % (le plus mauvais d'Europe, 69 %, revenait à la Grèce). En 2015, on avait chuté à 17 %, une réduction si impressionnante qu'elle semblerait indiquer une petite révolution des consciences. Comme l'a écrit l'historien Tony Judt, en Europe orientale, en Russie (et au Moyen-Orient), l'« antisémitisme » est « sa propre récompense ». Espérons que la France rejettera ses superstitions juvéniles et fera désormais honneur à son QI national. Ce qui nous amène aux points III et IV.

III

Jean-Jacques est plus qu'un amateur de livres : il est bibliophage. D'après un historien, en France, en 1789, le taux d'alphabétisation était « bien plus élevé » qu'aux États-Unis deux siècles plus tard. Selon un autre, un recensement de 1951 révélait que 1 100 000 Français se disaient « intellectuels ». Dans l'immédiat après-guerre, seuls quelques centaines de Britanniques auraient eu le cran de se dire voués en premier lieu à la vie de l'esprit. Les Français se distinguent par la ferveur avec laquelle ils pratiquent l'autodidactisme.

Prototype du soldat, Napoléon n'en était pas moins un intellectuel. Il était pétri de littérature, de beaux-arts, de jurisprudence, de mathématiques et de progrès des sciences. Quand on lui présenta Goethe, les deux hommes ne ressentirent aucune gêne, et la chaleur de leur rencontre ne se démentit jamais par la suite. Les seules victoires véritablement satisfaisantes, disait l'Empereur, sont celles qu'on remporte « sur l'ignorance ». Son niveau d'éducation explique l'une des facettes les plus étonnantes de son caractère : il était à la fois autocrate et exceptionnellement sensé.

Certes, on doit reconnaître que son bellicisme contenait un élément de démence. Il affirmait qu'au front, le « moral » était trois fois plus important que tout autre facteur déterminant ; l'énergie libérée par la Révolution rendit la *Grande Armée** aussi invincible que les cavaliers de l'islam au XVIIe siècle. Pourtant, son subtil équilibre, Napoléon le perdit au cours de la période 1812-1815. Sidéré – immobilisé – par l'incendie stratégique de Moscou, il s'attarda bien trop longtemps dans ses cendres (ronchonnant, il menaçait de marcher sur Saint-Pétersbourg), et ses hommes, un demi-million, succombèrent inexorablement au général Hiver. Dans sa biographie aussi monumentale que magistrale, Andrew Roberts note que, lorsque des experts militaires « rejouent » la bataille de Waterloo (1815), Napoléon gagne toujours. Nous pouvons donc ici rappeler les mots du Second soldat dans *Antoine et Cléopâtre* : il entend la « musique dans l'air » (ou est-ce « sous la terre » ? IV, 3) :

Premier soldat : Paix, dis-je !
Qu'est-ce à dire ?
Second soldat : C'est le dieu Hercule, qui aimait Antoine,
Et maintenant l'abandonne.

Lors de son dernier exil, dans le dénuement de Sainte-Hélène, Napoléon recouvra son équilibre mental ; jusqu'à son dernier souffle, il fut chaleureux, spirituel et redoutablement dénué d'amertume.

Le général de Gaulle, lui aussi, était un intellectuel. Encore jeune colonel, il comprit instantanément ce qui n'allait pas dans les forces armées françaises : la mentalité Maginot avait rendu la France désespérément vulnérable à la *Blitzkrieg*, la « guerre éclair ». De par la perspicacité innée de leur auteur, on peut lire les écrits et discours de De Gaulle autant pour leur valeur littéraire que pour les éclaircissements qu'ils apportent à l'histoire de son époque. À sa façon, il était poète – si nous acceptons la définition du *Compositeur* avancée par Auden :

Tous les autres traduisent : le peintre esquisse
Un monde visible à aimer ou rejeter ;
Fouillant dans sa vie, le poète recherche
Les images qui font mal et lient.

À l'enterrement de sa cadette, Anne, qui mourut à vingt ans de complications du syndrome de Down, de Gaulle prononça une phrase qui frappa les mémoires : « Maintenant, elle est comme les autres. » *Maintenant**, à savoir : *enfin*, enfin, elle est comme les autres. Ça, ça fait mal et ça lie.

IV

Jean-Jacques personnifie le romantisme intellectuel. Et en dépit de tout, et ce n'est pas rien, la France demeure la capitale artistique du monde.

De nos jours, un seul auteur français, Michel Houellebecq, jouit d'une réputation internationale (de son côté, l'Allemagne post-Gunter Grass n'a que W.G. Sebald). A contrario – en raison de l'impérialisme envahissant et irrésistible de la langue anglaise –, des dizaines d'écrivains anglophones sont traduits dans quantité de langues. Si vous demandez à n'importe lequel d'entre eux quelle est l'estime qu'il convoite le plus, il répondra invariablement : « Celle de Jean-Jacques. »

En guise d'introduction

Il s'en va

Il était une fois un royaume du nom d'Angleterre dans lequel la littérature était une activité obscure et irréprochable. Certes, elle était plus respectable que l'angélologie, et plus estimée que l'étude de la moisissure phosphorescente mais, indubitablement, c'était une sphère qui n'intéressait qu'une minorité.

En 1972, j'ai soumis mon premier roman à un éditeur : je l'ai tapé sur une Olivetti d'occasion et l'ai envoyé au service de rédaction que je partageais avec d'autres du *Times Literary Supplement.* Le tirage fut de 1 000 exemplaires (et l'avance de 250 livres). Il fut publié, gratifié de quelques articles et voilà. Pas de cocktail, pas de tournée promotionnelle ; pas d'interviews, de portraits, de séances photo, de signatures, de lectures, de panels, de conversations en public, de Woodstock littéraire à Hay-on-Wye, Tolède, Mantoue, Parati, Cartagène, Jaipur ou Dubai ; pas de radios ou de plateaux télé. Pour mon deuxième roman (1975) et mon troisième (1978), ce fut la même chose. Mais quand je publiai mon quatrième (1981), la quasi-totalité des activités collatérales avaient déjà été mises en place : les écrivains étaient passés du compte d'auteur à compter aux yeux de *Vanity Fair.*

Qu'était-il arrivé entre-temps ? Nous pouvons affirmer sans grand risque d'erreur que le glissement de la décennie

1970 à la décennie 1980 ne nous offrit pas à proprement parler le spectacle d'un élan spontané et enthousiaste en faveur des nuances psychologiques, des images astucieuses et des phrases contournées. Le phénomène, je le comprends aujourd'hui, fut entièrement porté par les médias. Pour dire les choses crûment, les journaux anglo-saxons n'avaient cessé d'épaissir (d'abord le dimanche, puis le samedi, puis les jours ouvrables). Ces pages supplémentaires n'étaient pas dévolues à l'actualité mais aux reportages. Or les reporters manquaient de fretin (acteurs alcooliques, membres indignes de la famille royale, comiques dépressifs, rock stars en tôle, danseurs transfuges, cinéastes reclus, mannequins hystériques, marquises désargentées, golfeurs adultérins, footballeurs coupables de violence conjugale et boxeurs violeurs). La zone de drague continua de s'élargir et les journalistes, souvent pour leur plus grand et plus manifeste désarroi, durent se résoudre à écrire sur les écrivains : des écrivains qui écrivaient de la *littérature*.

Ce changement de statut modeste et qui sait peut-être temporaire mérite une analyse coûts/bénéfices. Tout conteur a besoin d'un public pour exister. Les romanciers obtinrent à ce moment-là ce qu'ils convoitent avant tout : pas forcément plus de ventes, mais plus de lecteurs. Il était gratifiant pour eux de découvrir la fascination qu'exerçaient les arcanes de la création littéraire : le moindre trou paumé sur cette planète accueille désormais un tapageur festival littéraire. Fondé sur l'interaction du conscient et de l'inconscient, le roman est le fruit d'un procédé que nul écrivain, nul critique, ne maîtrise vraiment. Ils ne voient pas non plus pourquoi il suscite une telle curiosité. (« Est-ce que vous écrivez à la main ? » « Appuyez-vous fort sur le papier ? ») Il n'empêche, comme l'a dit un jour

J.G. Ballard, lecteurs et auditeurs « sont nos supporteurs... ils encouragent nos équipes d'un seul homme ». Ils nous libèrent de notre solitude coutumière et nous donnent du cœur à l'ouvrage. Voilà pour les bénéfices. Jusque-là, tout va bien. Mais venons-en aux coûts, dont je suppose qu'ils sont surtout liés à l'exposition médiatique.

Inutile de le préciser, l'amplification et l'enhardissement du secteur de la communication de masse n'étaient pas limités au seul Royaume-Uni. La « visibilité », comme les Américains ont appelé ça, fut octroyée aux écrivains dans toutes les démocraties libérales, avec des variations dues aux particularismes nationaux. Dans mon île natale, la situation est, comme toujours, paradoxale. Malgré l'existence d'une tradition littéraire d'une magnificence inégalée (présidée par la seule divinité littéraire incontestée de la planète), on considère les écrivains avec un scepticisme calculé – *on* : non pas le public mais les *puissances commentatrices*. Il nous semble parfois être confrontés à une étonnante circularité. S'il est vrai que les écrivains doivent leur influence aux médias, de leur côté les médias ont promu ceux-là mêmes qui les irritent le plus : un ramassis d'égocentriques – désormais plutôt prospères. Quand les écrivains se plaignent de cette situation ou de quoi que ce soit d'autre, d'ailleurs, on leur reproche de s'apitoyer sur leur sort (« les jérémiades des people »). Mais le principal chef d'accusation, non formulé, n'est pas l'apitoiement sur soi : c'est l'ingratitude.

Ne négligeons pas un trait qui unit la littérature romanesque et les colonnes qui en traitent dans la presse : la consanguinité. Pour juger une exposition d'art on n'a pas besoin d'un chevalet et d'une palette ; pas plus que pour juger un ballet on n'a besoin de chaussons et d'un tutu. Il en va de même pour tout ce qui concerne l'écriture, à une exception près. On ne critique pas la poésie en écrivant des vers (à moins d'être un crétin), et on ne critique pas une pièce de théâtre en écrivant un dialogue (à moins d'être un crétin) ; mais un roman, c'est de la prose narrative – comme le journalisme.

Dans mon île natale, il est fortement conseillé aux personnes exposées de mener une vie privée dénuée de toute couleur et complexité. Elles devraient aussi, si elles sont prudentes, être le moins possible liées aux États-Unis – considérés comme le quartier général mondial de l'arrogance et du tape-à-l'œil. Quand, avec mon épouse, qui est new-yorkaise, nous nous sommes lancés dans le projet épique de déménager de Camden Town, Londres, à Cobble Hill, Brooklyn, j'ai saisi toutes les occasions publiques imaginables pour expliquer que nos raisons pour ce faire étaient exclusivement personnelles et familiales : cela n'avait rien à voir avec ma supposée frustration face à l'Angleterre et aux Britanniques (dont, comme je l'ai exprimé très sincèrement, j'ai toujours admiré la tolérance, la générosité, et l'esprit). Suite à d'extravagantes déformations de mes propos, d'imitations et de fausses interviews satiriques, la presse a donné l'impression que je m'en allais poussé par une haine féroce du Royaume-Uni et parce que je ne pouvais plus supporter les piques bien senties des journalistes patriotes.

« Je préférerais ne pas être anglais » : de toutes les fausses sorties apposées à mon nom, c'est celle qui me consterne le plus. J'ose prétendre que cet énoncé – et son équivalent dans n'importe quelle langue ou graphie – est imprononçable par quiconque doté d'un QI d'au moins deux chiffres. Peut-être « Je préférerais ne pas être nord-coréen » pourrait-il avoir un sens, à supposer l'existence d'un Nord-Coréen suffisamment bien informé et intrépide pour l'exprimer. Sinon, et partout ailleurs, ce sentiment est d'une inconcevable nullité. Pour un écrivain, s'exprimer ainsi au sujet de l'Angleterre – nation de Dickens, de George Eliot, de Blake, de Milton et, oui, de William Shakespeare – n'est même pas pervers, c'est loufoque.

L'expression « exception américaine » fut inventée en 1929 par nul autre que Staline, qui y voyait une hérésie (il voulait dire que l'Amérique, comme tous les autres pays, était sujette à l'inoxydable loi du marxisme). Si cette idée fort décriée a encore un sens, nous devrions l'appliquer à l'attitude exceptionnellement hospitalière de l'Amérique face aux étrangers (ma famille et moi, en tout cas). Tous les amis de la bannière étoilée sont peinés de voir que cette unique et noble tradition est désormais menacée, de tous bords ; mais l'Amérique n'en demeure pas moins, et c'est même un de ses traits déterminants, une société de l'immigration, vaste et informe ; la position des écrivains n'y a jamais suscité le moindre ressentiment, car chacun a compris de façon subliminale qu'ils étaient amenés à jouer un rôle important dans l'interprétation de son immensité protéenne. Chose étonnante, le « siècle américain » (pour utiliser une autre expression pas loin d'être moralisatrice), aura duré exactement cela, cent ans, et pas plus longtemps, la Chine étant vouée à lui ravir la première place vers 2045. Pour l'heure, le rôle des écrivains est, du moins, suffisamment limpide. Ils prendront la température de l'Amérique et, tendrement, son pouls, tandis que le Nouveau Monde suivra le Vieux sur la pente du déclin.

The New Republic, 2012

Politique – I

Le parti républicain en 2011 : Iowa

« *Oops !* » a une sonorité encore pire – encore plus penaude et abjecte – avec l'accent texan : quelque chose comme « *Ewps !* ». Ce fut certainement un moment saisissant, pas seulement pour le gouverneur Rick Perry et ses innombrables gestionnaires, sponsors, investisseurs et déposants. Quand, pour la dernière fois, un apprenti empereur s'était-il ainsi mis à poil en l'espace d'une seule syllabe ? Signe d'autres égarements d'ordre plus général.

Il semble avoir suffi d'une génération pour que, si les Démocrates représentent l'esprit américain, les Républicains en viennent à représenter, non pas son cœur, non pas son âme, mais ses tripes. Le débat remonte aux débuts de la démocratie : la fonction suprême devrait-elle revenir au candidat le plus intellectuellement capable, ou au plus viscéralement normatif (pour ce dernier adjectif, on pourrait utiliser les synonymes : « banal » et « médiocre ») ? Ailleurs dans le monde développé, l'opposition cerveau/boyaux a depuis longtemps été tranchée en faveur du cerveau. Aux États-Unis, la querelle divise encore la nation. Les choses sont légèrement différentes, plus viscérales, en période de crise. Il y a neuf ans, rappelez-vous, le peuple écouta dans un silence docile le président quand il avoua se « lancer avec [s]es tripes » en Irak.

Jusqu'à très récemment, on avait l'impression que le Grand Old Party (GOP – le parti républicain) s'était doté du candidat le plus intensément « moyen » de tous les temps. Rick « Crotch » Perry (« Entrejambe », à cause de sa façon de réajuster son jean d'une certaine manière), garçon de ferme pieds nus, issu d'une vieille famille rebelle, élève médiocre, chauffeur de stade, fervent pilote de l'Air Force, est devenu le puissant gouverneur d'un des principaux États américains.

Certes, il parle comme un ivrogne ou une victime d'AVC (quand il tente de prononcer « Joe Arpaio » – le shérif autoproclamé le « plus coriace » d'Amérique –, ça donne *Joe Aroppehyeh*), mais en cela il ressemble à George W. Bush. Certes, il chassait le cerf dans une réserve du nom de Niggerhead (Tête de nègre) – mais il prenait soin d'éviter un autre site remarquable du Texas, Dead Nigger Draw (vallon du Nègre mort). Certes, il est possible qu'il accumule les erreurs factuelles – mais ne trouvons-nous pas très viril de commettre des erreurs ? Voilà donc un candidat au torse puissant. Quel pouvait être le problème ?

Le temps est venu d'aller au-devant des gens. Activité autour de laquelle, prétend-on encore, tournent les campagnes présidentielles. Par une matinée glaciale, la voiture sort donc lentement de Des Moines par l'est, passe la North Skunk River, débouche sur le vaste plateau de l'Iowa. Destination : Marshalltown. On dépasse : le magasin d'alimentation générale, Casey's General Store ; la station-service du GitnGo Market ; des panneaux qui indiquent « Solde sur les souffleuses à neige » ou « Temple maçonnique » ; les vagues masses fumantes d'édifices industriels dans le lointain brumeux. Et voici le modeste foyer rural, coincé derrière les voies de chemin de fer et le matériel roulant couvert de rouille.

Installé au milieu d'une centaine de coupe-vent et de couvre-chefs en laine, dans une atmosphère d'amicale non-discrimination, je passais le temps à lire le fascicule *Le Livre de recettes de la famille de Ron Paul*, distribué gracieusement – vingt-huit pages de recettes « pour réchauffer la cuisine et le cœur ». Ha, voici le Filet Razzle Bo-Dazzle et les Cookies de Mama au beurre de cacahuète. À l'approche des 10 heures, je poursuivais avec les citations de la Bible, puis avec la newsletter familiale de Carol Paul, qui me renseigna sur l'énorme dynastie Paul et les agissements de Rand, John David, Collin, Caylee Joy, Kelly, Lori, Valori…

Annoncé avec enthousiasme, le candidat monte sur l'estrade : M. Ron Paul, soixante-seize ans, visage hâve, lèvres fines sous une mèche rabattue gris argent, cette fêlure si charmante dans sa voix et son rire. Fiscalement responsable, Ron est isolationniste et fondamentaliste constitutionnel ; c'est aussi un « libertaire anti-avortement » – ce qui signifie qu'il prône une intervention minimum de l'État, sauf quand il s'agit des femmes enceintes.

Tout cela est un peu *excentrique*, mais on pourrait tout de même arguer que le foyer rural, ce jour-là, fournissait un exemple de démocratie américaine quasiment à son apogée : un candidat dénué de cynisme créant affablement des liens avec sa base électorale. Paul dit aux électeurs que leurs votes, dans les primaires à venir, seraient « amplifiés mille fois », ce qui n'est pas faux dans le cas anormal de l'Iowa. Malgré tout, il est difficile de ne pas avoir l'impression que le va-et-vient de la pompe à eau locale (« Nous avons le temps pour une dernière question ») n'est plus qu'un événement de second plan.

« Aller au-devant des gens, c'est de la merde », a dit, il y a vingt ans déjà, un politicien de haut rang qui, et ce n'est guère étonnant, souhaite garder l'anonymat. Il semble que le foyer rural, lui aussi, soit de la merde ; traîner autour du café ou du *diner*, c'est de la merde ; serrer les mains, c'est de la merde. Un vieil ami, un vétéran des sondages et des primaires, que je surnomme l'« Initié », certifie que les publicités, aussi, c'est de la merde. « Elles n'ont eu aucun effet. Perry a dépensé… combien… ? 5 millions de dollars. Huntsman 3 millions de dollars, avec aucun effet perceptible. Les pubs ne font la différence que quand on se lance tard et qu'on fonce dans le tas. »

Bref : qu'est-ce qui n'est pas de la merde ? Les débats comptent, les médias comptent – mais surtout lorsqu'ils tournent autour du pitch associé à chaque candidat. Or, ici comme ailleurs, le pitch se résume souvent à un seul mot.

Prenez Mitt Romney. Le pitch de Mitt, c'est : « Volte-face ». Il a un passé trouble, entre son plan de santé (anti-individualiste), sa vigilance écologique (anticréation d'emplois), et, par-dessus tout, son laxisme côté avortement (antivie). Le stigmate du mormonisme – les sous-vêtements spéciaux, la technique de recrutement et le baptême des morts par procuration, entre autres inanités – lui coûte peu, pas plus de deux ou trois points, ce qui est surprenant et sans doute un peu scandaleux. C'est un technocrate d'une extrême efficacité ; il a tout ce qu'il faut pour être élu ; c'est le seul vrai présidentiable. Alors pourquoi n'arrête-t-il pas de se taper le crâne contre le plafond de verre des 25 % ?

Mitt a quelque chose de bizarrement semi-humain. Pour reprendre une métaphore employée à l'origine par l'immense Clive James, Romney a l'air de sortir de chez un dentiste qui lui aurait plombé la tête au lieu d'une dent. Il nous confronte à ce qu'on appelle le « syndrome de la nourriture pour chiens ». « Le chien refuse de manger de la nourriture pour chiens » – et personne ne sait pourquoi. Mais ne vous y trompez pas, prévient l'Initié : « Gingrich le devance dans les sondages. Romney fait encore la course en tête. La Maison-Blanche pense que ce sera Romney… alors que, bien sûr, ils préféreraient que ce soit Gingrich. Obama écrase Gingrich en Floride. »

Qui d'autre espère que ce soit Gingrich ? Et comment les électeurs de bon goût même modérés perçoivent-ils sa percée ? Il espère changer son pitch en « rédemption », mais, pour l'heure, il est bloqué à « système » (ou, si vous préférez, « homme du système, corrompu avéré »). Gingrich se promène depuis si longtemps au Capitole qu'on le verrait bien en toge dans un vieux film en sandales à lanières, comme *Quo Vadis* (1951), mollement allongé entre Peter Ustinov et Deborah Kerr.

Il y a environ deux semaines, on a appris que Gingrich faisait des séances de signatures dans les librairies sur le parcours de sa campagne – à côté de Callista, qui pour sa part faisait la promotion de *Sweet Land of Liberty*, une histoire sur Ellis l'Éléphant. Eh bien, a raconté une source au *New York Times*, il aurait « monnayé » ses années de président de la Chambre des représentants (« historien » consultant pour la société Freddie Mac – prêts hypothécaires – et ainsi de suite). Pourquoi ne monnayerait-il donc pas sa percée dans les sondages ? « Je crois à la libre entreprise, expliqua Gingrich (du moins n'a-t-il pas dit… "il *s'avère* que j'y crois"), et je crois qu'il est OK de faire de l'argent. » Certes, mais faire de l'argent lui a valu une amende de

300 000 dollars et une réprimande cinglante, il y a quinze ans. Gingrich n'est pas seulement un rustre abyssal ; c'est aussi un serial adultère qui, tout en ayant lui-même une liaison avec une femme de son personnel, persécutait Bill Clinton accusé du même crime.

« Avant de pouvoir gagner, dit l'Initié, il faut avoir été humilié. En ce moment, Romney est humilié. Ensuite, les choses changeront. Rappelle-t'en, les boulets de Gingrich sont en buffet à volonté. »

Direction, donc, le débat au Drake Campus de Des Moines. Les six candidats se tiennent à des pupitres nervurés de rais de lumière blanche, comme dans la salle de contrôle du vaisseau spatial *Trekkie*, prêts à pulvériser au laser la planète Terre. Pris tous ensemble, c'est une belle brochette. Dans deux semaines, la primaire de l'Iowa, comme un jury ayant pouvoir de vie ou de mort, donnera son verdict. Trois seulement vivront.

Le pitch de Jon Huntsman, absent, c'est… « absent ». Donc, en plus des deux probables finalistes, Romney le caméléon et le pingre Gingrich, il nous restait Rick Santorum (« *work in progress* »), Ron Paul (« dommage qu'il soit si vieux ») et le splendide cadavre Rick Perry (« sait compter que jusqu'à deux »), et la 50 % décorative, 50 % discréditée Michele Bachmann (« dommage qu'elle ait un mari qui fait peur »). Comme on s'y attendait, le débat fut une contre-performance abyssale. Pendant le seul moment intéressant, Gingrich fit montre de ses talents dialectiques, transformant une question délicate sur la fidélité dans le couple – un parallèle entre les serments du mariage et les serments d'investiture – en une dissertation sur la Federal Reserve Bank.

Nos réjouissances étaient hantées par un spectre : notre Banquo était, naturellement, le fort regretté Herman Cain

– Cain, qui espérait appliquer au management du monde libre les leçons absorbées chez Burger King et Godfather's Pizza. Avec une certaine incrédulité, nous nous rappelons que le splendidement ridicule Herman a jadis été le chef de meute. Les choses pourraient-elles être plus claires ? Le volte-face en chef, le plus indécrottable indécis, le provocateur de la clique, c'est ce pauvre électorat républicain.

Et c'est parfaitement compréhensible. Pour voir jusqu'où le GOP est allé ces dernières années, il suffit de se rappeler le très estimé Ronald Reagan. Gouverneur de Californie, il a augmenté les impôts et le nombre de fonctionnaires, défendu les lois en faveur des homosexuels et fait voter une loi notablement libérale sur l'avortement ; président, il a supprimé des niches fiscales et amnistié des clandestins.

« Tous les "ismes" sont des termes du passé », disait Tony Blair, il y a un bon bout de temps, déclarant close l'ère des idéologies. Avec son Serment de protection du contribuable, le gouvernement-à-venir, patriarcal, philoprogéniteur, ennemi de la science, ennemi des faits, ennemi de la gouvernance, s'est enfermé dans le dogme. Le parti des tripes est tout embrouillé, à l'intérieur comme à l'extérieur. Nous n'entendons plus aujourd'hui que les maussades rouspétances de son ventre et les bruits de ferraille sporadiques de ses chaînes.

Newsweek, 2011

Le parti républicain en 2012 : Tampa, Floride

« Combien pèse l'Union soviétique ? » demanda un jour Staline. Il espérait instiller à ses conseillers terrifiés une idée de la place qui revenait de droit à leur pays dans le monde : *numéro 1*. Pour ceux qui viennent vivre aux États-Unis, et pas seulement en visite (comme moi, par exemple), c'est la première chose qui frappe : la masse astronomique de l'Amérique. On se demande : combien pèse l'Amérique ? Et bientôt on se pose la question de sa place dans le monde *(numéro 1)*, et de la durabilité de sa domination.

Et quel est le tonnage de sa machinerie politique ? En arrivant à Tampa, en se dirigeant vers le haut lieu du Comité national des Républicains, on est tout d'abord confronté à l'imposant labyrinthe totalement dénué d'humour de la « sécurité » à l'américaine. Les rues bloquées, les inquiétants hélicoptères géostationnaires, les (fausses) rumeurs de drones dans la stratosphère, les gardes nationaux, les trois mille flics accourus de toute la Floride, les hommes au gilet pare-balles estampillé *shérif* ou *services secrets*, et les agents encore plus secrets : ils arborent a) un petit tube plastique entortillé autour de l'oreille, et b) un air renfrogné. Ils sont comme ça, 99,9 % du temps, les gars de la sécurité : des renfrognés professionnels. Et bientôt, les rayons X et les fouilles au corps, des files d'attente qui vous feraient hurler à LAX ou à JFK.

En premier lieu, le colossal édifice du Convention Center. Dans la Google Media Lounge, j'ai été fasciné par un vaillant être multitâches sur un tapis de course qui, en même temps, semblait-il, filmait avec son ordinateur portable. Dans l'atrium béant, tous ceux qui ne hurlaient pas des salutations étaient recroquevillés en communion tendue avec leur BlackBerry ou leur iPad. Dans l'espèce de hangar du deuxième étage, les chaînes de télévision divisaient l'espace en recoins intimes. L'échelle était gargantuesque : vision opiacée et quinceyenne de l'infini.

Puis navette jusqu'au Tampa Bay *Times* Forum, l'amphithéâtre grand comme un stade qui allait bientôt être honoré par la présence des stars du Grand Old Party, leurs innombrables délégués et quinze mille représentants des médias. Sur la scène, des quinquagénaires chevelus nasillaient le genre de musique folk patriote qu'on pourrait appeler *jingobilly*. Emplissant les écrans géants, ô combien symboliquement : des clips de soldats avançant dans un ralenti héroïque sur des terrains d'aviation, comme dans un cauchemar sisyphéen. Les estrades étaient encombrées par le matériel des équipes de télévision, lampes à arc, portiques, malles en métal et, plus loin, enfoncées jusqu'aux chevilles dans des câbles enroulés comme des boas, des silhouettes vaguement familières, sourires légèrement maladifs : des têtes qu'on voyait à la télé, sous une mince couche de fond de teint.

Les présentateurs ressemblent beaucoup aux hommes politiques : le teint pas humain, la mise en pli, le maquillage, comme disent les marxistes, ce n'est pas un hasard. Ils sont avant tout des *communicants*. Et qu'est-ce qui, exactement, était communiqué, là-bas dans le golfe du Mexique, au milieu de mégatonnes de palans et de matos, des chapeaux en carton, de la débauche de fric (favorisée par le Comité d'action politique « Plus-de-temps-d'antenne-à-acheter »), des journalistes transpirant, éternuant (successivement trempés par les averses, cuits à la vapeur par l'humidité ambiante, glacés par la clim arctique) et de la succession sur le podium de démagos et de lecteurs de cartes antisèche ? Quelles idées énonçait-on, quelle politique pressentait-on, quelles philosophies explorait-on ?

On peut résumer la dialectique républicaine de 2012 comme suit : qu'Obama ait ou pas hérité d'une situation difficile (les Démocrates, du moins, se rappelleront l'avertissement historique de George W. Bush en 2008 : « Ce gogo pourrait plonger »), il n'a rien résolu, alors essayons Romney, qui est homme d'affaires, pas socialiste. Ce concept, et ce fut le seul et unique, fut martelé à coups de répétitions, de tautologies, de platitudes, de redondances et de re-répétitions.

Matrones en ensemble rouge vif, flatteurs en costume cravate d'ambassadeur sous leur tronche de cake, mauvaises rimes, calembours, jeux de mots bricolés, allitérations, réitérations (ma maman m'a dit… fonder une petite entreprise… Dieu Tout-Puissant est la seule Vérité… hériter nos espoirs et nos rêves… mon papa m'a dit… fonder une petite entreprise) – le tout relayé par les tweets débiles d'accros de la télé, qui défilaient autour de la salle sur des bandeaux lumineux : « Je suis vraiment trop fier d'être républicain », « La famille Bush est tellement formidable », « Regardez tous ces Olympiens sur la scène avec Romney. TROP TROP COOL ! »

Le Parti faisait la fête, sautillant, glapissant, tapant dans ses mains. Le lendemain, j'étais aussi aigri que Bill Murray, à me mêler pour la millième fois aux fêtards (« Choisissez votre partenaire et venez sur la piste ») sur Gobbler's Knob.

En moyenne une fois par soirée, la morne torpeur se levait brièvement. Ann Romney est une femme qui met l'accent sur l'humain. Elle s'était soumise, sans aucun doute avec quelques scrupules, à l'inévitable fausseté du show politique ; et on se réchauffait à sa chaleur, même si on devinait qu'une grande partie de son discours, l'accent mis sur les « mères qui travaillent », le « couple qui souhaite avoir un deuxième enfant » mais ne peut pas se le permettre, et ainsi de suite, n'était pas sincère. Les gens à la peine qu'elle prétendait défendre (tout n'avait pas été rose pour les Romney dans leur sous-sol, à l'époque…) sont ceux-là mêmes pour lesquels son mari, s'il est élu, ne fera absolument rien. On voyait bien aussi qu'Ann ne ferait en rien avancer la diversité appelée de ses vœux par le Grand Old Party : on aurait dit la digne lauréate du concours Miss Bidon de lait 1970. « Ce soir, je veux vous parler d'amour », avait-elle annoncé. Puis le gouverneur Christie arriva en se dandinant. Or Chris voulait parler de Chris, même s'il faisait ce qu'il pouvait pour la cause : sa maman lui avait dit, apparemment, que l'amour, c'était de la crotte… et que ce qu'il nous fallait, c'était du *respect*.

Ça, c'était mardi. Mercredi, nous fûmes réunis pour boire comme du petit-lait, justement, les paroles du choix de Romney comme vice-président : Paul Ron. Je sais que ça devrait être Paul Ryan, mais c'est facile de le confondre avec Ron Paul : tous deux libertariens anti-avortement, ils ont réussi à distiller quelques slogans carnassiers du roman illisible d'Ayn Rand, *La Grève* (si le jeune Paul a le bonheur d'avoir une autre fille, il la baptisera sans doute Ayn Ryan – pour faire la paire avec le Rand Paul de Ron). Nous étions nombreux à penser que Romney aurait voulu quelqu'un de plus tape-à-l'œil et populiste comme second, Christine O'Donnell, par exemple, ou Joe le Plombier. Mais il a choisi à la place un mordu de politique dur à cuire qui « représente quelque chose ».

Bizarrement, une partie de ce que Ryan représente mènera à la défaite électorale en Floride. La seule raison pour laquelle on a organisé le congrès à Tampa, c'était pour se rallier le Hillsborough County, un district jugé vital si l'on voulait emporter le Sunshine State. Mais c'est aussi l'État des Seniors. Or nous savons combien les personnes âgées aiment le défi de la nouveauté, surtout quand il concerne leur survie physique. Ils sauteront sur la possibilité de recevoir les fameux « coupons » avec tel ou tel consortium santé et fric – une strate professionnelle désormais si franchement gangsterisée qu'elle déguise les agents de recouvrement en médecins et les envoie aux urgences.

Nous reviendrons à Ryan. Mais, d'abord, terminons-en avec Romney. Ce qu'il y eut de bien avec la première partie de Clint Eastwood, c'est que, ignorant la lumière rouge, il dépassa de sept minutes son temps imparti de marmonnements, suscitant la panique à la tour de contrôle, qu'il soumit ainsi au supplice. Tout ce qui nous manquait, c'était un direct de Romney – le sourire douloureux de Romney (le sourire d'un homme qui, après s'être démis l'épaule, vient juste d'enfiler un smoking trop juste). Cela explique peut-être en partie pourquoi le candidat fut si opaque et apparemment mal à l'aise. Il ne répondit jamais, de loin ou de près, à la question que tous les Américains doivent se poser : Mitt est-il le genre de gars avec qui on aimerait partager un verre d'eau ? Arrivé à ce point, il est temps de se rappeler un fait capital. Il n'y a qu'un principe sur lequel Romney n'a jamais tergiversé : sa religion.

C'est un croyant cristallisé, pas accidentel. Ça se voit au lissé de son visage. La conscience de la mortalité est en soi un facteur de vieillissement – elle creuse les orbites, tourmente le front ; Romney a l'air de croire vraiment qu'il est éternel (bizarrement, il a aussi l'air d'une star du porno qui aurait dépassé la date de péremption). Mitt est mormon – même s'il préfère ne rien en dire. Il est vrai que, si j'étais mormon, je préférerais aussi éviter le sujet. Quelle que soit notre opinion de leur doctrine, les grands monothéismes sont sanctionnés par leur durée : l'islam a quinze siècles à son compteur, la chrétienté vingt, le judaïsme au moins quarante. L'une des dizaines d'impostures nées dans le sillage du Grand Réveil au milieu du XVIIIe siècle, le mormonisme, fut fondé le 6 avril 1830. La vulgarité et la corruption – le goudron et les plumes – de ses origines sont typiques de l'époque. Mais certains aspects de son histoire peuvent nous inciter à la réflexion.

Le premier prophète du mormonisme, Joseph Smith, avait quarante-sept épouses, dont la plus jeune était âgée de quatorze ans. Brigham Young, le deuxième, en avait soixante-dix ; il a aussi initié une série d'assassinats (pour mettre un terme à des rivalités intestines). Les mormons furent victimes de persécutions, et ils ripostèrent ; par exemple, en 1857, ils tuèrent cent vingt hommes, femmes et enfants à Mountain Meadows. Au cours de la Guerre civile, les mormons étaient partisans du Sud, inévitablement, d'ailleurs, puisque eux aussi faisaient commerce de chair humaine. Comme l'historien Hugh Brogan l'a dit : « Lincoln aurait tout aussi bien pu dire de la polygamie ce qu'il a dit de l'esclavage, à savoir que, si ce n'était pas une mauvaise chose, alors rien ne l'était. » Il fallut attendre 1890 pour que l'Église mormone renonce à cette pratique (mais elle perdura longtemps dans le XXe siècle) ; et 1978 pour qu'une nouvelle « révélation » dévoile que les Noirs étaient les égaux des Blancs : Mitt Romney avait trente et un ans.

Il est possible que l'article le plus lourd dans le bagage mormon ne soit pas autant ses ténèbres morales ou même sa nullité intellectuelle que son affligeant esprit de clocher. À Tampa, ils appelaient Romney l'« homme au grand cœur venu d'une petite ville ». Nous ne remettons pas en cause le grand cœur, mais doutons terriblement du grand esprit. La vérité est que Romney, qui aspire à diriger le monde libre, paraît ridicule ailleurs qu'en Amérique. Comment pourrait-il chevaucher les océans – le saint des Derniers Jours au visage épargné par les ravages du temps, qui croit que le jardin d'Éden se trouve dans le Missouri ?

Au congrès, c'est l'art oratoire de Ryan, pas celui de Romney, qui inspira le vent de triomphalisme le plus exalté. Et ce ravissement, nous dit-on, demeurerait intact quand, le lendemain matin, on découvrirait que ce discours était en grande partie un tissu de mensonges. D'après les responsables de campagne, la tromperie en politique, de nos jours, n'est plus sanctionnée. Lors de la préparation de cette campagne, les Républicains ont d'abord envisagé une stratégie classique « en tenailles » : ils achèteraient l'élection avec les millions du Comité d'action politique et la voleraient en redécoupant certaines circonscriptions et en favorisant l'abstention (le sort de cette manœuvre semble piétiner dans les tribunaux). Pas de sanctions ? Détrompez-vous. Qui acceptera en souriant qu'on lui mente perpétuellement ?

Les effets de la malhonnêteté sont cumulatifs. Indétectables par les groupes de discussion ou les appels automatisés, ils agissent sur l'inconscient, créant le genre de malaise qui permettra d'influencer les indécis en novembre.

En même temps, il faut admettre que l'Oncle Sam est plutôt exceptionnel, voire exotique, dans son respect superstitieux de l'argent. Dans tous les autres pays, la seule idée promue jusqu'à présent par les Républicains au cours de ce siècle ne serait jamais abordée, et encore moins débattue, votée, puis gratifiée d'un second mandat. Des *réductions* d'impôt… pour les *riches* ? Cette politique clairement indécente est déjà un échec reconnu. D'après le Pew Research Center, seuls 8 % des Américains ordinaires, et uniquement 10 % des classes aisées, pensent que les riches sont trop imposés. En outre, le Grand Old Party est condamné par la démographie. Il est tout simplement à court de ces Blancs qui forment sa base électorale ; comme l'a admis un stratège de Romney : « Ce sera la dernière fois que quelqu'un s'y essaiera. » Il est de notoriété publique que les Républicains refusent de faire des compromis avec les Démocrates. Combien de temps encore pourront-ils refuser de faire des compromis avec la réalité ?

Comparons Tampa aux paroles et mentalités nettement plus séduisantes venues de Charlotte, N.C. Il n'a guère été ragoûtant, ces derniers temps, d'être témoins de la désacralisation, de la pénitence et d'aucuns pourraient dire du durcissement d'usure du jeune président. Le peuple n'a pas non plus apprécié d'assister à ce spectacle : l'indice de satisfaction du Congrès est de 9 % (alors que la Première dame atteint les 66 %, comme Colin Powell en son temps). La violence de la répudiation d'Obama par les Républicains avait des relents d'idéologie de la suprématie raciale, tout comme l'amour inspiré par le couple Obama avait, de son côté, un fond abolitionniste : les passions qui donnèrent lieu à 650 000 fratricides ont du mal à s'estomper. Et cela semblait être confirmé par le public de Tampa qui avait quasiment un air d'avant-guerre, alors que celui de Charlotte avait le visage de l'avenir.

Henry James a dit que l'Amérique était moins un pays qu'un univers. Depuis soixante-dix ans, le monde, le globe est modelé par l'exemple et la force de gravitation de l'idéal américain. C'est une responsabilité épique. La vertu d'Obama la moins soulignée est son étonnante assurance face au poste le plus élevé de la planète. Pensez à ces primaires au cours desquelles, à plusieurs reprises, Mitt Romney réussit à être mené par des gens comme Michele Bachmann, Newt Gingrich, Rick Perry, Rick Santorum et Herman Cain. Dès qu'il ne remportait pas une victoire, Romney me rappelait Dan Quayle, qui, en 1988, brigua la vice-présidence à la Nouvelle-Orléans : pour reprendre les termes de Stuart Stevens (aujourd'hui chef stratège de Romney), « on aurait dit qu'il venait de prendre un gramme de coke ». Comme George W. Bush, Romney montrait peu de résistance à ce que Gorki (un temps ami de Lénine) appelait le « sale venin du pouvoir ». Pensez à Obama à Chicago en novembre 2008 : l'homme le plus calme d'Amérique. Peut-être du monde.

Newsweek, 2012

Le parti républicain en 2016 : Trump[1]

Il n'est guère de facettes de l'émergence de Trump qui n'ait été examinée, mais il me vient à l'esprit au moins une lacune importante. Je parle de sa santé mentale. Qu'en est-il aujourd'hui et comment s'adaptera-t-elle aux défis à venir ? Nous devrions nous rappeler, je crois, que l'expression « le pouvoir corrompt » n'est pas qu'une métaphore.

On a tenté une ou deux fois de contraindre Donald à se tenir tranquille sur le divan. Ted Cruz et Bernie Sanders l'ont tous deux traité de « menteur pathologique », tout comme d'autres observateurs moins partiaux. Puis ils se demandent : son besoin de mentir est-il purement compulsif ou Trump est-il un mythomane invétéré, constitutionnellement incapable de distinguer la non-vérité de la vérité – un peu comme ces « horribles êtres humains », les journalistes

1. Cet article fut remis à la rédaction du journal le 23 mai, peu après que les deux derniers candidats en lice, Ted Cruz et John Kasich, se furent retirés des primaires (3 mai), et juste avant que Trump ne remette en cause la capacité du juge Gonzalo Curiel à présider les procès pour fraude à l'encontre de la Trump University. L'article fut publié le 15 juillet, au moment où Trump se préparait pour la Convention républicaine (18-21 juillet).

(ou du moins les journalistes dédaigneux, de bas étage), qui, selon Trump, « n'ont aucune idée de la différence entre "fait" et "opinion" » ? PolitiFact a établi que, chez Donald, le taux d'affirmations mensongères dépassait les 90 %, de sorte que l'homme qui répète à satiété qu'il dit « les choses telles qu'elles sont » se révèle les dire presque systématiquement comme elles ne le sont pas.

Avec une résonance accrue et un nappage technique de surcroît (une liste de symptômes et d'indices révélateurs), il a été établi que Trump était atteint de troubles de la personnalité narcissique. Il est certain que chez lui le niveau d'autosatisfaction dépasse de beaucoup un vulgaire égocentrisme ou solipsisme. « Mes doigts, a-t-il expliqué récemment, sont longs et beaux, tout comme – cela a été bien certifié – plusieurs autres parties de mon anatomie. » Il évoque incontestablement le Narcisse de la mythologie grecque, le joli garçon frigide mortellement épris de son reflet. Il y a là de l'auto-érotisme ; de l'auto-excitation.

Les cyniques répliqueront que ces deux « maladies », tromperie chronique et orgueil aigu, sont monnaie courante. Depuis quelques années, le Grand Old Party a plus ou moins adopté le quasi-slogan « Il n'y a pas de mal à mentir » (en soi, une histoire à dormir debout patente et performative : comment peut-on déprécier sans frais la vérité et la langue ?). Ces mêmes voix avanceraient aussi qu'un ego ridiculement enflé est une condition *sine qua non* chez quiconque aspire à une position publique. Eh bien, nous verrons. Le président Trump pourra-t-il se permettre beaucoup de mensonges pathologiques dans le Bureau ovale et la Situation Room ? En tout cas, nous pouvons être assurés que son narcissisme pathologique, son pauvre vieux TPN, atteindra des hauteurs méconnaissables de furie et de flamboyance, plus il s'approchera de l'« aphrodisiaque par excellence » (Henry Kissinger) – à savoir, le pouvoir.

Notre examen psychologique réclame des preuves. Il s'avère que le mot écrit en est toujours une. Or, j'ai devant moi « deux livres de Donald Trump », formule utilisée en connaissance de cause, notamment la préposition « de ». Nous pouvons toutefois être certains que Trump a eu *quelque chose* à voir avec leur compilation : il devient vite manifeste que Trump est l'un des micromanagers réticents de la nature, ayant découvert (oh, il y a fort, fort longtemps) que la moindre décision bénéficiera immensément de sa supervision. « De » est provisionnel, et même « livres » est sujet à discussion, puisque Trump appelle toujours ses livres ses *best-sellers*. Quoi qu'il en soit, près de trois décennies séparent *L'Art de la négociation* (1987) et *L'Amérique paralysée* (2015). Je suppose qu'une étude minutieuse des best-sellers intermédiaires, dont *Survivre au sommet* (1990), *Comment devenir riche* (2004), *Think like a Billionnaire* (« Pensez comme un milliardaire », 2004), *The Best Golf Advice I Ever Received* (« Le meilleur conseil de golf que j'aie jamais reçu », 2005), et *Think Big and Kick Ass in Business and Life* (« Pensez grand et mettez des branlées dans les affaires et la vie », 2007) aurait pu adoucir le coup. Dans l'état des choses, je peux certifier qu'au cours des trente dernières années, Trump, sur les plans cognitif et humain, est victime d'un atroce déclin.

Pour autant qu'il s'agisse d'un livre autobiographique, *L'Art de la négociation* ressemble au portrait d'un homme parti de rien qui a fait fortune mais dont le rien a été délicatement omis. C'est le père, Fred C. Trump, qui s'est chargé dudit rien, devenant à onze ans l'homme de la maison (le grand-père étant « vie rude vin rude ») ; c'est Fred qui cirait les chaussures, livrait les fruits et soulevait les poutres. Mais, dès l'âge de seize ans, Trump Senior commença à tracer sa route : il « construisait des garages préfabriqués à cinquante dollars pièce ».

À l'arrivée de Donald, Trump Senior était un grand maître de ce qu'on appelle l'« habitation bon marché ». Le petit Donald devint le second couteau de son père quand tous deux inspectaient les sites, surveillaient maçons, fournisseurs et entrepreneurs, intimidaient les locataires aux abois car grevés d'arriérés. Mais « j'avais des rêves et des visions plus élevés », écrit Trump. Très peu pour lui les petites boîtes en brique rouge, et même les « villas de trois étages Colonial, Tudor ou Victorien » que Fred construirait par la suite. Au début des années 70, ragaillardi par un « modeste prêt » (1 million de dollars) de son père, Donald traversa le pont de Brooklyn et se lança dans le commerce des logements inabordables : les gratte-ciel.

Si vous vous êtes jamais demandé comment c'est d'être un jeune philistin germano-américain avare et abstinent qui fait son trou à Manhattan, alors votre curiosité sera assouvie par *L'Art de la négociation*. L'un des inconvénients d'un succès phénoménal, note tristement Trump, « c'est que la jalousie et l'envie suivent inévitablement » (« Je mets [ces gens] dans la catégorie des perdants de la vie ») ; le présent lecteur, du moins, éprouva une superbe sérénité en découvrant une journée ordinaire de Trump. Permis non utilisables, COS, certificats d'urbanisme, modification de zonage (« impliquant une dizaine d'agences municipales ou d'État, et des comités de quartier »), droits fonciers et achat d'espaces aériens, avantages fiscaux (« réduction d'impôts sur le bâti »), pots-de-vin aux politiques (« très fréquents et acceptés »), et, le moment venu (« Je ne veux pas faire le méchant si ce n'est pas absolument nécessaire »), expulsions *manu militari*.

D'un autre côté, songez à tous les êtres humains exceptionnels avec lesquels il travaille. Alan « Ace » Greenberg, PDG de Bear Sterns ; Ivan Boesky, cambiste corrompu ; Arthur Sonnenblick, l'« un des principaux courtiers de New York » ; Steve Wynn, hôtelier à Vegas ; Adnan Khashoggi, « milliardaire saoudien » (et trafiquant d'armes) ; Paul Patay, « numéro 1 de l'alimentaire-et-boisson à Atlantic City ». Et, cerise sur le gâteau, Barron Hilton, « né riche et élevé en aristocrate », « membre de ce que j'appelle le Club du Sperme Gagnant ». (Pas joli, ça : avec tout le respect qui lui est dû, je conseille à M. Trump de s'en tenir à un synonyme plus familier – disons, le Club du Salopard Gagnant.)

Et puis la vie mondaine. Une boîte de jus de tomate bien nourrissante au déjeuner (« Je sors rarement, parce que, en gros, c'est une perte de temps ») ; un minimum de soirées (« franchement, je ne suis pas trop fan des soirées, parce que je ne supporte pas les bavardages ») ; et le strict minimum de pieds de grue dans les bars à cocktails (« Je ne bois pas, et je ne suis pas très fan de rester assis à ne rien faire »). Ce qui n'exclut pas, cela va sans dire, quelques gâteries et folies. Les dîners, entre autres. À la cathédrale St Patrick avec le cardinal John O'Connor et la « crème de ses évêques et curés ». Un dîner, présidé par lui-même, en l'honneur de la Police Athletic League. Une visite à Trenton « pour assister au dîner de départ à la retraite d'un membre de la commission de contrôle des casinos du New Jersey ».

Il est donc exhaustivement établi que Trump est doté d'une tolérance surhumaine à l'ennui. Mais quels sont ses autres atouts commerciaux ? Cran, ténacité, patience, obstination éhontée (il démarche « tout simplement » le patron), aversion avisée à mettre en jeu son propre argent, promptitude déjà mentionnée à jouer au méchant à la moindre provocation, capacité à « crier quand c'est utile » (mais *pas* quand il pense que « crier ne pourrait que les effrayer »), et détermination « à me battre quand je comprends qu'on me baise ». Par-dessus tout, peut-être, des antennes pour repérer la moindre faiblesse.

En quête d'un vieil hôtel à racheter dans le centre-ville de New York, Trump dédaigne le Biltmore, le Barclay et le Roosevelt, « au moins modérément prospères », et leur préfère le « seul qui a vraiment de gros problèmes », le Commodore, qu'il peut présenter comme un « hôtel tocard dans un quartier délabré » et dont, de ce fait, il peut faire chuter le prix. De même, sa longue campagne apparemment sans espoir d'aboutir pour obtenir Bonwit Teller, magasin et bâtiment, s'enflamme soudain quand il apprend que la maison mère « rencontre de très graves problèmes financiers ». Et il emporte Bonwit Teller. Sans doute est-ce là son atout déterminant : un nez crocodilien pour les proies inertes et de préférence moribondes.

Trump a le nez pour renifler les corps plus assez forts ni agiles pour éviter la prédation. Il a usé de la même tactique avec l'usine à gaz qu'est devenu le Grand Old Party, dont les salariés ne l'ont pas vu venir alors qu'il s'infiltrait parmi eux, et dont aujourd'hui il chevauche les ruines. La question est : peut-il faire la même chose avec la démocratie américaine ?

Tournons-nous à présent vers *L'Amérique paralysée : Comment rendre sa grandeur à l'Amérique*, un best-seller si récent qu'il comporte une pique à l'encontre de Megyn Kelly, de la Fox. Mais, d'abord, un mot sur la couverture américaine.

« Certains lecteurs, écrit Trump avec fougue en phrase d'ouverture, pourraient se demander pourquoi, sur l'image que nous avons choisie pour la couverture de ce best-seller, j'ai l'air tellement remonté et si méchant. » Récemment, « on a pris de magnifiques photos de moi » – comme celle qui orne *L'Art de la négociation*, où il « avait l'air d'une personne très charmante » ; sa famille l'a d'ailleurs imploré de choisir l'une de celles-là. Mais non. Il voulait avoir l'air d'une personne très méchante, pour refléter « la colère et l'insatisfaction que je ressens en moi ». Le voici donc en couleur HD, renfrognement cabotin émergeant d'une omelette de fond de teint et de crème de bronzage (et de la petite créature des bois qui crèche sur son crâne).

Maintenant, mes lecteurs de *Harper's* vont devoir accepter une expérience particulière dans le domaine de la phrase déclarative. La prose de Trump ne ressemble pas à ses phrases parlées, qui, d'ordinaire, ont huit ou neuf choses qui ne vont pas. Ses phrases écrites ou dictées s'essaient à quelque chose de plus subtil : très souvent, il leur manque un ingrédient connu sous le nom de « contenu ». Vus sous cet angle, « Je suis ce que je suis » et « Ce que je dis est ce que je dis » paraissent relativement complexes. D'abord, on s'émerveille qu'un esprit puisse trouver utile de dire… que ce qui a été dit est ce qui a été dit. Mais du moins cela traduit-il une *attitude*, un sous-texte qui est le suivant :

prenez-moi comme je suis. Incidemment, cette attitude est exclusivement masculine. Voyez le gouverneur du New Jersey, Chris Christie, par exemple. Mais entendrez-vous jamais une femme dire, confiante dans son auto-explication, qu'elle est ce qu'elle est ?

Fascinant. Peut-être l'affirmation « Donald Trump est pour de vrai » possède-t-elle un intérêt sédimentaire déchiffrable. Ou peut-être pas. Parallèlement au fait qu'il soit pour de vrai, Trump n'a « pas de problème à dire les choses telles qu'elles sont ». Ou, pour dire les choses un peu différemment : « Je ne crois pas que beaucoup de gens trouveraient faux que je dis les choses telles qu'elles sont. » Il a déjà déclaré *avoir l'air* d'un type très bien, à la page 9, mais, à la page 14, il développe : « Je suis vraiment un type très bien » et, en page 89, il revient à la charge avec : « Je suis un type bien. Vraiment. » « Je n'ai pas peur de dire exactement ce que je crois. » « Nous avons besoin de quelqu'un qui sait ce qu'est la grandeur. » « La vérité, c'est que je donne aux gens ce qu'ils ont besoin et méritent d'entendre… et qu'est-ce que c'est ? La vérité. » Dites-moi si vous trouvez plus que des affirmations infondées dans l'extrait suivant, tiré du chapitre « Notre infrastructure s'effondre » :

> À Washington, D.C., je convertis la Vieille Poste de Pennsylvania Avenue en l'un des plus grands hôtels du monde. Je l'ai eue de la General Services Administration (GSA). Beaucoup d'autres voulaient l'acheter, mais la GSA voulait être sûre que celui qui l'achèterait serait capable d'en faire quelque chose de spécial, donc ils me l'ont vendue à moi. Je l'ai eue pour quatre raisons. Numéro 1 – nous sommes vraiment très bons. Numéro 2 – notre projet était fantastique. Numéro 3

> – notre plan financier était fantastique. Numéro 4 – on est EXCELLENTS, pas seulement très bons, pour honorer les accords et même en faire plus. La GSA, qui est gérée par de vrais professionnels, a compris ça dès le début. C'est comme ça que le pays devrait être gouverné.

Avant de nous tourner vers ses manifestations de paranoïa avancée (définie comme des délires non seulement de persécution mais aussi de nombrilisme), nous ferions mieux de cocher les éléments vérifiables du programme de Trump ; ce ne sont pas des dispositifs, pas tout à fait, plutôt un fourre-tout de positionnements et d'intentions. Sur le changement climatique : il éliminerait instantanément tout principe de précaution, parce que « c'est juste une façon coûteuse de donner bonne conscience à ceux qui embrassent les arbres ». Sur la santé publique : il attiserait la concurrence des assureurs entre États et laisserait le marché se dépêtrer avec tout ça. Sur le style de gouvernement : il « redonnerait toute sa dignité à la Maison-Blanche », restaurerait la « pompe ». Sur la religion : « Dans les affaires, je ne prends pas activement des décisions fondées sur mes convictions religieuses, écrit-il, quasi comateux de duplicité, mais ces convictions sont bien là… *à 1 000 %.* » Sur le contrôle des armes à feu : il se contente de citer *in extenso* le Deuxième Amendement avec sa mention notoirement controversée sur la nécessité de « milices bien réglementées », et d'y ajouter un paragraphe plus que succinct : « Point final. »

D'ailleurs, le paragraphe lapidaire s'est installé pour de bon dans la prose de Trump :

> [...] les gens disent que je ne propose pas de politiques spécifiques [...] Je sais que ce n'est pas comme ça que font les hommes politiques professionnels [...] Mais il n'y a personne comme moi. Personne.

Ou :

> J'ai démontré que tout le monde avait tort.
> TOUT LE MONDE !

Si nous acceptons l'idée que, d'ordinaire, parler de soi-même à la troisième personne n'est pas un signe de santé psychologique, comment évaluer ce qui suit ?

> Donald Trump construit des gratte-ciel.
> Donald Trump crée de magnifiques terrains de golf.
> Donald Trump fait des investissements qui créent des emplois.
> Et Donald Trump crée des emplois pour les émigrés légaux et tous les Américains.

Eh bien, Martin Amis pense, entre autres, que l'auteur de *L'Amérique paralysée* est bien plus cinglé que l'auteur de *L'Art de la négo.*

Martin Amis a intégré l'idée que *L'Amérique paralysée* a été publié le 3 novembre 2015, à un moment où seul un ou deux losers évidents avaient quitté la mêlée.

Martin Amis est certain que *L'Amérique paralysée* serait encore plus dingue si Trump publiait aujourd'hui une édition revue, maintenant qu'il a gagné l'investiture.

Et Martin Amis conclut qu'après deux ou trois jours de pompe à la Maison-Blanche, le cerveau de Trump ne serait plus qu'une bauge de testostérone.

Primitif sur le plan émotionnel et barbare sur le plan intellectuel, le manifeste de Trump serait une mauvaise plaisanterie plutôt réussie si ce n'était une observation très dérangeante, en page 163. Régulièrement, les Américains ressentent le besoin d'héroïser un béotien. Après Joe le Plombier, voici donc Don l'Agent Immobilier, un agent immobilier « très prospère » qui, espère-t-on superstitieusement, pourra appliquer ses pratiques requins & vautours du monde de la finance à la sphère de la gouvernance mondiale. Après qu'il eut annoncé sa candidature, « beaucoup de gens ont essayé par tous les moyens de dresser un portrait sinistre de ce qui se passerait ». Nouveau paragraphe : « *Puis le peuple américain a parlé* [Les italiques sont de moi]. » Vous vous rappelez la vieille saillie sur la démocratie ? « Le peuple a parlé. Les salauds. »

Qui sont-ils ? La base de Trump, nous explique-t-on, est constituée par le prolétariat qui se sent « laissé pour compte ». Ce sont en majorité des hommes blancs et hétérosexuels, qui ont découvert que le prestige lié au statut d'homme blanc et hétérosexuel s'était inexplicablement évaporé. Et ils pensent que leur rédemption se trouve chez Trump Inc, avec ses évidentes qualifications (« Nous gérons des patinoires, nous produisons des émissions télé, nous fabriquons des produits en cuir, nous créons des parfums et nous possédons de beaux restaurants. ») pour changer la vie des non-nantis, des non-cultivés – autant que des non-basanés, des non-gays et des non-femmes.

Trump dit les choses telles qu'elles sont ? Certes, mais *quelles* choses qui sont *comment* ? Se libérant des fers du politiquement correct, il nous dit que, comme tout honnête Républicain est xénophobe, il est fier de l'être lui-même. C'est bon à savoir. Et il ajoute qu'environ 50 % des

Américains ont envie d'un candidat qui a) n'y connaît rien en politique et b) n'aura pas besoin d'apprendre – puisque la vieille « politique » sera défunte dès le premier jour de sa présidence. En 2012, Joe le Plombier, Joe Wurzelbacher, candidat républicain dans le 9e district de l'Ohio, fut battu. En 2016, au moment où j'écris, Donald Trump en est à 9/4 (et l'écart se resserre) dans la course à la présidence.

Avant de nous séparer, deux notes d'étude de caractère.

Primo, Trump et la violence. Nous le savons, il s'est fait le champion des déportations de masse, de la torture et de cinglants châtiments collectifs ; sans parler des incitations au harcèlement lors de ses meetings de type Nuremberg. Depuis quand Trump admire-t-il la cinétique ? On ne lit rien de substantiel sur la question et sur aucune autre, d'ailleurs, dans *L'Amérique paralysée.* Dans *L'Art de la négociation*, il décrit l'une de ses rares interventions dans le domaine des beaux-arts : il a fait un cocard à son prof de musique (car, explique-t-il, ce qui nous laisse pantois : « Je trouvais qu'il n'y connaissait rien à la musique »). Hormis quoi, l'image qu'il donne est celle d'un homme par nature peu enclin à la réalité par trop charnelle de la brutalité ; le chapitre de souvenirs intitulé « Grandir » suggère de façon plutôt convaincante que ce sont les techniques plutôt violentes de son père (il percevait les loyers à coups de boutoir) qui décida le fils à quitter les banlieues. Je crois que le goût de la violence est venu avec le goût du pouvoir. C'est nouveau pour lui : une corruption récente.

Secundo, un sujet lié au premier : Trump et les femmes. Ça, ce n'est pas nouveau. C'est un atavisme ancien et ravivé, « redevenu frontal ». Une plaie dont la croûte est tombée. Il ne peut plus rien retenir, pas vrai ? Il ne peut tout simplement pas s'en empêcher : les voici, les signaux de fumée. L'homme est empiriquement *idiot.* De toute évidence, la question qu'on voudrait lui poser, ce n'est pas : « Puisque vous êtes si intelligent, pourquoi n'êtes-vous pas riche ? » mais : « Puisque vous êtes si riche, pourquoi n'êtes-vous pas intelligent ? » Est-il arrivé quelque chose de très grave au QI de Trump ? Il semble que la question le turlupine. Réagissant à la radio au commentaire de David Cameron sur son *« muslim ban »* (anti-immigration des musulmans), « Stupide, clivant, une erreur », Trump, susceptible, a rétorqué laborieusement : « Et d'une, je ne suis pas stupide, OK ? Je vous le dis franco. Tout le contraire. » N'y a-t-il pas de quoi rougir de la prodigalité de son insécurité ? Trump, c'est l'insécurité incarnée – sa vulgarité néons-pralines (*cf.* les pin-up sur les murs de la chambre de *Lolita* : « Des abrutis dans des voitures de luxe, des crétins bronzés près de piscines bleues ») ; sa quête désespérée de compliments (*L'Amérique paralysée* cite des panégyriques de *Travel and Leisure*, *Conde Nast Traveler*, *BusinessWeek* et *Golf Digest*, parmi quantité d'autres médias) ; sa fierté pénienne.

Pour les Démocrates au moins, « Franchir les limites : comment Donald Trump s'est comporté avec les femmes en privé », l'analyse détaillée du *New York Times* (cinquante interviews avec des « dizaines de femmes »), fut une cruelle déception. Tout ce que nous en avons retiré est le « Hé, ça, c'est un geste déplacé » de Miss Utah (le baiser sur les lèvres de Donald, en guise d'introduction, qui n'aurait sans doute pas gêné Miss California ou Miss New York). Trump est né en 1946. La quasi-totalité des baby boomers raisonnablement énergiques de ma connaissance, femmes comprises, seraient anéantis par une enquête de ce genre sur leur propre compte ; nous avons fait bien pire que Trump, sans avoir sa fortune, ses avions, ses appartements-terrasses, ses agences de mannequinat et ses concours de beauté. L'article du *Times* a transformé le pitch : lequel est, maintenant, celui d'une extrême timidité doublée de maniaquerie (dans *L'Art de la négo*, il fait deux fois référence à sa maniaquerie de l'hygiène corporelle). Mateur, peloteur, voyeur – mais pas pervers[1]. Dans l'éros de Trump, on détecte une forte composante de vie par procuration. À l'instar du antihéros grec : « Ce que tu espères / saisir n'existe pas. / Détourne les yeux [de ton reflet] et ce que tu aimes ne sera plus nulle part » (Ted Hughes, *Contes d'Ovide*).

La pleutrerie sexuelle de Trump est, en soi, une surprise intéressante. D'où vient-elle : rancœur, mépris, dégoût ? En 1997, il déclara approuver la formule de Howard Stern selon laquelle « tout vagin est une mine à retardement » (peut-être y a-t-il là un pitch ?). Mais Donald reste un étudiant médiocre, il a besoin de beaucoup d'autres leçons de biologie. En homme d'expérience, il a été confronté (c'est désormais prouvé) au fait que les femmes ont des règles. Mais il semble qu'on ne lui ait jamais appris que

---

1. Le terme était malvenu, me dis-je, même à l'époque. Non, Trump n'est pas un satyre, mais seulement dans le sens où les satyres (ceux qui témoignent d'un « désir sexuel excessif et agressif ») veulent consommer, aller au bout de ce qu'ils insinuent. Trump n'est pas comme ça. Pourquoi n'arrête-t-il pas de faire des passes à des inconnues en public, au cours de banquets, dans des parkings pleins de monde ? Parce qu'il peut faire son intéressant tout en échappant à la moindre obligation de devoir aller jusqu'au bout… « Satyre » ne convient donc pas, pas plus que « tombeur » ou « baiseur » pour la même raison. Peut-être ne voulais-je dire que « homme à femmes ». Mais Trump n'est pas non plus un homme à femmes.

les femmes a) vont aux toilettes (« c'est dégoûtant », a-t-il dit d'une pause pipi de Hillary Clinton), et b) sécrètent du lait (« c'est dégoûtant », a-t-il dit à une avocate qui devait allaiter son nouveau-né). Personne ne lui a donc appris que les femmes c) votent ? J'espère qu'il trouvera ça dégoûtant aussi, en novembre prochain. Parce que cette course sera la mère d'une bataille des sexes, Donald contre Hillary – et contre les innombrables sœurs de Clinton dans les urnes.

Quand on visite les États-Unis pendant une année d'élection, on est frappé par le sérieux avec lequel les Américains prennent leur responsabilité nationale, la façon dont ils tergiversent et se tourmentent. Ils reconnaissent très rarement que leur responsabilité est également planétaire. Aux premiers temps de la percée de Trump, son équipe de campagne exemplaire décida que toute tentative pour normaliser son candidat serait futile : mieux, baissant les bras, pour ainsi dire, ils décidèrent (recourant au style maison épris de tautologie), « de laisser Trump être Trump ». Comme j'aime l'Amérique (et admire cette planète), je me permets de vous donner un conseil : vous, ne baissez pas les bras, ne laissez pas le président Trump être le président Trump.

Harper's, août 2016

La maison de Windsor

La princesse Diana : un miroir, pas une lampe merveilleuse

Le bandeau de la chaîne d'information annonça *La princesse Diana a eu un accident de voiture à Paris*, puis *La princesse Diana gravement blessée* et, enfin : *La princesse Diana est morte*. Pendant une heure ou deux, je me crus retourné en novembre 1963. Je dis à mes deux fils, Louis et Jacob (je pensais, bien sûr, à leurs contemporains William et Harry) : « Cet instant restera gravé à jamais dans vos mémoires. Vous vous rappellerez toute votre vie où et avec qui vous étiez quand vous avez appris cette nouvelle. » La princesse Diana était morte : cela paraissait brutal et fou. Parce que, jusque-là, Diana n'avait jamais été associée à des nouvelles *graves* ; Diana avait toujours donné dans la légèreté, dans tous les sens du terme. Pour une fois, j'aurais voulu pouvoir employer un euphémisme : elle a fermé les paupières, elle nous a quittés.

Nous avons bientôt retrouvé le sens des proportions. Du moins chez nous. La véritable comparaison, naturellement, ne devait pas se faire avec Kennedy mais avec Jackie : célèbre par hasard. (Et puis, quelle comparaison entre la passivité de M. Zapruder, sur le tertre herbeux, obturateur innocemment ouvert, et l'impétuosité du paparazzi expert ?) Toutefois, sur l'instant, on éprouva certaines des émotions associées à une perte majeure. On était paralysé par un objet venu de nulle part, surgissant sur nous depuis l'angle mort.

La poursuite fatale a toutes les caractéristiques d'un effroyable cauchemar. Quelle impression ça faisait, d'être conduite par un soûlard prétentieux à une vitesse insensée dans un tunnel en ville ? En proie à une claustrophobie grandissante, la passagère aura deviné que le chauffeur n'avait plus tous ses esprits – qu'il était en train de perdre le « contrôle ». Elle avait raison. On en tremble, d'imaginer les atroces propriétés physiques de l'impact, au moment où la Mercedes devint une arme d'une force brute. Puis l'essaim de photographes et l'ultime séance de photos. Que les paparazzis aient contribué ou pas à la mort de Diana, ils ont incontestablement profané son décor. Ils ont photographié une femme agonisante. Comment ont-ils osé ? Ils l'ont fait. Ses deux fils, les princes, sont confrontés non seulement à la perte d'une mère aimante et digne d'être aimée mais aussi à un deuil contaminé comme jamais par la loi du marché de la célébrité.

Examinons un instant, si vous le voulez bien, la nature de la célébrité de Diana. On pourrait y voir une notoriété collatérale, car elle ne reposait pas sur une contribution discernable – hormis la gaieté, et maintenant le chagrin qu'elle a apporté aux nations. Lady Diana Spencer éveilla l'amour de l'héritier introverti du trône d'Angleterre. Voilà tout. Un éclat dans le regard, des dents blanches, un sourire complice, une certaine transparence, une grande vivacité, une vulnérabilité à vif : cela lui suffit, à lui, cela nous suffit, à nous. Madonna chante. Grace Kelly jouait. Diana respirait, rien de plus. Personnage des pages mondaines, elle était devenue cover-girl. On peut affirmer en toute équité que l'histoire de Diana, en soi, était une non-histoire implacablement et fanatiquement annotée par nos projections et désirs. Ou plutôt, *nous* sommes l'histoire. Pourvue d'aucun talent particulier, Diana fut propulsée au rang de femme la plus célèbre du monde. Qu'est-ce que cela nous dit de notre planète ?

Elle pensait avoir un talent : celui d'aimer. Elle pensait pouvoir l'inspirer, le transmettre, accroître la dose d'amour dans le monde. On a dit d'elle (mais qu'est-ce qui n'a pas été dit d'elle ?) qu'elle avait adopté diverses associations caritatives comme des « accessoires ». Mais les causes par lesquelles elle a été le plus fortement identifiée – le sida, les hospices, les mines antipersonnel – exigeaient davantage qu'un engagement de façade. Nul doute qu'elle a fait la différence pour la communauté gay, au Royaume-Uni mais peut-être aussi ailleurs ; son soutien vint à un moment crucial, en opposition à l'opinion véhiculée par les tabloïds et à la frilosité de Buckingham. Même s'il demeure que Diana fut bien moins assidue que, par exemple, son ex-belle-sœur, la princesse Anne, dont le manque de charme hanovérien l'a consignée à une quasi totale obscurité. À son corps défendant, Diana fut l'héritière de la tyrannie des apparences et du snobisme du look.

Du bout de ses doigts, elle pouvait apaiser ; peut-être croyait-elle même pouvoir guérir. À la regarder à la télévision, lorsqu'elle écoutait, épaules secouées par les larmes, un discours saluant et défendant son travail, on discernait les signes d'un drame intérieur quasi hallucinatoire. Si le pouvoir corrompt, alors la célébrité absolue doit sûrement dénaturer. Les enthousiasmes de Diana étaient loufoques, hypocondriaques, obsessionnels : l'aromathérapie, l'irrigation du côlon, le miroir aux alouettes de l'astrologie. Diana, je le répète, nous procurait des nouvelles « légères ». Elle faisait sensation rien qu'en portant une robe de cocktail sans bretelles ou en prenant un kilo.

Il suffisait que cette jeune femme fasse un signe de la main ou lève un sourcil pour faire la une des journaux. C'est pourquoi sa mort – sa métamorphose en *nouvelle grave* – paraît si barbare. La mort l'a embaumée et figée dans le temps. Elle a également réalisé sa prophétie. Diana avait bien le talent de l'amour : voyez les gens qui, par millions, pleuraient dans les rues de Londres. Diana était un miroir, pas une lampe merveilleuse. En la regardant, chacun voyait son humanité ordinaire tout à coup écrite en lettres de lumière. Après tout, tout le monde est une star, tout le monde est une *prima donna*, à l'époque du karaoké.

À une autre échelle, la contribution de Diana à l'histoire est paradoxale et survenue comme par mégarde. On se souviendra d'elle comme de la saboteuse en chef de la monarchie anglaise. Et pas seulement à cause du divorce, du petit ami qui divulgue tout, du joueur de rugby marié. Elle a introduit une absence de cérémonie, une franche modernité dans un système qui ne pouvait plus offrir aucune résistance ; sans compter que sa beauté au quotidien enlaidissait les Windsor autour d'elle.

Par-dessus tout, on se souviendra d'elle comme d'un pur phénomène du star-system. Sa mort est fixée dans nos esprits comme un terrible symbole de son statut. Elle prend sa place, au milieu du verre brisé et du métal en accordéon, dans l'iconographie des accidents automobiles, à côté de James Dean, d'Albert Camus, de Jayne Mansfield et de la princesse Grace. Ces autres victimes ne moururent pas pourchassées. Elles ne fuyaient pas le côté sombre de leur célébrité, des motards armés d'appareils photo numériques et de téléphones portables reliés à des satellites. Les paparazzis sont les chiens high-tech de la célébrité. Mais nous devons admettre que nous les avons nous-mêmes propulsés dans ce tunnel, afin qu'ils assouvissent nos désirs les plus mystérieux.

Time, 1997

Discours de la reine, cœur de la reine

La nouvelle de l'accident parvint au château de Balmoral, en Écosse, à 1 heure du matin, le 31 août 1997. La nouvelle de la mort de Diana y parvint à 4 heures. Le prince Charles s'y trouvait, avec ses fils ; la reine lui conseilla de ne pas les réveiller (ils auraient besoin de toutes leurs forces le moment venu), avant d'ajouter : « Il faut retirer les radios de leurs chambres. » Charles leur annonça la nouvelle un peu après 7 heures. Le prince Harry, qui avait alors douze ans, refusa d'y croire. Était-on bien sûr ? Est-ce que quelqu'un pourrait encore vérifier ? On demanda aux garçons s'ils voulaient accompagner la famille à l'office (c'était un dimanche). Le prince William, qui avait quinze ans, voulut s'y rendre – pour pouvoir « parler à *Mummy* ».

« Les gens vont se déchaîner », déclara Charles quand il apprit la nouvelle. Il n'avait pas tort. Le jeudi suivant, la famille royale était confrontée à la crise la plus bizarre de son histoire. Le roi Egbert (802-839) n'aurait su que faire ; la reine Elizabeth II (1952-) fut tout aussi démunie. « Il n'y a pas de protocole ici, déclara un jour un éminent écuyer avec son accent snob et traînant. Que des foutues bonnes manières. » Pourtant, la cohésion nationale (et jusqu'à l'ordre public) fut suspendue un long moment à un absurde détail du protocole : le peuple voulait voir le drapeau en berne au-dessus du palais de Buckingham, et la reine s'y opposait. Les drapeaux étaient en berne dans d'autres résidences royales mais on ne hisse le drapeau au palais que lorsque la reine y est (or elle s'attardait en Écosse : autre *scandale*). À Buckingham, le drapeau n'est mis en berne pour la mort de personne, pas même les monarques. Dans le premier cercle, la controverse fut d'une violence sans précédent (« Beaucoup de personnes, révéla un conseiller, en furent profondément meurtries »). Pour les courtisans, aux abois, unanimes, la mise en berne du drapeau était inévitable. Mais les Windsor eux-mêmes ne sentirent pas le vent tourner.

Comme dans tout ce qui concerne la royauté, il ne s'agit pas ici de pour et de contre, d'arguments et de contre-arguments ; mais de signes et de symboles, de fièvre et de magie. Aux yeux de la reine, le drapeau (ou son absence) était l'emblème d'un héritage non négociable. Pour ses sujets, il était l'emblème – un signe extérieur – de leur chagrin ; or, c'est cela qu'ils voulaient : une manifestation tangible de leur chagrin. Le Premier Ministre Tony Blair sentit si bien et si vite l'« humeur » de l'instant qu'on ne peut que supposer qu'il y adhérait. Avant midi, dès le dimanche, la voix étranglée, il s'adressa à la nation : « Aujourd'hui, nous sommes, en Grande-Bretagne, une nation en état de choc, en deuil, nous éprouvons un chagrin si profond… Elle était la princesse du Peuple, et c'est ainsi qu'elle restera, qu'elle demeurera dans nos cœurs et dans nos mémoires, à jamais. » Les journaux, après avoir gaiement, pendant des années (jusqu'à et y compris ce week-end-là), tiré à boulets rouges sur Diana, entamèrent tout aussi gaiement et aussitôt sa canonisation cousue de crêpe noir. « Où est notre reine ? Où est son drapeau ? » « Montrez-nous que vous avez du cœur. » « Votre peuple souffre. Parlez-nous, ma'am. »

Les funérailles de Diana furent annoncées pour le samedi. La reine avait d'abord eu l'intention de retourner à Londres, par le train royal, le vendredi soir. Mais elle s'adapta enfin à la nouvelle réalité – se rappelant qu'elle était au service de la nation autant qu'un potentat. Elle prit donc l'avion le vendredi après-midi ; elle s'adresserait à nous, elle nous montrerait qu'elle avait un cœur ; le drapeau, qui n'avait pas été mis en berne pour son père, George VI, fut mis en berne pour Diana. On craignit pour la sécurité de la reine et du prince Philip quand ils arrivèrent au palais de Buckingham. Avec prévenance, ils sortirent de leur limousine et inspectèrent les monceaux de fleurs et d'hommages (ils s'élevaient à hauteur d'homme et portaient des messages comme *Diana, reine des Cieux*, voire *Regina Coeli*). On craignait, au mieux, une redite de ce que la reine Victoria avait vécu en 1887, lors de son Jubilé d'or, quand, dans l'East End, elle avait été accueillie par ce qu'elle appela un « bruit horrible » qu'elle n'avait jamais entendu auparavant : elle avait été huée. Cela n'arriva pas. Voici ce que Robert Lacey dit de l'épisode dans son livre exemplaire *Monarch : The Life and Reign of Elizabeth II* :

> Alors qu'Elizabeth II, vêtue de noir, remontait la rangée de badauds éplorés, une petite fille de onze ans lui tendit un bouquet de cinq roses rouges. « Aimerais-tu que je les place là-bas pour toi ? s'enquit la reine. – Non, Votre Majesté, répondit la petite fille. Elles sont pour vous. » On entendit alors la foule applaudir, se rappelle

> un conseiller. Je me rappelle avoir pensé : « Bon Dieu, nous sommes sauvés. »

Pas encore, néanmoins. Restait le discours. La reine devrait autant que faire se pouvait prétendre qu'elle aimait la princesse Diana.

Lacey excelle dans la présentation du rapport de la souveraine avec les sentiments, du « curieux imbroglio d'impulsions » qui complique ses rares tentatives pour les exprimer. Elle est capable d'écrire à une amie une lettre enflammée de quatre pages en réaction à un bref témoignage de sympathie à l'occasion de la mort violente de son corgi préféré : car c'était une peine de cœur gérable et dicible. Mais, en 1966, lorsque l'éboulement d'un terril enfouit tout un village du sud du pays de Galles, Aberfan, tuant cent seize enfants (et vingt-huit adultes), la reine, contre tous les avis et habitudes familiales, retarda sa visite de plus d'une semaine. Son époux et son beau-frère se rendirent sur place (tout comme le Premier Ministre, Harold Wilson) mais elle jugea qu'il serait déplacé qu'elle-même s'y rende, que sa venue risquait de gêner les secours.

Lorsqu'elle finit par faire le déplacement (elle a d'ailleurs maintenu ses liens avec Aberfan par la suite), elle révéla involontairement la raison de son attitude. Sur les clichés de l'époque, on discerne dans son regard autant de terreur que de pitié, et le doute. Elle était la reine. Qu'est-ce qu'Aberfan lui dit sur l'état de son royaume ? Et qu'est-ce qu'il lui dit sur son habituelle (et sincère) vénération d'une divinité bienveillante ? L'un de ses titres est : Défenseur de la Foi ; cette foi, cette mission chère à son cœur (protestant) fut ébranlé à Aberfan. L'émotion monarchique est une émotion magnifiée au centuple. Elle exige un détachement que la reine Elizabeth ne maîtrise qu'imparfaitement.

Elle respecte la sincérité, et n'est pas capable de la simuler. Voici, parmi d'autres, l'une des anecdotes d'une grande pertinence rapportées par Lacey :

> Dans les premières années de son règne, Elizabeth II, qui devait se rendre à Kingston-upon-Hull, dans le Yorkshire, demanda à l'un de ses secrétaires particuliers de préparer un premier jet du discours qu'elle était censée y prononcer. Le brouillon commençait ainsi, avec conviction : « Je suis très heureuse d'être à Kingston aujourd'hui. » La jeune reine biffa le « très » : « Je serai *heureuse* d'être à Kingston, expliqua-t-elle. Mais je ne serai pas *très* heureuse. »

On notera dûment qu'elle était, cependant, « heureuse » de se mêler à de médiocres sommités dans le morne décor de Kingston-upon-Hull. Cette femme est inflexible. Comment aurait-elle pu exprimer des sentiments, sur commande, à l'égard de l'assurément instable Diana ?

Ce serait, dans les faits, son premier discours télévisé *live* – aux deux sens du terme. La reine s'adresserait à son peuple en temps réel mais elle devrait montrer en même temps qu'elle était un être *vivant*, une créature faite de glandes et de membranes. Elle s'adressa aux Britanniques depuis la salle à manger chinoise du palais. Les fenêtres étaient ouvertes et l'on entendait la foule, plus de dix mille personnes, qui piétinait et murmurait en fond. Un conseiller demanda à la reine : « Pensez-vous pouvoir le faire ? » Elle répondit : « Si c'est ce que je dois faire. » Le compte à rebours commença ; le régisseur de plateau articula : « Allez-y. »

On exigeait d'elle de réagir à un désir intense qu'elle ne comprenait pas. Que personne, d'ailleurs, ne comprenait. L'ouvrage de Deborah Hart Strober et Gerald S. Strober, *The Monarchy : An Oral Biography of Elizabeth II*, cite la réaction, à ce moment-là, de toute une série de membres du sérail qui expriment leur incompréhension la plus totale face à l'opinion publique : « Les bras m'en tombaient… vraiment incroyable… ça dépassait l'entendement… inexplicable… stupéfait… effaré », et ainsi de suite. Et nous continuons de ne rien y comprendre. Je crois que le phénomène était lié au nouveau millénaire. Les êtres humains se sont toujours comportés de manière bizarre quand approchent les zéros du calendrier. La Dianamania n'est pas sans rappeler les excès décrits, entre autres, par Norman Cohn dans *The Pursuit of the Millennium* : émotion de masse ; exaltation d'un personnage d'un niveau culturel peu élevé ; tendance à l'autoflagellation ; violence latente. Le phénomène ferait ainsi partie d'un cycle effervescent de la plus folle irrationalité. Au Moyen Âge, démontre Cohn, quelque chose de ce genre (comme l'exaltation d'un jeune laboureur analphabète) se produisait systématiquement, non pas tous les mille ans mais tous les cent, voire tous les cinquante ans.

« Ce que je vous dis aujourd'hui, martela Elizabeth II, en tant que reine et en tant que grand-mère, je vous le dis du fond du cœur. » C'était un extraordinaire exercice d'équilibrisme : elle donna à une foule qui n'était plus dans son état normal ce qu'elle souhaitait, tout en restant fidèle à elle-même. Sur les deux mots que la foule avait besoin d'entendre, elle en accorda un (« chagrin »), mais pas l'autre (voir plus bas). Elle ne vendit pas son intégrité à l'envie illusoire de la foule. Pas plus qu'elle ne s'essaya au réconfort de l'aphorisme. Étrangement, elle garda cela pour le 11-Septembre : « Le chagrin est le prix que nous payons pour l'amour. » Le voilà donc le mot que le royaume avait une folle envie d'entendre. Et une ultime ironie, une ironie mutilée : le petit ami de Diana, Dodi Al-Fayed, était égyptien et musulman. Sur un bouquet déposé devant les grilles de Buckingham, on pouvait lire : « À Diana et Dodi, ensemble au Ciel. » Mais quel Ciel ?

Et ce n'était toujours pas fini. Avec les Windsor, un drame familial ne peut que devenir un drame national ; mais ce drame-là allait devenir planétaire. À l'heure du dîner, le vendredi, on ne savait toujours pas si les deux jeunes princes marcheraient derrière l'affût sur lequel reposerait le cercueil de leur mère ; or « leur attitude, note Lacey, serait le pivot autour duquel tournerait l'événement ». Une fois de plus, il s'agissait non pas d'exprimer une émotion mais de la maîtriser. Leur courage serait mis à rude épreuve. Des deux, le prince William était le plus fragile. L'attitude royale, la chose à faire pour un prétendant au trône, de toute évidence, était de marcher. Le prince Philip, qui n'avait pas prévu de se joindre au cortège, finit par demander à son petit-fils : « Si je marche, est-ce que tu marcheras avec moi ? » William marcha.

Si nous choisissons de nous aventurer dans la psyché de la famille royale, nous devons comprendre en premier lieu que tous ses membres ont été des bébés célèbres dans le monde entier. Quand, lors de sorties régulières, Elizabeth émergeait des écuries royales en carrosse ouvert, quoique encore en couche-culotte, elle attirait déjà des foules imposantes d'admirateurs qui l'acclamaient et lui faisaient un signe ; elle apprit très tôt, en réponse, à maîtriser son fameux signe de la main. Elle fit la couverture de *Time* à l'âge de trois ans. Sa première biographie, *The Story of Princess Elizabeth*, parut quand elle en avait quatre. « L'autorité qui se dégage d'elle et son air réfléchi sont étonnants chez un enfant de son âge », écrivit Winston Churchill, le premier de ses dix Premiers Ministres à ce jour. Parvenue à son soixante-seizième anniversaire, la reine peut se targuer du fait que, la seule fois où elle s'est mal comportée en public, c'était à son baptême. Elle pleura tout du long, et on dut lui administrer une cuillérée d'eau à l'aneth.

Or la princesse Elizabeth, à ce moment-là, n'était qu'un membre de second rang de la famille royale. Elle était la petite-fille de George V (qu'elle appelait *Grandpa England*), et la nièce de l'héritier du trône, Edward, prince de Galles. Le roi George mourut en janvier 1936 : Elizabeth avait neuf ans. Le 10 décembre, Edouard VIII signait l'*Instrument of Abdication* (afin de pouvoir épouser Wallis Simpson, deux fois divorcée). Dans ses errances subséquentes, il devint un exemple vivant de la futilité royale. La fillette de dix ans devint alors l'héritière présomptive. Le 12 décembre, pendant que leur père, devenu George VI du jour au lendemain, se présentait devant le Conseil d'accession, Marion Crawford, gouvernante de la princesse Elizabeth et de sa sœur, la princesse Margaret, leur rappelait comment faire la révérence ; il eut un choc lorsque, à son retour au palais, elles s'exécutèrent devant lui. « Il resta planté là un moment, touché et surpris. Puis il se pencha vers elles et les embrassa toutes les deux chaleureusement », écrivit Crawford. « Est-ce que ça signifie que tu vas être reine ? demanda Margaret à sa sœur. – Oui, j'imagine, répondit Elizabeth. – Comme je te plains », lâcha Margaret. Leur grand-mère, Lady Strathmore, nota qu'Elizabeth se mit à « prier ardemment pour avoir un petit frère ».

Le prince Philip de Grèce était son cousin au troisième degré et elle le connaissait, vaguement, depuis l'enfance. Le *coup de foudre** semble remonter à ses treize ans ; lui en avait dix-huit, il était élève officier – et la Seconde Guerre mondiale éclaterait six semaines plus tard. Bien que sans fortune, sans toit et nomade depuis toujours, Philip avait un pedigree fabuleux (Elizabeth et lui avaient une arrière-arrière-grand-mère en commun : la reine Victoria). Son père traînait son ennui désargenté à Monte-Carlo. Sa mère, sourde, se disait être la maîtresse à la fois de Jésus-Christ et de Bouddha ; Freud en personne lui conseilla une radiation des ovaires « pour accélérer la ménopause ». La fragilité mentale de Diana Spencer a parfois été attribuée à son enfance malheureuse. Une insécurité plus crue eut l'effet inverse sur Philip ; elle l'investit d'une indépendance brusque, parfois brutale. Elizabeth savait quel genre d'époux il lui faudrait : un roc. Cette solidité, Philip était encore à même de l'offrir à ses petits-fils, plus de soixante ans plus tard, en ce samedi de 1997.

Philip et Elizabeth menèrent tous deux une « bonne » guerre : Philip se distingua à bord d'un navire de guerre, le *Valiant*, tandis qu'Elizabeth prenait part au *tableau vivant** royal de la solidarité nationale (Hitler disait de sa mère qu'elle était « la femme la plus dangereuse d'Europe »). Ils correspondirent et, quand il avait une permission, Philip se rendait à Windsor, entre autres. Début 1947, Elizabeth partit pour la première fois à l'étranger, en Afrique du Sud ; l'idée était de l'habituer aux responsabilités de la royauté mais aussi de mettre à l'épreuve la constance de ses sentiments pour Philip, auquel elle était désormais officieusement fiancée. Le 21 avril, le jour de son vingt et unième anniversaire, elle s'adressa à l'Empire et au Commonwealth dans un discours radiodiffusé depuis Le Cap. « J'en ai eu les larmes aux yeux », avoua-t-elle, après avoir relu le premier jet. Elizabeth s'adressait à son peuple mais, également, peut-on imaginer, à son futur époux :

> « C'est fort simple. Je déclare devant vous tous que toute ma vie, qu'elle soit longue ou brève, sera dévouée à votre service et au service de notre grande famille impériale, à laquelle nous appartenons tous. Mais je n'aurai pas la force de remplir mon rôle seule si vous ne m'apportez pas votre soutien, comme je vous invite maintenant à le faire : je sais qu'il me sera accordé indéfectiblement. Que Dieu m'aide à réaliser mon vœu, et qu'il vous bénisse tous, vous qui accepterez d'en faire partie. »

Mais ce n'est pas *très* simple, n'est-ce pas – d'accepter de devenir une métaphore ? À cette époque, Philip dit à un ami : « C'est mon destin… de soutenir ma femme dans ce qui l'attend. »

Ils se marièrent la même année – éclair de luxe dans le monochrome de l'immédiat après-guerre. Moins de trois mois plus tard, Elizabeth était enceinte de Charles III. Philip étant en poste à Malte, pendant quelque temps, elle connut l'existence totalement exotique pour elle d'une vie ordinaire. Ils se trouvaient au Kenya lorsque leur parvint la nouvelle de la mort du roi. Un vieil ami qui dut en informer Philip raconta plus tard : « Personne ne m'a fait autant pitié, de toute ma vie. » George VI avait cinquante-six ans. Le jeune couple venait de perdre officiellement toute liberté. « Il l'emmena dans le jardin, poursuivit l'ami en question.

Ils firent lentement les cent pas sur la pelouse, et il parla, lui parla, lui parla pendant un temps infini. »

En plus de ses innombrables obligations, dont quasiment toutes sont insupportables, la famille royale a une fonction majeure : continuer d'être une famille. Dans *The Royals* (1997), le best-seller dissolu mais très animé de Kitty Kelley, la section la plus importante dans l'index pour le prince Philip est « - et les femmes » (« 76, 152, 154-155, 159-160, 192, 196, 265, 422, 423-427, 510-511 »). Chez Lacey, c'est l'inverse (« rumeurs d'infidélités, 166-168, 212 »). Une confidence de Philip à un parent semble convaincante : « Comment pourrais-je être infidèle à la reine ? Comment pourrait-elle riposter ? » La bondissante Diana était incapable de dissimuler combien sa vie de couple l'agaçait. Le dévoué Charles l'était tout autant. Le comportement de ses parents, du moins pour l'observateur, témoigne d'une aisance peu commune l'un avec l'autre et d'une admiration mutuelle. Quoi qu'il en soit, ils sont encore là, ensemble, en cet an de grâce 2002.

Le divorce est une notion moderne, or les monarques doivent craindre la modernité. La modernité tomba sur les Windsor sous la forme de leurs enfants. Quand la princesse Margaret se sépara d'Anthony Armstrong-Jones, ce fut le premier divorce royal depuis des siècles. Jadis, le Lord Chamberlain excluait personnellement les divorcés de la présence de la reine. « Plus tard, les attributions du Lord Chamberlain furent modifiées, écrit Kelley – et son fiel ne rate pas sa cible – afin que la reine puisse faire la tournée des divorcés : cousins, sœur, fille, et ses deux fils, dont l'un était l'héritier du trône. »

Nous en venons donc à 1992, *« annus horribilis »*. Divorce de la princesse en avril. En août, parution d'une photo de la duchesse d'York – Fergie – seins nus, en compagnie d'un « conseiller financier » (tout à son fameux « baiser sur les orteils »). C'est à ce moment qu'un autre tabloïd publia les enregistrements du « Squidgygate », dans lesquels Diana s'entretenait au téléphone, en pleine nuit, avec un jeune vendeur de voitures, qui l'appelait Squidgy. Au mois de novembre, on apprit qu'un enregistrement du même type avait piégé Charles dans les mêmes circonstances, avec Camilla Parker Bowles au bout du fil. Depuis longtemps intéressé par la transmigration des âmes, Charles se voyait renaître sous les traits d'un : « tampax, Grands dieux », « pour pouvoir vivre dans ta culotte ». Les enregistrements furent bientôt disponibles sur des lignes téléphoniques mises à disposition par les journaux. On entendait Charles disant : « Je veux me glisser partout sur toi, de haut en bas, de bas en haut, dedans dehors… surtout dedans. » On entendait Diana dire : « Merde, après tout ce que j'ai fait pour cette foutue famille. » Suivit le grand incendie du château de Windsor. Il y avait péril en la demeure royale.

Ou du moins c'est ce qu'il semblait. En fait, seule Diana avait le pouvoir de la faire tomber ; c'était son intention semi-subliminale. Dans son long essai sur *Les Anglais*, George Orwell décrivait les pancartes installées en 1935 à l'occasion du Jubilé d'argent de George V : « Certaines rues des bas quartiers de Londres affichaient […] le slogan plutôt servile "Pauvres mais Loyaux". » Mais d'autres « associaient la loyauté au souverain à une certaine hostilité face aux propriétaires, ainsi : "Longue vie au Roi. À bas le proprio" ou, plus souvent, "On veut pas de proprios" et "Interdit aux Proprios." » Orwell commente ainsi :

> De toute évidence, l'affection témoignée à George V [...] était sincère, et il était même possible d'y voir la survivance ou la recrudescence d'une idée presque aussi vieille que l'Histoire même, à savoir : l'idée que le roi et le peuple avaient noué une sorte d'alliance contre la haute société.

Diana tenta d'instaurer une alliance entre elle-même et le peuple contre la famille royale. « La princesse du peuple » était un pur sophisme, mais il a fonctionné. Malgré son « penchant pour la perfidie et le narcissisme » (Lacey), les intrigues, la manipulation, le goût quasi sicilien de la vengeance, Diana, c'est certain, avait le génie de l'amour, un amour indéterminé. Son humeur la plus tenace était l'apitoiement sur soi ; et je crois qu'elle trouvait un répit temporaire à son côté décapant dans la force indéniable de sa présence parmi ceux qui souffraient. Cela nous ramène une fois de plus aux dangereuses émotions qui entourèrent sa disparition. L'apitoiement sur soi est une composante naturelle du chagrin, d'un sens exacerbé de la mortalité mais, dans la Dianamania, il domina amèrement tout le reste. « Merde, après tout ce que j'ai fait pour cette foutue famille » : en fin de compte, et c'est horrible, ce qu'elle a fait pour cette famille, c'est de mourir. S'ensuivit une menue Restauration.

Le projet de Diana était doublement révolutionnaire, car la monarchie ne tient que par l'amour. Chez un Anglais, le patriotisme est inconscient (voir Orwell, encore) ; lorsqu'il devient conscient, se focalise vraiment, alors l'Anglais est surpris par une impression de faim aiguisée puis assouvie. Le sentiment est indubitablement familial. « Un mariage princier est la version prestigieuse d'un fait universel, écrivait Bagehot. En tant que tel, il fascine l'humanité. » On pourrait dire la même chose d'un enterrement princier ou, aujourd'hui, d'un divorce princier. La famille royale n'est qu'une famille, à une échelle démesurée. Elle est la gloire, pas le pouvoir ; et il serait de toute évidence beaucoup plus adulte de s'en passer. Mais une humanité médusée dépend désespérément de l'irrationnel, ce qui a des résultats invariablement désastreux, au niveau de la planète. La monarchie nous permet de prendre des vacances de la raison ; et, pendant ces vacances, nous ne faisons de mal à personne.

The New Yorker, 2002

Twin Peaks – I

Nabokov et le problème infernal

Aux origines de Laura, de Vladimir Nabokov

La langue mène une double vie, le romancier aussi. On bavarde avec la famille et les amis, on fait sa correspondance, on négocie les journaux, on consulte menus et listes des courses, on observe les panneaux de signalisation routière (Attention piétons), et ainsi de suite. Et puis on entre dans son bureau, où la langue prend une forme radicalement différente : celle d'artifices et de motifs. La plupart des auteurs, de toute obédience, abonderaient dans le sens de Nabokov, je crois, qui, en 1974, trois ans avant sa mort, se remémorait :

> Je voyais Paris, avec ses journées grises et ses nuits anthracite, simplement comme le décor fortuit des joies les plus authentiques et les plus constantes de mon existence : l'expression vive dans ma tête sous la bruine, la page blanche sous la lampe de bureau qui m'attendait…

La joie de la création est, certes, authentique mais elle n'est guère constante (à l'instar de la quasi-totalité de la distribution féminine des romans nabokoviens, la joie créatrice, en fin de compte, papillonne sans merci). L'écriture demeure un travail passionnant mais le destin, le « sort gras », comme l'appelle Humbert Humbert, a concocté aux écrivains une rétribution qui ne l'est pas moins. Ces derniers mènent une double vie. Et ils meurent doublement, aussi. C'est le vilain petit secret de la littérature moderne. Les auteurs meurent deux fois : une fois à la mort de leur corps, une seconde à la mort de leur prose[1].

Nabokov composa *Aux origines de Laura*, ou ce qui en reste, dans une course contre la mort (une série de mauvaises chutes, infections nosocomiales et pneumopathies). Ce n'est pas un roman en fragments, comme le prétend la quatrième de couverture ; c'est, on le voit au premier coup d'œil, une nouvelle qui s'évertue à devenir un court roman. Dans cette édition grandiose, la page de gauche est blanche et celle de droite reproduit le manuscrit de Nabokov (sa robuste écriture, son orthographe fragile), plus le texte imprimé (infesté de crochets). Il est agréable, c'est vrai, de voir de près ces célèbres fiches ; mais en vérité *Laura* ne nous parle guère. « Grognements et fracas de l'aube avaient commencé de remuer la cité froide et brumeuse » : nous retrouvons là, certes, la musique nabokovienne. Et dans le passage suivant, nous percevons le comique et impavide dédain nabokovien pour notre « abjecte réalité physique » :

---

1. Pour nous en tenir à la littérature anglaise : Dickens mourut à cinquante-huit ans, Chaucer à cinquante-sept, Shakespeare à cinquante-quatre, Fielding à quarante-sept, Jane Austen à quarante et un, Charlotte Brontë à trente-neuf, Byron à trente-six, Emily Brontë à trente, Shelley à vingt-neuf, Keats à vingt-cinq, Thomas Chatterton à dix-sept. Tous ces écrivains ont eu tout juste le temps de rassembler leur puissance créatrice, absolument pas celui de se lamenter sur sa disparition.

> Je honnis mon ventre, ce sac plein de boyaux, que je dois charrier partout, et tout ce qui lui est lié – nourriture inadaptée, aigreurs d'estomac, poids plombé de constipation ou d'indigestion, premier acompte d'immondices brûlantes se déversant de moi dans des toilettes publiques…

Hormis quoi, en général, *Laura* se situe quelque part entre larve et pupe (pour utiliser une métaphore lépidoptérologique), très loin de l'imago achevé.

À l'exception d'un regain d'intérêt bienvenu pour l'œuvre de Nabokov, tout ce que cette relique favorisera, je le crains, sera la légère exacerbation de ce qui est déjà un problème infernal. C'est infernal pour moi, tant je m'incline devant ce grand génie, qui m'a tant inspiré. Dans son déclin, Nabokov met mal à l'aise jusqu'au lecteur le plus à l'unisson avec lui, un lecteur qui alors se sent bégueule, se dit qu'il prend les choses trop au pied de la lettre, se trouve vulgaire. Il n'y a pas grand-chose, dans *Laura*, qui puisse être considéré comme un thème, un motif structurant ou du moins récurrent. Mais on ne peut que noter l'apparition d'un certain Hubert H. Hubert (un ignoble Britannique bavant au-dessus du lit d'une préadolescente) ; d'une vamp de vingt-quatre ans dotée de seins d'une gamine de deux fois moins (« pâles tétons bigles et formes fermes ») ; et du rêve fébrile d'un amour juvénile (« son petit derrière si lisse, si lunaire »). En d'autres termes, de par son indéniable intérêt pour la défloration de très jeunes filles, *Laura* rejoint *L'Enchanteur* (1939), *Lolita* (1955), *Ada* (1970), *La Transparence des choses* (1972) et *Regarde, regarde les arlequins !* (1974).

Six romans : six romans, dont deux, peut-être trois, sont de spectaculaires chefs-d'œuvre. Le lecteur admettra, je l'espère, que le problème infernal est nabokovien au moins dans sa complexité et son caractère délicat. Car il n'est pas un être humain dans toute l'histoire de la planète qui ait fait davantage pour démontrer la cruauté, la violence et le caractère sordide du crime en question. Le problème se trouve être d'ordre esthétique, et pas tout à fait moral : l'intime malveillance de l'âge.

Il nous faut trouver un mot qui ne soit pas le terme légaliste de « pédophilie », qui, de toute manière, se traduit trompeusement par « affection pour les enfants ». Le mot est « nympholepsie », qui ne signifie pas exactement ce qu'on croit qu'il signifie. À savoir : « frénésie causée par le désir de l'inaccessible », correctement étiqueté « littéraire » par mon dictionnaire de chevet. De ce fait, la nympholepsie est un sujet légitime, quasi inévitable de ce talent très singulier. « Le style de Nabokov est en réalité un style amoureux, observait John Updike très justement ; il désire ardemment étreindre une exactitude vaporeuse dans ses bras poilus. » Néanmoins, chez le Nabokov tardif, la nympholepsie se désagrège en son étymologie – « du grec *numpholeptos*, "attrapé par les nymphes", sur le modèle de ÉPILEPSIE », « du grec *epilepsia*, lui-même issu de *epilambanein* "saisir, assaillir" ».

Rêvé dans le Berlin des années 30 (au milieu des éructations de Hitler déversées par des haut-parleurs sur les toits), écrit à Paris (après la Nuit de cristal, qui a précipité l'éprouvante fuite des Nabokov loin du Vieux Continent), *L'Enchanteur* est une réussite féroce, brillamment et quasi osmotiquement traduite du russe par Dmitri Nabokov en 1987, dix ans après la mort de son père. Le récit est logistiquement identique à la première partie de *Lolita* : le violeur épousera – et assassinera peut-être – la mère, avant de s'occuper de l'enfant. À la différence de la redoutable Charlotte Haze (« au noble téton et à la cuisse massive »), la veuve anonyme de *L'Enchanteur* est déjà chétive (ce qui est prometteur pour lui) : son grand corps a perdu sa symétrie sous les coups de plusieurs hospitalisations et du scalpel du chirurgien. C'est la raison pour laquelle son prétendant rejette à regret l'option du poison : « Ils l'ouvriront inévitablement, par simple habitude. »

Le mariage a lieu, et la nuit de noces : « [...] il était parfaitement clair qu'il (le petit Gulliver) » serait physiquement incapable de s'attaquer à « ces multiples cavernes », à « la conformation ignoblement inclinée de son bassin pesant ». Toutefois, « au milieu de ses protestations d'adieu, à cause de sa migraine », les choses prennent un tour inattendu,

> si bien que, après les faits, c'est avec étonnement qu'il découvrit le cadavre de la géante miraculeusement vaincue et contempla la gaine moirée qui dissimulait presque entièrement sa cicatrice.

Bientôt, la mère étant morte, l'enchanteur reste seul avec la gamine de douze ans. « Le loup solitaire était prêt à endosser le bonnet de nuit de Mère-grand. »

Dans *Lolita*, Humbert a d'« énergiques rapports sexuels » avec sa nymphette au moins deux fois par jour pendant deux ans. Dans *L'Enchanteur*, il n'y a qu'une seule délectation – non invasive, voyeuriste, masturbatoire. Dans la chambre d'hôtel, la fille droguée dort nue ; « il se mit à passer sa baguette magique sur son corps », la mesurant « avec un mètre étalon magique ». Elle se réveille et, découvrant

« sa nudité cabrée », hurle. Son obsession désormais réduite à une tache refroidie sur l'imperméable qu'il passe sur ses épaules, notre enchanteur se précipite dans la rue, cherchant à se débarrasser, par tous les moyens, d'un univers « déjà-contemplé » et « désormais-inutile ». Un tramway avance avec moult grincements et, sous

> cette masse qui croît, grimaçant, mégatonnant, ce cinéma instantané de démembrement – c'est ça, enfoncez-moi, assaillez ma fragilité –, je voyage écrasé, tête contre terre… ne me mettez pas en pièces – vous me déchiquetez, suffit… Gymnastique zigzagante d'éclair, spectrogramme des dixièmes de seconde d'un éclair – et le film de la vie a explosé.

En termes moraux, *L'Enchanteur* est sulfureusement frontal. *Lolita*, par contraste, est délicatement cumulatif ; mais, dans son jugement sur l'abomination de Humbert, il est le plus sévère. Pour le démontrer, il est nécessaire de ne présenter que deux points clés. En premier lieu, le sort de sa tragique héroïne. On ne saurait reprocher au lecteur non attentif de ne pas remarquer que Lolita succombe à la deuxième page du roman homonyme : « Mme "Richard F. Schiller" est morte en couches, écrit l'éditeur dans sa préface, en donnant naissance à une fille mort-née… à Gray Star, une commune dans le fin fond du Nord-Ouest. » Le roman touche presque à sa fin lorsque Mme Richard F. Schiller (Lo) apparaît brièvement. C'est là que nous saisissons, dans une parenthèse de stupéfaction, l'ampleur du pari de Nabokov sur le talent. « Étrangement, on ne peut lire un livre, on ne peut que le relire, avait-il annoncé [au pupitre]. » Nabokov savait que *Lolita* serait relu et re-relu. Il savait que nous finirions par absorber le sort de son héroïne – son enfance, sa féminité volées. Gray Star, écrivait-il, est « la capitale du roman ». L'évolution des qualificatifs – Gray Star (« Étoile Grise »), éclair muet, fumée poussive, feu pâle et oui, même crasse brûlante – représente le contrepoint nabokovien.

Le second point crucial est la description d'un rêve récurrent qui hante Humbert après l'envol de Lolita (elle fugue avec le cyniquement charnel Quilty). C'est aussi la preuve que le style, la prose en soi, peut inspirer la moralité. Qui voudrait s'engager dans une action sanctionnée par de tels cauchemars ?

> … elle hantait mon sommeil mais y apparaissait en étranges et absurdes déguisements sous les traits de Valeria ou de Charlotte [ses ex-femmes], ou un mélange des deux. Ce spectre complexe venait à moi, ôtant un vêtement après l'autre, avec un air de grande mélancolie et de dégoût, allongée en mate invitation sur une planche étroite ou un canapé dur, chair entrouverte comme la valve en caoutchouc de la poche d'un ballon de foot. Je me retrouvais, dentier cassé ou incurablement égaré, dans d'horribles *garnis*, où j'étais diverti lors d'ennuyeuses soirées de vivisection à la fin desquelles, le plus souvent, Charlotte ou Valeria pleurait dans mes bras ensanglantés, tendrement embrassées par mes lèvres fraternelles dans le désordre onirique d'un bric-à-brac viennois dispersé aux enchères : pitié, impuissance et perruques brunes de tragiques vieilles dames gazées à peine quelque temps avant.

Cette dernière phrase, avec son allusion évidente, témoigne de la douloureuse défiance avec laquelle Nabokov a écrit sur le crime ultime du siècle. Son père, distingué homme d'État libéral (honni par Trotski), fut tué par un malfrat fasciste à Berlin ; le frère homosexuel de Nabokov, Sergeï, fut assassiné dans un camp de concentration nazi. (« Quelle joie que tu ailles bien, sois vivante et aies bon moral, écrivit Nabokov des États-Unis en novembre 1945 à sa sœur Elena qui vivait en URSS. Pauvre, pauvre Seryozha… ! ») La femme de Nabokov, Véra, étant juive, leur fils (né en 1934), par conséquent, l'était aussi ; il est fort probable que, si les Nabokov n'avaient pas réussi à fuir la France au moment voulu (en mai 1940 : la Wehrmacht était à cent kilomètres de Paris), ils auraient rejoint les innombrables membres de la race impure livrés au Reich par le gouvernement de Vichy.

À ma connaissance, dans toute son œuvre romanesque, Nabokov traita une seule fois de la Shoah, à hauteur d'un paragraphe – dans l'incomparable *Pnine* (1957). D'autres références, comme dans *Lolita*, sont passagères. Prenez une nouvelle de 1948, un tour de force de six pages follement inspirées, intitulée *Signs and Symbols* (c'est la description d'une matriarche juive) :

> La tante Rosa, une vieille dame grincheuse, anguleuse, les yeux perpétuellement écarquillés, qui avait traversé un univers incertain fait de mauvaises nouvelles, de faillites, de déraillements, de grosseurs cancéreuses – jusqu'à ce que les Allemands la mettent à mort, avec tous ceux pour lesquels elle s'était tellement tracassée.

Pnine va plus loin. Lors d'une soirée d'émigrés dans l'Amérique rurale, une certaine Mme Shpolyanski, parlant de sa cousine Mira, demande à Timofey Pnine s'il a entendu parler de sa « fin atroce ». « En effet », répond Pnine. Le doux Timofey reste ensuite seul, au crépuscule. Nabokov en tire ceci :

> Ce dont la bavarde Mme Shpolyanski avait parlé lui avait remémoré l'image de Mira avec une force inhabituelle. C'était perturbant. Il n'y avait que dans le détachement d'une plainte incurable, dans la santé mentale de la presque-mort, qu'on pouvait affronter ça pendant un instant. Afin d'exister rationnellement, Pnine s'était appris [...] à ne jamais penser à Mira Belochkin – non que [...] l'évocation d'un amour de jeunesse, banal et bref, menaçât sa paix de l'esprit [...] mais parce que, si l'on était tout à fait sincère avec soi, on ne pouvait exiger d'aucun esprit et, de ce fait, de nulle conscience, de subsister dans un monde où des choses comme la mort de Mira étaient possibles. On devait oublier – parce qu'on ne pouvait vivre avec la pensée que cette jeune femme gracieuse, fragile et tendre, avec ces yeux et ce sourire, avec ces jardins et ces neiges en fond, ait été transportée dans un wagon à bestiaux et tuée par injection de phénol dans le cœur, le cœur doux qu'on avait entendu battre sous ses lèvres dans le demi-jour du passé.

Ce passage entre en résonance avec la formule de Primo Levi, selon laquelle nous ne pouvons, nous ne *devons* pas « comprendre ce qui s'est passé ». Car « comprendre » serait circonscrire. « Ce qui est arrivé », soit-il « in-humain » ou « anti-humain », demeure incompréhensible.

En reliant le crime de Humbert Humbert à la Shoah, et à « ceux que le vent de la mort a éparpillés » (Paul Celan), Nabokov repousse les limites de l'univers moral. Comme *L'Enchanteur*, *Lolita* est intact, entier, pour ainsi dire cacheté. La frénésie du désir inaccessible est attaquée de front, encadrée avec un courage et une ingéniosité prodigieux. Les choses auraient pu en rester là. Mais vint la défaillance d'assurance artistique – annoncée tumultueusement, en 1970, par *Ada*. Quand un écrivain sort des rails, on s'attend, cela va de soi, à quelques dérapages et verres cassés ; dans le cas de Nabokov, l'éruption est à l'échelle d'un accident nucléaire.

J'ai lu au moins une demi-douzaine de romans de Nabokov, au moins une demi-douzaine de fois. Et au moins une demi-douzaine de fois, j'ai essayé de lire *Ada (ou l'Ardeur)*. En vain. Ma première tentative remonte à une trentaine d'années. J'ai reposé le livre au bout du premier chapitre, avec une sensation curieuse, comme un frisson négatif. Environ tous les cinq ans (c'est devenu une habitude), je le reprenais ; au bout d'un certain temps, j'ai cerné la difficulté. Je me suis dit : « Ce livre est mort » ; la sensation curieuse, le frisson négatif, m'est bien sûr tristement familière, c'est la réaction du lecteur à ce qui semble arriver à un auteur qui dépasse la mesure biblique. L'éclat, le pouvoir créatif commence à faiblir. L'été dernier, je me suis enfermé avec *Ada*. Et j'avais raison. Avec ses six cents pages, deux ou trois fois la jauge nabokovienne habituelle, ce roman est ce que les inspecteurs de la criminelle qualifient de *burster* : un cadavre gorgé d'eau au stade de gonflement maximum, près d'exploser.

À sa parution en 1939, *Finnegans Wake* fut accueilli avec un respect circonspect – pour reprendre les termes de Borges, avec des « éloges stupéfiés ». *Ada* recueillit quantité d'éloges transis d'effroi ; les ressemblances entre les deux *magna opera* sont, en réalité, considérables. Nabokov voyait dans *Ulysse* le roman du siècle mais, à ses yeux, *Finnegans Wake* était « informe et ennuyeux », un « plat réchauffé », un « échec tragique » et d'un « ennui phénoménal ». Les deux romans cherchent à transformer en vertu une complaisance sans fin ; ils se détournent du lecteur pour se replier sur eux-mêmes. Le talent littéraire peut rendre l'âme de plusieurs manières. À un moment donné, Joyce, Nabokov et d'autres se désintéressent de leurs lecteurs, perdent toute la politesse et la courtoisie qu'ils leur ont témoignées un temps. Les plaisirs de l'écriture, dit Nabokov, « correspondent précisément aux plaisirs de la lecture » ; les deux activités sont en quelque sorte indivisibles. Dans *Ada*, le lien avec le lecteur se relâche, s'effiloche.

Nabokov a un faible pour le « patricianisme », ainsi que Saul Bellow le dénommait (Nabokov l'émigré, Bellow l'immigré). Dans les romans « russes » du premier (je veux dire les romans écrits en russe que Nabokov n'a pas traduits lui-même), les personnages masculins, en particulier, sont tout en démesure : ils sont plus grands, plus tonitruants que nature. Quand ils marchent, ils le font « à grandes enjambées », ils « paradent » ; ils ne mangent ni ne boivent : ils « dévorent », ils « engloutissent » ; ils ne rient pas, ils « hurlent de rire ». Ils sont très loin des neurasthéniques furtifs et hésitants de la littérature anglophone grand public : musclés (et doués), bourreaux des cœurs, ils conquièrent toutes les filles. Chez eux, la fierté n'est pas péché mortel mais vertu cardinale. Nabokov est inimaginable sans cette veine : elle lui procure sa somptueuse hauteur comique. Dans *Lolita*, la superbe est faite pour amuser ; ailleurs, elle n'est pas à l'abri de l'ironie.

Dans *Ada*, le fait d'être nabab se combine désastreusement avec une nympholepsie prodiguée sans compter, de façon monotone et liquoreuse. Au début, Ada a douze ans, Van Veen, son cousin (et demi-frère) quatorze. À l'adolescence, sa toute petite sœur Lucette est présente pour animer leurs « vigoureuses escapades ». À quoi s'ajoute une espèce de fantasme récurrent sur une chaîne internationale de bordels de luxe où l'on peut « lutiner et souiller » des fillettes de onze ans. Fait secondaire mais significatif, le père sexagénaire de Van a une maîtresse dont l'âge atteint tout juste les deux chiffres : elle a dix ans. La prose de l'interminable roman est dense, érudite, allitérative, portée sur les calembours, bref, étouffante ; et, à les entendre parler, tous les personnages, sans exception, semblent sortis de ce qu'on appelle le « James tardif ».

Sans doute, comme *Finnegans Wake*, *Ada* « fonctionne »-t-il, est-il « à la hauteur de ses ambitions ». Si on lui en laisse le temps et s'il n'a rien de mieux à faire, le décodeur multilinguiste saura probablement démêler ses laborieux systèmes et symétries, ses solitaires et lugubres labyrinthes, ses nostalgies gluantes. Mais, de toute évidence, l'un et l'autre roman manquent de traction narrative : ils glissent, dérapent, n'adhèrent pas. Et puis, *Ada* comporte un élément tout à fait incongru : l'assurance absolue du grand seigneur, monstrueuse et débridée. Transposé au niveau moral, c'est l'univers retors auquel aspire Humbert : un monde où rien n'a d'importance, où tout est permis.

Ce qui nous laisse avec *La Transparence des choses* (auquel nous retournerons tant bien que mal) et *Regarde, regarde les arlequins !* – en plus du volume plus ou moins négligeable auquel nous nous attachons ici. « Poutrelle ! », comme Nabokov l'appelait (tout comme il appelait *À l'origine de Laura* « Outil »), est le chant du cygne de son auteur. Il contient de merveilleux gargouillis et lueurs d'une couleur surnaturelle, mais il est dur d'oreille et a les yeux chassieux. Le thème de la petite fille n'est guère plus désormais qu'un logo – il fait partie du mobilier nabokovien, avec les miroirs, les doubles, les échiquiers et les papillons. On rend visite à un motel, le Lolita Lodge ; on a droit à une imitation : Dumbert Dumbert. De façon plus centrale, le narrateur, Vadim Vadimovich, se trouve brusquement avoir la garde de sa fille rarement vue, Bel, qui, inexorablement, a douze ans (elles ont toujours douze ans).

Où nous mène ce fil ?

> … J'étais encore follement heureux, je ne voyais toujours rien de mal, de dangereux, d'absurde ou de complètement idiot dans la relation que j'entretenais avec ma fille. À l'exception de rares et insignifiants écarts de conduite – quelques gouttes chaudes d'une tendresse débordante, un halètement masqué par un toussotement, ce genre de choses… –, ma relation avec elle demeurait fondamentalement innocente.

Eh bien, la consternante réponse est que ce fil ne mène nulle part. La seule répercussion, thématique ou autre, est que Vadim finit par épouser une camarade de classe de Bel, de quarante-trois ans sa cadette. Et c'est tout.

Entre *Ada*, le roman hystérique, et le titubant *Regarde, regarde les arlequins !* intervient la mystérieuse, la sinistre, la somptueusement mélancolique nouvelle *La Transparence des choses* : la rémission de Nabokov. Le héros, Hugh Person, un éditeur américain de moyenne renommée, est un marginal attachant et, sur le plan sexuel, un perdant, à l'instar de Timofey Pnine (Pnine dîne régulièrement dans un boui-boui du nom de L'Œuf et Nous, qu'il fréquente par « pure sympathie pour l'échec »). Quatre visites en Suisse procurent les pierres angulaires de ce petit bijou, au cours desquelles Hugh courtise timidement l'exaspérante allumeuse Armande, et fréquente un romancier âgé, le corpulent, décadent et austèrement cérébral Mr R.

On apprend que celui-ci a débauché sa belle-fille (une amie d'Armande) quand elle était encore enfant ou du moins mineure. Le thème nympholeptique flotte donc sur cette histoire, renforcé, lors d'une scène extraordinaire, par la révélation des pulsions latentes de Hugh. Lamentable empoté à la traîtresse libido (sa « médiocre virilité » est caractérisée par des flétrissements et éjaculations précoces), Hugh se présente à la porte de la villa d'Armande : la mère de celle-ci le fait patienter en lui montrant des photos de famille. Il tombe sur une photo d'Armande nue, à l'âge de dix ans :

> Le visiteur construisit un mur d'albums pour masquer le feu de son intérêt […] et retourna plusieurs fois aux images de la petite Armande dans son bain, pressant contre son ventre luisant un jouet en caoutchouc doté d'un proboscis, ou se levant, avec ses fesses à fossettes, pour qu'on la savonne. Une autre révélation de sa douceur impubère (sa ligne médiane à peine dissociable du brin d'herbe vertical juste à côté) était fournie par une photo d'elle la montrant assise dans l'herbe, nue, lissant ses cheveux criblés de soleil et, écartant en grand, en une fausse perspective, les jolies jambes d'une géante.

> Il entendit la chasse d'eau à l'étage et, avec un tressaillement coupable, referma l'album d'un coup. Son cœur rétractile se retira avec humeur, ses palpitations s'apaisèrent [...]

Au premier abord, ce passage paraît scandaleusement anormal. Puis nous nous apercevons que les pensées inconscientes de Hugh, ses rêves, ses insomnies (« la nuit est toujours géante »), sont saturés de craintes incohérentes :

> Il ne pouvait croire que les gens bien aient le genre de cauchemars obscènes et absurdes qui fracassaient ses nuits et continuaient de le gratter toute la journée. Ni les récits de mauvais rêves par ses amis ni les cas des ouvrages freudiens sur les rêves, avec leurs élucidations hilarantes, n'approchaient de la vile complexité de ses expériences quasiment quotidiennes.

Hugh épouse Armande puis, des années plus tard, l'étrangle *dans son sommeil.* De sorte qu'il est possible que Nabokov identifie l'incitation pédophilique à un désir irrépressible de violence et d'auto-oblitération. Le barattage subliminal de Hugh Person génère une formidable revanche en pathos et isolement (prison, asile), et exige la purification ultime : il périt dans les flammes de l'un des incendies les plus fascinants de la littérature mondiale. L'hôtel embrasé :

> Les flammes grimpaient l'escalier, par deux, par trois, en file indienne, main dans la main, langue de feu après langue de feu, conversant et fredonnant gaiement. Ce n'est pas la chaleur de leur danse, mais la fumée noire et âcre qui poussa Person à se replier dans la chambre ; pardonne-moi, dit une flammèche polie qui maintenait

> ouverte la porte qu'il tentait vainement de fermer. La fenêtre claqua avec une force telle que ses vitres se brisèrent en un torrent de rubis […] En fin de compte, suffoquant, il voulut sortir par la fenêtre, mais il n'y avait pas de rebord ou de balcon sur cette façade de la maison rugissante. Au moment où il parvint à la fenêtre, une longue flamme couronnée par une pointe lavande chaloupa pour le retenir avec un geste gracieux de sa main gantée. S'effondrant, des cloisons de plâtre et de bois lui donnèrent à entendre des cris humains, et l'une de ses dernières idées erronées fut que c'étaient les cris de sauveteurs désireux de lui venir en aide, et pas les hurlements de ses semblables.

À eux seuls, *L'Enchanteur*, *Lolita* et *La Transparence des choses* auraient pu constituer une trilogie chatoyante et très dérangeante. Mais Nabokov ne s'en est pas contenté. Par leur nombre, par la vertu de la répétition, les romans de la nympholepsie se mettent à s'infecter, à se contaminer les uns les autres. Nous en puisons le maximum, avec reconnaissance… Pourtant… dans quelle autre œuvre trouvons-nous une fixation aussi insubordonnée ? Dans l'effroyable démangeaison de Lawrence ? Dans les troubles transpositions sexuelles de Proust ? Non : il faudrait s'aventurer dans les franges de la littérature – Sade, Carroll ou Burroughs – pour les retrouver : ces activités que nous trouvons à juste titre inexcusables, à jamais inexcusables.

En littérature, bien sûr, il n'y a jamais de victime ; la faille, je l'ai déjà dit, n'est pas morale, elle est esthétique. Et je n'implique aucun sous-entendu quand je souligne que l'obsession nabokovienne pour les nymphettes a un pendant : la pesante intrusivité de son obsession pour Freud – « le monde vulgaire, miteux, fondamentalement médiéval » du « charlatan viennois », avec « ses petits embryons aigris qui, depuis leur recoin naturel, espionnent la vie amoureuse de leurs parents ». Nabokov aimait l'anarchie de leur nature, et il réprouve Freud, qui cherchait à la codifier. Faut-il voir une sorte de rivalité dans cette haine ? Eh bien, en fin de compte, c'est Nabokov, et pas Freud, qui, avec Kafka, se révèle être le chantre suprême des cauchemars, et de la folie.

Impartialité littéraro-critique ou pas, reste une mise en garde de pur bon sens : les écrivains aiment écrire sur les sujets auxquels ils aiment penser. Or, pour le dire sans détour, Nabokov, tout au long de cette dernière période, n'a pas assez honoré l'innocence – honoré l'honneur – des fillettes de douze ans. Dans *L'Enchanteur*, *Lolita* et *La Transparence des choses*, il défendait son obsession avec vigueur ; dans *Ada*, cette folie compulsive, dans *Regarde, regarde les arlequins !* et maintenant dans *L'Original de Laura*, il ne cherche même plus à le faire. Ce qui laisse une tache discrète mais perceptible sur le léviathan qu'est son corpus.

« Voyons, *soyons raisonnable*, dit Quilty, contemplant le canon du revolver de Humbert. Vous arriveriez qu'à m'amocher et puis vous pourririez en prison pendant que je récupérerais sous les tropiques. » D'accord, soyons raisonnable, alors. Dans son livre sur Updike, Nicholson Baker cite un ordre de réalisations littéraires qu'il appelle « prousto-nabokoviennes ». Certes, prousto-nabokoviennes, pourquoi pas, sinon joycéo-borgésiennes ou, pour les Américains, jameso-bellowiennes. C'est à la plus haute table que Vladimir Nabokov prend sereinement sa place.

Lolita, *Pnine* et *La Méprise* (1936 – traduit en anglais par l'auteur en 1966) et quatre ou cinq nouvelles sont immortelles. *Roi, Dame, Valet* (1928, 1968), *Rire dans la nuit* (ou *Chambre obscure* – 1932, 1936), *L'Enchanteur*, *Le Guetteur* (1930), *Brisure à sénestre* (1947), *Feu pâle* (1962) et *La Transparence des choses* sont férocement réussis ; son premier roman, le mince *Machenka* (1925), est un joyau. *Littératures* (ses cours sur les littératures russe et autres et ses conférences sur *Don Quichotte*, parus en traduction française en 2010) avec *Intransigeances* (1973) constituent la brillante réussite d'un artiste-critique de premier plan. Les *Lettres choisies, 1940-1966* (parues en traduction française en 1992), *Vladimir Nabokov – Edmund Wilson 1940-1971* (paru en traduction française en 1979) et son autobiographie *Autres Rivages* (parue en traduction française en 1991), nous procurent un portrait quadridimensionnel d'un homme charmant et respectable. Le vice que Nabokov dénigrait le plus souvent était : la cruauté. C'est dans l'attention aimante avec laquelle, dans ses romans et nouvelles, il écrit sur les animaux qu'on détecte le plus nettement sa gentillesse naturelle. Je n'ai qu'à réfléchir un instant, et me vient à l'esprit le chat de *Roi, Dame, Valet* (qui se lave avec la patte arrière « comme une batte levée sur l'épaule »), les délicieux chiens et singes de *Lolita*, l'écureuil « dont la queue fait de l'ombre », l'inoubliable fourmi de *Pnine*, et la chauve-souris malade de *Feu pâle* – qui vient se faufiler par là, « comme un estropié avec un parapluie cassé ».

On appelle ça un « chatoiement » – un miroitement, un scintillement, une irisation. L'essence nabokovienne est d'une instabilité miraculeusement fertile : sans crier gare, les mots se détachent du quotidien et s'élancent comme des fusées dans un ciel nocturne, illuminant des verstes cachées de désir et de terreur. Dès *Lolita*, quand commence la fatale cohabitation :

*Nous connûmes** les divers types de revendeur de voitures, le criminel réformé, le professeur à la retraite et l'entrepreneur qui rate tout, chez les hommes ; et, chez les femmes, la maternelle, celle qui joue à la grande dame et toutes les variations de matrones. Parfois, les trains hurlaient dans la nuit monstrueusement chaude et humide avec un écho déchirant et sinistre, mélangeant pouvoir et hystérie dans un cri désespéré.

The Guardian, 2009

Bellow, pas James

Alors que la poésie anglaise « ne redoute personne », comme l'écrivait E.M. Forster en 1927, le roman anglais « est moins triomphaliste » : restait donc la menue question des Russes et des Français. Forster publia son dernier roman, *Route des Indes*, en 1924, mais vécut jusqu'en 1970 – assez longtemps pour assister à un profond remaniement dans l'équilibre des pouvoirs. Le roman russe, plus robuste et fou que jamais dans les premières années du siècle (Ivan Bounine, Andreï Biely, Mikhaïl Boulgakov, Ievgueni Zamyatin), avait été éradiqué de la surface de la terre ; le roman français paraissait s'être fourvoyé dans des périphéries philosophiques plus adaptées à l'essai ; quant au roman anglais (qui attendait encore la somptueuse imprégnation des ex-colonisés), il paraissait… eh bien… désespérément anglais – lamentablement inerte et consanguin. Pendant ce temps, et comme pour refléter la réalité politique, le roman américain assumait son évidente destinée.

Devenu dominant, il était lui-même dominé par le roman juif-américain, et chacun sait qui dominait celui-ci : Saul Bellow. Moins que sur les ventes, les titres universitaires, les rosettes et les écharpes, son hégémonie reposait et repose encore sur une inconstestable légitimité. Prétendre le contraire serait gaspiller sa salive. Bellow voit plus que nous voyons – voit, entend, sent, goûte, touche... Comparé à lui, le reste d'entre nous n'est conscient que par intermittence ; intellectuellement aussi, ses phrases pèsent davantage que celles de tous les autres. John Updike et Philip Roth, les deux écrivains sans doute les plus à même de rivaliser avec Bellow, ou de lui succéder, ont tous deux reconnu que sa supériorité ne se comptait pas seulement en années. L'égomanie est l'une des composantes du talent littéraire, et pas des moins encombrantes : la rêverie égomaniaque n'est pas, comme on le suppose souvent, une stupeur d'autosatisfaction ; ce serait plutôt comme un état permanent d'alerte rouge. Or les écrivains américains, notamment, sont étonnamment sensibles à la hiérarchie.

Avec quelque impertinence, on pourrait résumer d'un seul mot les préoccupations majeures du roman juif-américain : les *shiksas* (littéralement : les « choses détestées »). Il s'avéra qu'il y avait quelque chose de captivant dans le conflit entre la sensibilité juive et les tentations – les incontournabilités – de l'Amérique matérialiste. Ainsi qu'un narrateur de Bellow le formule : « À la maison, une loi archaïque ; dehors, les choses de la vie. » La loi archaïque est sombre, liée au sang, percluse de culpabilité, acquise au renoncement et transcendantale ; les choses de la vie sont atomisées, irréfléchies et impures. Bien sûr, le roman juif-américain subsume l'expérience de l'immigrant de la première génération, tout juste séparé du « vieux pays » ; l'accent est mis sur l'angoisse de l'« avoir droit » (également marquée chez Roth et chez Malamud). Ce n'est pas l'angoisse de ne pas réussir, d'échouer : on tourne autour du droit de statuer, de juger, bref, le droit d'écrire. La conséquence semble en être que ces romanciers ont apporté une nouvelle intensité à l'engagement de l'auteur, qui offre son être tout entier, sans la moindre retenue. Malgré le côté comique et déflationniste, centré sur ce que Herzog appelait les « erreurs nobles », dans le roman juif-américain se cache quelque chose d'historiquement lugubre : un aboutissement de la cruauté humaine. On avait du mal à mesurer l'ampleur de cette cruauté en 1944, l'année qui vit le début de l'épopée-feuilleton de Bellow. Par la suite, l'Amérique serait perçue comme le « pays du redressement historique », un endroit où (ainsi qu'il l'a écrit avec une froide sobriété) « l'on ne pouvait pas mettre à mort les Juifs ».

Universalisant, le roman juif-américain pose la question corps/esprit – puis va de l'avant et y répond aussitôt. « Quand une nouvelle pensée lui saisissait le cœur, il allait à la cuisine, son Q.G., pour la coucher noir sur blanc », écrit Bellow dans la première page de *Herzog* (1964). *Quand une nouvelle pensée lui saisissait le cœur* : la voix n'est pas dissociée, elle réagit au monde avec une sensualité passionnée, sur un ton célébratoire pas moins prodigieux et infatigable. Bellow a présidé à une efflorescence qui, de toute évidence, doit beaucoup au contexte historique ; or nous devons conclure, sur un mode élégiaque, que cette phase est en train de se conclure. On ne voit rien la remplacer. L'« assimilation » est-elle responsable de cela, ou le processus fut-il plus mou, plus diffus ? « Votre histoire, aussi, est devenue l'une de vos options », note sèchement le narrateur de *La Bellarosa Connection* (1989). « Avoir ou ne pas avoir une histoire était une "considération" qui dépendait entièrement de chacun. » Songeant au célèbre essai de Philip Rahv, datant de 1939, nous pouvons affirmer que les visages pâles avaient vaincu les Peaux-Rouges. Roth maintiendra la tradition, un certain temps. Mais il est Uncas : le dernier des Mohicans.

Éloge et dénigrement jouent leur rôle dans le contrôle de la qualité du journalisme littéraire mais, quand le jugement de valeur s'applique au passé, son irrationalité fondamentale apparaît au grand jour. La pratique qui consiste à réarranger le canon pour des motifs esthétiques ou moraux (aujourd'hui, ces motifs seraient politiques – à savoir, égalitaristes) fut imparablement ridiculisée par Northrop Frye dans son *Anatomie de la critique* (1957). Imaginer une Bourse littéraire dans laquelle les réputations « montent puis s'effondrent », arguait-il, c'est réduire la critique littéraire à la sphère des « ragots des classes oisives ». On pourra y consacrer tout le temps qu'on voudra, on pourra se tuer à la tâche, on n'arrivera jamais à démontrer que Milton est meilleur poète que Macaulay ou, d'ailleurs, que William McGonagall (qui jouit de la réputation de pire poète de l'histoire britannique). C'est évident, c'est clair comme de l'eau de roche, mais il est impossible de le prouver.

Je me propose néanmoins de faire une prédiction étayée sur les avenirs littéraires : je clame que Bellow émergera comme le plus grand romancier américain. Le génie narratif, autour de nous, abonde et, tel Bellow, tend vers le visionnaire – une qualité nécessaire si l'on veut interpréter le Nouveau Monde. Mais quand nous examinons la surface verbale, l'instrument, la prose, Bellow est *sui generis*. Qu'aurait-il à craindre ? Les formulaires mélodramatiques de Hawthorne ? Les innombrables facéties de Melville ? La menace obscurément itérative de Faulkner ? Non. Le seul Américain qui pourrait vraiment menacer Saul Bellow est Henry James.

Tout écrivain noue un lien matrimonial platonique avec son lectorat. De ce point de vue, les romans de James suivent un arc particulier : séduction, lune de miel, cohabitation vigoureuse, suivies de détachement, éloignement, lits séparés et, finalement, chambre à part. Comme dans tout mariage, la relation se mesure à la qualité des échanges quotidiens, à la qualité de leur langage. Même à son summum d'équité et de séduction (la délicatesse androgyne, le regard délicieusement autre), la prose de James souffre d'un grave défaut comportemental.

Les spécialistes de l'usage de la langue l'ont baptisé : « Variation élégante ». L'expression est sciemment ironique, car l'élégance recherchée est en réalité une pseudo-élégance, une anti-élégance. Ainsi : « Obliquant à gauche, vers le Ponte Vecchio, elle s'arrêta devant l'un des hôtels qui donnent sur ce charmant édifice. » Pourquoi pas une autre variation sur ledit pont, tout simplement un vulgaire petit « celui-ci » ? Un peu plus loin, le petit déjeuner devient « cette collation », la théière « ce réceptacle », Lord Warburton est « ce noble personnage » (ou « le maître de Lockleigh ») et les lettres deviennent des « missives », les bras, « ces membres » ; et ainsi de suite.

Hormis qu'elles poussent le lecteur à gémir trois fois dans une même phrase, les variations jamesiennes pointent des défauts plus profonds : affectation, méticulosité, manque de chaleur, de franchise et d'engagement. Tous les exemples cités sont extraits de *Portrait de femme* (1881), du début de la généreuse et hospitalière période médiane. Quand nous entamons le labyrinthe arctique du « James tardif », le repoussement du lecteur et le choix de l'introversion sont à la hauteur de ceux de Joyce, mais prolongés bien plus diaboliquement.

Le mariage fantôme avec le lectorat soutient l'équilibre créatif du romancier. La relation doit être inconsciente, muette, tacite et, cela va de soi, imprégnée d'amour. L'amour de Bellow pour ses lecteurs a toujours été à la fois sagement subliminal et aussi ardent qu'exaltant. Il est combiné à une autre forme d'amour pour produire ce qu'on pourrait appeler l'essence bellowienne. En relisant la nouvelle de la dernière période intitulée *Au bord du Saint-Laurent*, j'ai découvert que j'avais souligné un passage et écrit dans la marge : « C'est donc ça ? » Voici le passage en question :

> Ce n'était pas une femme qu'on pouvait aimer mais le garçon l'aimait et elle en était consciente. Il les aimait tous. Il aimait même Albert. En visite à Lachine, il dormait avec lui et, le matin, il lui arrivait de lui caresser le crâne et, même quand Albert rejetait rudement ce contact, il continuait de l'aimer. Ses cheveux poussaient en rangs resserrés, une enfilade infinie de rangs.
> Ces observations, Rexler l'apprendrait plus tard, étaient toute sa vie – tout son être – et l'amour était la source d'où elles jaillissaient. À chaque trait physique correspondait un sentiment. Par deux, paire après paire, ils faisaient la navette entre son âme et l'extérieur.

Et c'est en effet exactement cela, je crois. L'amour a toujours été célébré, entre autres, pour sa faculté à transformer ; c'est grâce à lui et à son besoin entêtant de commémorer et de préserver (« Je suis la Némésis des apprentis oubliés »), que Bellow métamorphose le monde :

> Napoleon Street – tel un jouet –, corrompue, démente, crasseuse, grouillante, battue par les intempéries, les

> bootleggers récitant d'antiques prières : Moses y était profondément attaché. Il y avait là un éventail de sentiments plus large qu'il n'avait jamais connu. Les enfants de la race, par un miracle infaillible, ouvraient les yeux sur une succession de mondes nouveaux, époque après époque, et récitaient la même prière, aimant ardemment ce qu'ils découvraient. Herzog se demanda ce qu'on pouvait trouver à redire à Napoleon Street. Tout ce qu'il désirait s'y trouvait.

« Je suis américain, de Chicago », déclare Augie March, d'emblée. Il aurait pu dire : « Je suis russe, de Québec – j'ai emménagé à Chicago à neuf ans. » Bellow est russe : un vrai Tolstoï, dans sa limpidité et son amplitude. Ce qui nous amène à un autre fantôme de Saint-Pétersbourg : Vladimir Nabokov. Sincère admirateur de *Pnine* (1957) et de *Lolita* (1955), Bellow a toujours pensé que, sur le plan artistique, leur auteur était affaibli par ses privilèges (le défaut jamesien) ; et il est certain que c'est la réalité sociale qui isole *Ada* (1969), roman dans lequel le lien avec le lecteur est purement et simplement sectionné. Nabokov n'était pas un immigré (« Ne te comporte pas comme un foutu immigré », dit un frère aîné de Herzog quand celui-ci pleure à l'enterrement de leur père) : Nabokov est toujours resté un *émigré*. Il était incapable de devenir américain ; en Amérique, il a toujours eu l'impression de vivre dans les bas-fonds – confort ou pas. Bellow, lui, a passé son enfance dans les taudis, et son art en a bénéficié : non seulement ils offraient l'éventail le plus vaste de sentiments humains mais ils dirigeaient aussi le regard vers le haut, vers le transcendant.

Il y a quelques années, j'ai eu une curieuse conversation avec un romancier notoirement prolifique qui venait tout juste de finir de relire *Les Aventures d'Augie March* (1953). Nous en avons parlé ; puis il crut changer de sujet en disant : « Je me suis installé dans mon bureau aujourd'hui... et rien. Pas une phrase, pas un mot. Je me suis dit : "Ça est y est, cette fois, c'est foutu." » J'ai répondu : « Ne vous inquiétez pas, vous n'étiez pas en cause. C'est la faute d'*Augie March.* » Car il m'était arrivé la même chose. C'est l'effet que Bellow produit, avec sa prose incandescente, ruisselante : il peut vous donner l'impression que toutes les phrases, tous les mots, lui appartiennent, à lui et à personne d'autre. En même temps, nous partageons l'euphorie utopique d'Augie lorsque, quasiment réduit à l'inexistence au Mexique (v. 1940), il entraperçoit nul autre que Léon Trotski :

> Je crois que ce qui me stimulait en lui, c'était l'impression qu'il donnait d'emblée – et peu importait le tas de ferraille qu'il conduisait ou l'étrangeté de son entourage – de naviguer en se repérant aux étoiles, de ne s'attacher qu'aux considérations les plus hautes, d'être digne de prononcer les mots les plus importants du monde, d'employer les termes les plus universels. Quand on en est réduit à un genre de navigation très peu stellaire, comme je l'étais alors, godillant dans une baie peu profonde, rampant d'un râteau à coques au prochain, il est stimulant d'entrapercevoir la grandeur des eaux profondes. Et plus qu'une grandeur établie, une grandeur d'exil, car l'exil était pour moi un signe de la persistance des choses les plus élevées.

The Atlantic Monthly, 2003

Post-scriptum. Si la définition que donne Herman Melville de la prose, une « multiple facétie », n'est peut-être pas gravement trompeuse, elle n'en est pas moins gravement inadéquate. Après un intervalle de près d'un demi-siècle, je suis retourné à *Moby Dick*, j'ai passé tout un mois, l'été dernier, à dodeliner de la tête, entre gratitude et admiration. Techniquement, c'est une réalisation unique : pour les quatre cinquièmes, c'est du pur remplissage (pire encore que *Don Quichotte*). Sauf que, chez Melville, le remplissage est un ballast nécessaire. *Moby Dick* serait un candidat sérieux au titre de plus Grand Roman Américain – si ce n'est que l'« Amérique » figure peu au fil de ses pages, et qu'il n'y a pas de femmes (même les baleines sont, sans exception, des mâles) : or qui pourrait nous fournir un panorama national sans Amérique et sans femmes ? En même temps, de manière presque déconcertante, c'est un roman gorgé d'amour. Si *Augie March* saisit l'âme américaine, *Moby Dick* saisit le cœur américain. La chaleur de la générosité de Melville se déverse dans l'âme du lecteur, et ce dernier réagit et le lui rend bien. Ce qui nous fait d'autant plus regretter le sort du roman. Melville, né en 1819, est mort en 1891. *Moby Dick* parut, et sombra, en 1851. À quarante ans, son auteur, qui n'était quasiment plus lu, fut réduit à travailler à la douane de New York. Par la suite, comme Thomas Hardy, il se réfugia dans la poésie ; la renaissance de Melville débuta exactement un siècle après sa mort… Au fait, le « romancier notoirement prolifique » qu'*Augie March* avait laissé pantois était Salman Rushdie. Qui s'en est vite remis.

Plus personnel – I

À vous de poser les questions[1] – I

Comment se porte John Self (de Money, Money*) en 2001 ? Et Keith Talent (*London Fields*) ?*

Chris O'Hare, Belfast

John travaille encore dans la publicité. Il n'envisage plus une carrière à Hollywood. Il a troqué sa Fiasco pour une Culprit d'occasion. Il a encore pris du poids, et ses petites amies ne rajeunissent pas. Mais il m'arrive de penser qu'il lit un peu plus qu'avant.

Keith part tous les hivers : en prison. Pendant les mois plus tempérés, il vit plus ou moins à la dure tout en haut de Ladbroke Grove. Il ne voit jamais sa femme et sa fille (qui se portent bien). Il espère encore parvenir à s'illustrer chez les professionnels du tir de fléchettes, quoique moins ardemment, puisqu'il est persuadé que le toilettage du sport a détruit ses liens historiques avec les pubs.

1. Ici, « vous » renvoyait aux lecteurs de l'*Independent* (en 2001). Les questions et réponses étaient écrites, pas parlées – d'où leur inclusion ici. En ce qui concerne la différence vitale entre parlé et écrit, veuillez vous reporter au premier paragraphe du texte sur Christopher Hitchens (p. 387).

Mais je ne me pose jamais cette question. Curieusement, dès l'instant où vous tapez le point final, vos personnages gagnent ou recouvrent leur libre arbitre. À la fin de *Train de nuit*, j'ai voulu donner l'impression que le suicide de la narratrice-héroïne était inévitable et imminent. Mais, de temps à autre, je pense qu'elle a passé le cap et a survécu.

Dans la mémoire et la pensée, vos personnages secondaires ont tendance à être statiques, mais les personnages principaux continuent d'avoir leur monde à eux (pas souvent visité) où ils s'acharnent et vieillissent.

Avez-vous lu Sourires de loup *de Zadie Smith et* Une œuvre déchirante d'un génie renversant, *de Dave Eggers ? Sinon, pourquoi ?*

Katie Bowden, par courriel

J'ai lu Zadie Smith avec, constamment, un sourire d'admiration aux lèvres. Je n'ai pas lu le roman de Dave Eggers, mais j'ai lu le titre, et ça m'a pris un bon moment. Le livre de Nabokov que nous connaissons sous le titre *Invitation au supplice* fut un temps appelé *Invitation à une exécution*, mais il va de soi qu'on a préféré éviter la répétition du suffixe. Dans *Une œuvre déchirante d'un génie renversant*, on a deux articles indéfinis. Hormis quoi, je suis honteux de devoir avouer que mon immersion dans Eggers est restée à la surface de son titre. Un jour, nous avons participé à la même manifestation. Je l'ai trouvé très sympathique et il parle bien.

Vous vous êtes élevé contre la brutalité des journalistes mais, dans votre jeunesse, vous n'hésitiez pas à éreinter les écrivains de la génération antérieure. Le regrettez-vous aujourd'hui ?

Joseph Dartford, Hertfordshire

Insulter les gens sur le papier est un vice de la jeunesse et une corruption mineure du pouvoir. On devrait s'arrêter quand on vieillit, sans quoi on a l'air d'un mouton déguisé en agneau. Insulter les gens quand on a atteint l'âge mûr n'est pas digne, et paraît de plus en plus insensé au fur et à mesure qu'on approche du crépuscule. Je pense spontanément à Tom Paulin, qui, de plus en plus agité et instable, continue de passer son temps à insulter tout le monde. Je crois que dans ma jeunesse, j'ai en effet écrit deux ou trois critiques capables de flinguer une carrière. Oui, je le regrette.

Pensez-vous être vraiment devenu un « Homme nouveau », tel que vous vous décrivez dans votre dernier ouvrage, Guerre au cliché *?*

Jazz Kilburn-Toppin, par courriel

J'ai dit que l'« Homme nouveau » (une figure idéalisée des années 70) courait le danger de devenir un vieillard prématuré, à cause de toutes les tâches domestiques qui lui sont dévolues. J'ai participé (et participe encore) à l'éducation de quatre enfants. J'ai fait ça sans devenir un Homme nouveau, mais pas sans devenir un vieil homme.

Pourquoi les grands romans modernes américains sont-ils supérieurs à leurs équivalents britanniques ?

Peter Miley, Plymouth

Peut-être parce que l'Amérique est le centre du monde – tout comme l'Angleterre l'était au XIXe siècle, ainsi qu'en témoignent tous nos romans épiques. Mais les jours de la place centrale des États-Unis dans le monde sont comptés et je crois que le roman britannique se porte fort bien, puisqu'il inclut désormais la production indienne, australienne, etc.

Êtes-vous moins inquiet de la crise nucléaire/écologique que vous l'étiez il y a dix ans ? Si c'est le cas, ces angoisses vous concernaient-elles davantage, vous, personnellement, que la planète ?

Liam Knights, Winchester

La situation nucléaire a changé radicalement, de même que mes inquiétudes à son sujet. Nous ne sommes plus à l'époque de l'équilibre de la terreur ; nous sommes passés à celle de la prolifération nucléaire incontrôlée. C'est encore le foutoir, mais l'espèce a fait un grand pas dans l'évolution et, avec bec et ongles, s'est écartée de la ligne de feu la plus évidente : un échange nucléaire susceptible de balayer tout l'arsenal.

L'écologie sera bientôt une obsession universelle : il n'y a qu'à attendre. De façon plus générale, il est naturel qu'aujourd'hui, nous nous identifions à la planète, puisqu'elle semble vieillir à la même allure que nous. L'idée que la planète vieillit ne serait pas venue à l'esprit d'un humain du XVIIIe siècle, pas plus qu'elle ne viendrait au chien qui dort à nos pieds.

Vous inquiétez-vous parfois de devenir votre père, Kingsley ?

Jonathan Connolly, Bristol

Cette question ne peut que me paraître comique et plutôt sinistre. Si le Kingsley auquel vous pensez est le Kingsley des dernières années, alors je pourrais, bien sûr, me passer de la métamorphose physique, du moins pour l'instant. Mais sans doute voulez-vous dire : est-ce que je suis inquiet d'hériter de son évolution politique, inquiet de me réveiller un matin dans la peau du réactionnaire furibond qu'il jouait parfois à être, morose mais toujours avec malice ? Non. Nos parcours politiques sont antithétiques. J'ai toujours été insipidement centre gauche. Lors de nos échanges les plus violents (sur les armes nucléaires, entre autres), je contre-attaquais en disant que c'était *lui*, pas moi, la créature politiquement soupe-au-lait (mon père fut un communiste pratiquant de la fin des années 1930 à 1956). Mais depuis d'autres points de vue, cela ne me dérangerait pas de devenir Kingsley. J'aimerais maintenir aussi longtemps que lui une relation affectueuse avec tous mes enfants. Et cela ne me gênerait pas d'écrire à soixante-quatre ans un roman de la qualité de *Vieux Diables*.

J'ai vu Cyclone à la Jamaïque[1] *et j'ai pensé que vous mouriez de façon touchante. Pourquoi votre carrière d'acteur s'est-elle arrêtée si vite ?*

Chloe Sinclair, Norwich

Ma carrière d'acteur n'était pas une carrière, c'était une étincelle et un pur hasard. Je manquais, spectaculairement, de talent. On a dû tourner ma scène finale dix ou douze fois, parce que, chaque fois, je m'écroulais (une chute de moins d'un mètre, sur un matelas) avec un grand sourire.

1. Film dans lequel Amis apparaît à l'âge de treize ans. *(N.d.T.)*

Pourquoi avez-vous toujours roulé vos cigarettes ? C'est bordélique et compliqué, elles s'éteignent toujours, elles grattent la gorge, et elles doivent vous rendre fou quand vous écrivez.

Claire George, Gloucestershire

Les cigarettes, ce n'est pas un simple hasard. J'ai essayé toutes les autres formes de clopes sur la planète (j'ai eu de longues cohabitations avec Marlboro et Disque Bleu) avant de me fixer sur Golden Virginia et Rizla Vert. C'est tout bonnement la meilleure cibiche disponible. Sans compter que, lors de longs voyages en avion, pendant les films épiques, etc., on peut se fourrer le nez dans la poche et renifler un peu de l'arôme de la nicotine : cela contient l'envie et a l'air terriblement et incroyablement nuisible à la santé.

Il y a quelque temps, un site Web consacré à votre œuvre (http://martinamis.albion.edu) a organisé un sondage pour savoir quel était votre meilleur roman. Money, Money *(1984) l'a emporté aisément. Acceptez-vous ce verdict ou, du moins, en comprenez-vous les raisons ? Ou ressentez-vous une envie innée de le refuser, puisque cela impliquerait que vous n'avez rien écrit de mieux en dix-sept ans ?*

Stephen Pepper, Kingston-upon-Thames

Dans *Money, Money*, je me suis totalement libéré de la forme et me suis entièrement fié à la voix, ce qui a libéré une grande énergie. Je suis heureux que ce pari ait été payant, mais je n'ai pas ressenti le besoin de le répéter. S'il revient, je céderai à nouveau. Quoi qu'il en soit, cela ne rime pas à grand-chose de dire que *Money, Money* est meilleur que, disons, *La Flèche du temps*. *Money, Money* est plus divertissant, voilà tout. De toute façon, je regarde de moins en moins en arrière. Même vérifier les épreuves d'un livre tout juste terminé m'est une corvée dont je trouve qu'elle me détourne de l'urgence du moment. Je pense déjà au prochain, au suivant et au suivant encore.

Est-ce que l'écriture de romans est régie par la loi des rendements décroissants ou ressentez-vous encore la même poussée d'adrénaline que avez dû ressentir en écrivant Réussir, Money, Money, *etc. ?*

Tom De Castella, Brixton, Londres

Eh bien, je n'éprouve plus la même poussée d'adrénaline. Sur la page, j'imagine qu'on peut s'attendre à ce que l'énergie musicale aille *diminuendo*. Présentons les choses de la manière suivante… Il y a dix ans, quand j'écrivais, je me disais : « J'ai trop à faire pour avoir le temps de chier. » Maintenant, je me dis : « J'ai trop à faire pour avoir le temps de pisser. » Et quand je dis « Trop à faire », ce n'est pas que j'aie une avalanche de rendez-vous : je suis seul dans mon bureau toute la journée. « Trop à faire » signifie : fasciné au point d'être incapable de faire quoi que ce soit d'autre.

Lequel de vos livres, pensez-vous, sera le plus estimé dans cent ans ?

Linda Grayburn, par courriel

Nos livres sont comme nos enfants : on essaie de ne pas avoir de préféré. Quand on lui demandait quel était son roman préféré, Anthony Burgess répondait toujours : « Le prochain. »

Pensez-vous avoir jamais réussi un personnage féminin ? L'héroïne de Train de nuit *compte-t-elle ?*

Linda Grayburn, par courriel

D'autres gens est écrit entièrement du point de vue de l'héroïne, tout comme environ 200 pages de *London Fields*. L'héroïne de *Train de nuit*, Mike Hoolihan, est butch en diable, mais elle « compte », aucun doute là-dessus. Elle est ma seule héroïne à la première personne, et passer du « elle » au « je » est comme un lent zoom à l'intérieur de soi-même. Qui paraissait néanmoins totalement naturel.

Dites-nous ce que vous préférez, Martin : Coke ou Pepsi ? Frites ondulées Regular ou Ruffles ? Tom Jones ou Engelbert Humperdinck ? Oreo ou Hydrox ? Tolstoï ou Dostoïevski ? Sean Connery ou Roger Moore ? Budweiser, Miller ou Coors ? Levi's, Wrangler ou Levi's ? Cheez-Its or Cheese Nips ? Hemingway ou Fitzgerald ? Ford ou Chevrolet ? Beatles ou Rolling Stones ? Domino's ou Pizza Hut ? John Gielgud ou Ralph Richardson ? New York ou L.A. ? Twinkies ou Ding Dongs ? Kingsley Amis ou Martin Amis ?

Gooch McCracken, par courriel

Coke. Sans opinion. Tom Jones. Oreo. Tolstoï. Sean Connery (vous plaisantez, non ?). Aucune des précitées : Corona ou Becks. Levi's (réponse donnée du bout des lèvres). Sans opinion. Fitzgerald. Chevrolet. Les deux. Pizza Hut (et Pizza Express). New York. Sans opinion. Sans opinion déclarée.

Qu'est-ce qui déclenche chez vous l'envie d'écrire ?

Nick Flach, par courriel

L'inspiration d'un roman donné peut venir d'une simple phrase, d'une image, d'une situation. Mais les romanciers ne sont pas des poètes. Ce sont des affûteurs. Ce qui me pousse à m'enfermer dans mon bureau, c'est une sensation à l'arrière de la gorge, comme l'envie de ma première cigarette de la journée. Écrire est une activité bien plus physique qu'on ne le croit généralement. La moitié du temps, on a l'impression d'obéir bêtement, tout à fait impuissant, à son corps.

Quand on parle de ses émotions – quand vous parlez de la mort de votre père et de Lucy Partington [la cousine d'Amis, assassinée par Fred West] –, est-il très difficile de ne pas mentir ?

Laura Cartwright, Cambridge

Dans *Expérience* [un volume de mémoires publié en 2000], mon intention était de montrer mon entourage sous l'éclairage le plus généreux. Dans mon livre, il n'y a pas de mensonges, même s'il y a des trous de mémoire, des confusions chronologiques, etc., dont certains me surprirent, m'interloquèrent plutôt, mais rien de consternant, vraiment. Je crois que c'est l'intégrité du souvenir qui importe. En écrivant des mémoires, on découvre combien on est perturbé – combien de ressentiment, de rancunes on a en soi. « La naissance d'un écrivain dans une famille, a déclaré Philip Roth, signe la fin de ladite famille. » Ça n'a pas été la fin de la mienne, parce que je n'avais pas de comptes familiaux à régler.

Quelle est la question qu'on ne vous a jamais posée ? Et la réponse ?

Janet Spence, par courriel

Il y a des millions de questions qu'on ne m'a jamais posées. Elles n'incluent pas la suivante : « Vous imposez-vous un temps d'écriture tous les jours ou écrivez-vous seulement quand l'envie vous en prend ? » Réponse : les deux. La question, liée à celle-ci, qu'on ne m'a jamais posée est la suivante : « Quand vous écrivez, appuyez-vous fort sur le papier ? » Sans doute ma réponse imaginaire serait-elle : « assez », « plutôt » ou « modérément ».

The Independent, 2001

Le Quatrième État et la question de l'hérédité[1]

Je suis né à Clapham en 1922. Ma carrière littéraire démarra en 1956 au moment où, résidant à Swansea, dans le pays de Galles du Sud, j'ai publié mon premier roman, *Jim-la-chance.* Il fut suivi par *Ce sentiment incertain* et *Une fille comme toi*, parmi d'autres ; mais ma grande période débuta vraiment en 1973, avec la publication de *The Riverside Villas Murder* et du *Dossier Rachel.* 1978 vit celle de *Jake's Thing* et de *Réussir* ; en 1984, ce fut le tour de *Stanley and the Women* et de *Money, Money* ; en 1991, *The Russian Girl* et

1. Ce texte (de 2010) avait une visée satirique. Or la satire a souvent besoin d'explications ou, dans le cas présent, d'un minimum de gainage (d'où l'avant-propos et l'ajout du dernier paragraphe, lequel, techniquement, est un post-scriptum). La presse britannique s'était excitée, supposément en réaction à certains de mes commentaires (approbateurs) sur l'euthanasie. À mon avis, l'hostilité de cette réaction se réduisait, comme si souvent, au fait que j'étais le rejeton écrivain d'un père écrivain. Comme le fait est, Dieu sait pourquoi, extrêmement rare – alors que les frères et sœurs écrivains sont treize à la douzaine (les Brontë, les James, les Mann, les Powys) –, il suscite d'étranges appréhensions. Parent et enfant sont associés de façon subliminale, si bien que (par exemple) l'enfant ne reste pas longtemps bienvenu en ce monde.

La Flèche du temps. Ce dernier roman fut sélectionné pour le Booker Prize ; mais je l'avais déjà remporté avec *Les Vieux Diables* en 1986. Je suis, incidemment, le seul écrivain à avoir reçu deux fois le Somerset Maugham Award – la première fois pour mon premier roman, la seconde pour mon second premier roman.

Cette période, hélas, s'acheva en 1995. Depuis lors, j'ai tout de même été loin de chômer. Cette année, à l'âge de quatre-vingt-huit ans, je publie ma trente-septième œuvre de fiction, *La Veuve enceinte*, et l'année prochaine verra la sortie d'un autre roman, *Lionel Asbo : État de l'Angleterre* – mon soixante-septième livre ; donc, comme vous le voyez, mon quatre-vingt-dixième anniversaire s'annonce plutôt bien. Je suis l'auteur de quatorze volumes d'essais ; j'ai enseigné à Swansea, Princeton, Cambridge, Vanderbilt et Manchester. Puis-je citer Anthony Burgess ? « Coincés comme nous le sommes entre deux éternités d'oisiveté, nous n'avons aucune excuse de ne rien faire maintenant. » J'ai été marié quatre fois (deux de mes épouses sont romancières), j'ai huit enfants et sept petits-enfants – pour l'instant. Oh, et j'allais oublier de mentionner mes *Collected Poems* (1979).

Cela va de soi, l'écrivain décrit ci-dessus est *à moitié* imaginaire. Néanmoins, il semblerait que ce spectre, ce Basilic de longévité et d'industrie, semble exister dans l'esprit ou les cauchemars d'un cercle très restreint : les chroniqueurs britanniques – plus précisément, *anglais* – qui, à l'occasion, s'occupent de choses littéraires. Incidemment, c'est ce qu'ils tentent d'exprimer quand ils prétendent que je suis « en train de devenir Kingsley ». Ils devraient se détendre : je suis *déjà* Kingsley. En vérité, c'est mon trait de loin le plus original : je suis le seul romancier héréditaire du corps littéraire anglophone. Je suis le prince Charles bourreau de travail, bipolaire – et désormais vieillissant – des lettres anglaises. Et je m'accroche depuis bien trop longtemps.

95 % de ce type de commentaires m'indiffèrent, mais certaines tendances nouvelles ne me laissent pas indifférent car leurs visées sont par trop criantes. Ce qui a changé, c'est que l'écrivain, ou plutôt cet écrivain particulier, est accusé de toutes les calomnies qu'il suscite dans la presse. Des commentateurs fort honorables (D.J. Taylor, pour ne citer que lui) ont écrit que je suscitais la controverse à dessein à chaque publication d'un de mes livres. N'ont-ils pas remarqué que les journaux me citent, que je sorte un livre ou pas ? Et comment peut-on susciter la controverse à dessein sans cesser de se soucier de ce qu'on dit ? Voici ce qu'on peut lire sur la une d'un numéro du *Telegraph* : « Martin Amis : "Les femmes ont trop de pouvoir pour leur bien." » C'est l'équivalent de « Ian McEwan : "Le réchauffement climatique est un mensonge éhonté." » J'imagine que le *Telegraph* voulait montrer que j'étais encore dans la provocation constante. Eh bien, ces gens-là se trompent du tout au tout. Je ne suis pas un provocateur. Je suis un raseur de première. Vous savez… le pilier de bar qu'on fuit comme la peste ?

Pourtant, des journalistes expérimentés continuent de me demander d'un air sévère et en me regardant droit dans les yeux : « Pourquoi faites-vous ça ? » Ils ne me demandent pas pourquoi je dis des choses en public (la question serait pourtant de plus en plus pertinente) : ils me demandent pourquoi j'excite les journaux… Comment peuvent-ils si mal connaître leur profession ? Être cité (et déformé) par les médias, ce n'est pas quelque chose que je fais. C'est quelque chose que me font les médias. La seule personne qui, en Angleterre, peut « manipuler » le Quatrième État est, et c'est approprié, un top-modèle à forte poitrine tel que Katie Price alias Jordan. Ah, mais voilà que je persécute encore Katie. Vraiment, je suis de plus en plus tenté par le vœu de silence. Ça donnerait lieu à une nouvelle manchette, mais seulement une fois. Non ?

Pour revenir brièvement au thème de la longévité – et à toute la récente affaire des salons de suicide au coin de la rue et de « tsunami des cheveux blancs » (raccourci de démographe pour ce que l'on a décrit comme « le plus important mouvement de population de l'histoire »). La presse a réagi avec une consternation bien-pensante ; mais je n'ai vu aucune manchette « Terry Pratchett est fou » visant l'écrivain atteint d'Alzheimer qui s'est prononcé en faveur de l'euthanasie. En outre, il se trouve que 75 % des Britanniques (mais aucun parti politique) sont d'accord avec lui et donc avec moi.

Les points de vue sur la question de l'euthanasie sont donc, mystérieusement, inversés par rapport à ce qu'ils étaient sur la peine de mort à l'époque de son abolition. Les gens étaient alors encore favorables au meurtre par le corps judiciaire mais ça n'a pas empêché le gouvernement de faire passer la réforme. C'était en 1968. Une quarantaine d'années plus tard, les gens, alors qu'ils ne sont plus favorables au meurtre judiciaire, sont en grande majorité en faveur de la mort assistée par le corps médical, réforme qu'aucun politique n'ose promouvoir.

Bien sûr, les paroles très dignes de Sir Terry avaient été prononcées lors d'une conférence publique ; alors que, dans mon cas, les journalistes ont publié un méli-mélo de citations déformées tirées d'un de mes romans satiriques.

Pour ceux que cela intéresse, voici le passage incriminé (j'y parle des anomalies de la pyramide des âges en Europe) :

> *Hoi polloi* : la multitude. Et, oh, que nous serons nombreux (il parlait de la génération de moins en moins affectueusement connue sous l'appellation de *baby-boomers*). Et qu'on nous détestera, aussi. Pendant une génération au moins, la gouvernance, lut-il, consistera à transférer la richesse des jeunes aux vieux. Et ils n'aimeront pas ça, les jeunes. Ils n'aimeront guère le tsunami des cheveux bancs, les vieux s'accaparant les services sociaux, empestant cliniques et hôpitaux, comme une inondation de monstrueux migrants. Il y aura une guerre des âges, une purification chronologique…

Et puis, donc, Sir Terry a la maladie d'Alzheimer – maladie d'autant plus tragique, dans ce cas précis, qu'elle affecte un être doté d'une grande vivacité d'esprit (je pense aussi à Iris Murdoch et à Saul Bellow). Et Sir Terry est plus vieux que moi. Ah, vraiment ? Eh bien, oui et non. J'ai quatre-vingt-huit ans – mais j'en ai aussi vingt-quatre (regardez les photos). Grand-père de soixante ans, je suis encore, en vérité, un « mauvais garçon » (pas même le méchant homme) des lettres anglaises. Qui pourrait « manipuler » des élucubrations aussi confuses ?

Les écrivains devraient venir de nulle part : ce devrait être un slogan, j'en aime l'esprit. Les écrivains viennent presque toujours de nulle part : enfants d'instituteurs, d'entrepreneurs, de comptables, de négociants, de banquiers, et (surtout) de mineurs. Moi, je ne venais pas de nulle part ; romancier anglais, je suis la progéniture d'un romancier anglais (et si vous croyez que ce genre de choses peut se transmettre par simple voisinage, alors rappelez-vous que, pendant dix-huit années formatrices, je fus aussi le beau-fils reconnaissant d'une romancière anglaise, Elizabeth Jane Howard). La mère d'Anthony Trollope, Frances, était en son temps un écrivain connu ; nous avons l'équipe Alexandre Dumas, Senior et Junior ; pendant un moment, Auberon Waugh (fils d'Evelyn) parut prendre cette direction-là mais il abandonna la fiction ; et nous avons aussi Susan Cheever (et, brièvement, David Updike). Et voilà, c'est tout, dans n'importe quelle langue. Je reconnais que cette transmission générationnelle paraît scandaleusement anti-égalitaire et porteuse de stigmates d'un privilège hérité. Mais peut-être son caractère monstrueux est-il ce que certains trouvent incongru (il me perturbe parfois). Les écrivains *devraient* venir de nulle part. Mais, au jour d'aujourd'hui, que suis-je censé y faire ?

The Guardian, 2010

En tournée promotionnelle autour du monde

Un nouveau verbe s'est invité au sein de la communauté des médias de la côte Ouest des États-Unis : « O.J. » est devenu « oj » (prononcer « ojer »), mais est encore davantage utilisé sous sa forme passive : « être ojé » ou « se faire ojéer ». « Ojer » n'a la plupart du temps aucun rapport avec le sport, le cinéma ou la jalousie sexuelle. Et encore moins avec le jus d'orange (*Orange Juice*). Mais avec un chamboulement de programmation dû à l'extension de la couverture du procès d'O.J. Simpson.

« Les gens n'arrêtent pas de se faire ojéer, explique Kathi Goldmark, mon escorte média à San Francisco.

— Donc, par exemple, vous diriez ?...

— "Norman Mailer devait passer à la télé nationale mais il a été ojéé." »

Jetant un coup d'œil à mon planning, je m'exclame : « Regardez ! Je suis censé faire une interview radio à 11 h 30. En direct. Mais il est précisé ici qu'ils l'enregistreront si je suis ojéé. »

Entre autres, Kathi gère un groupe, les Rock Bottom Remainders[1], composé d'écrivains, entre autres : Stephen

1. *Remaindered*, en parlant de livres : les invendus. *(N.d.T.)*

King à la guitare rythmique et Amy Tan comme choriste. Kathi est aussi une Remainderette ; elle passe un enregistrement live du groupe lors de notre tour de ville en voiture ; profonde et sûre, la voix d'Amy Tan est envoûtante. Avec son téléphone de voiture, Kathi appelle Amy à propos d'autre chose (une faveur : je veux cuisiner Amy). Kathi a au bout du fil le téléphone de voiture d'Amy. C'est Mme Stephen King qui répond et le tend à Amy. Kathi me passe Amy.

Après ma lecture à la librairie de Berkeley, Kathi et moi avons dîné avec Jessica Mitford. Kathi vient de créer une entreprise qu'elle a appelée Don't Quit Your Day Job (Ne plaquez pas votre boulot). Le surnom de Jessica, Decca, se trouve être le nom de la compagnie de disques, mais c'est sous le label Don't Quit Your Day Job que Decca vient de sortir son premier CD : une version fidèle de la chanson des Beatles *Maxwell's Silver Hammer*. Decca est en train d'actualiser son célèbre ouvrage *The American Way of Death* (qui ressemble à une version essai du roman d'Evelyn Waugh, *Le Cher Disparu*). Demeure la question de la séquelle de *Maxwell's Silver Hammer*. Nous pensons à *When I'm Sixty-Four*, rétro à souhait, ce qui est parfait puisque Decca a soixante-dix-sept ans.

Je sais que tout cela paraîtra n'être qu'un rêve quand je rentrerai en Angleterre (à Londres et à mon bureau). Mais, pour l'instant, je crois que j'apprécie les hôtels, les parcours en avion et les nouvelles rencontres ; et je crois que j'aime aussi la simplicité et le vagabondage de la culture postmoderne. « Ojer », il me semble, est un *bon* verbe, il est le bienvenu dans ma prose. Mais il faudrait se rappeler, de temps à autre, que O.J. signifie aussi quelqu'un qui est accusé d'avoir coupé la tête de sa femme.

Le voilà assis, dans toute sa splendeur, où que l'on se trouve : notre Othello, le Maure de Venise contemporain.

À Los Angeles, certes je ne suis pas ojéé ; mon interview du présentateur Tom Snyder a bien lieu, mais je suis tout de même un petit peu shirleyé par Miss MacLaine. Mon interview se réduit à peau de chagrin tandis que Shirley s'étend (c'est très intéressant mais très long) sur *Terms of Endearment* (*Tendres Passions*) et les différentes interprétations données par Jack Nicholson à la réplique « Tuer la bestiole que tu as dans le cul ». Vous vous rappelez ? *Venez rire, venez pleurer, venez vous faire une raison.* Le film n'était pas bon mais a remporté dix-neuf Oscars, et j'ai particulièrement détesté la façon dont Jack Nicholson disait cette (médiocre) phrase sur la bestiole.

Notre compagnie de taxis avec chauffeur n'a rien de plus discret, de sorte que, le lendemain matin, je m'étends sur des mètres en route vers la belle ville miniature Art déco qu'est l'aéroport de Burbank ; tous les petits aéroports sont beaux, et plus ils sont petits, plus ils le sont, mais il y en a peu d'aussi *jolis* que Burbank.

Peu après le décollage, mon voisin se retourne et demande au passager derrière moi : « Je peux vous acheter un ou deux autographes ? »

Un instant plus tard, je demande à mon voisin qui est le passager derrière moi.

« C'est Jack Nicholson », répond-il tout bas. Puis il ajoute, sans l'air de s'en plaindre le moins du monde : « Il a toujours l'air un peu bougon. »

Je ne me retourne pas pour dévisager Jack éhontément. Je me dis que je vais plutôt me dégourdir les jambes (prenant prétexte de demander une *ginger ale* ou d'aller aux toilettes) pour pouvoir bien le regarder en retournant à mon siège. C'est alors que Jack décide lui-même de se dégourdir les jambes. Quand il revient, je le scrute : costume noir ample, lunettes de soleil, et l'indéniable aura des authentiques stars de cinéma, qui, chez lui, provient du fait qu'il vous donne l'impression à la fois que vous le connaissez très bien et pas du tout. C'est vrai qu'il a l'air grognon – mélodramatiquement grognon. Il s'attarde dans l'allée, fait une série d'exercices faciaux, accompagnés de moult froncements de sourcils, regards noirs et rictus tous très Hollywood. Il remarque que je lis *Les Aventures d'Augie March* de Saul Bellow. Dans la mesure où il a acquis les droits cinématographiques de *Faiseur de pluie*, il est normal qu'il le remarque. Mon voisin finit par obtenir ses autographes, dûment personnalisés.

Nous atterrissons et nous préparons à débarquer. Nicholson monte d'un cran dans sa panoplie grimacière. Guère charitable, je suppose que c'est l'air que les stars de cinéma arborent quand le jet dans lequel elles voyagent n'est pas privé. Mais j'apprends plus tard que Nicholson traverse de grosses difficultés familiales dans cette partie du monde. Star de cinéma ou pas, lui aussi a ses galères intimes.

Tout comme O.J. – qui, lui, ne le montre pas. O.J. est un acteur et on lui a dit de jouer la sérénité. Il a un profil de pièce antique. Innocent ou coupable, il ne peut *être* serein. Desdémone n'est plus, Cassio idem. Mais Iago rôde encore dans les parages, dans sa tête.

En me dirigeant vers le terminal, je vois Jack se réfugier dans les toilettes ; dans son renfrognement las est plantée une cigarette à bout filtre vers laquelle se penche son briquet.

En règle générale, les écrivains méprisent les nouveaux venus et révèrent leurs aînés. C'est une loi littéraire ; et je me surprends à l'appliquer quasiment tous les soirs lors des sessions de questions/réponses qui suivent les lectures – nul doute parce que ses implications me tourmentent encore.

« Votre père aime-t-il vos livres ? »

Non. Je m'explique : mon père a lu mon premier, mon troisième et mon septième roman, et aucun autre. Il n'arrive pas à aller jusqu'au bout. Il les envoie valdinguer après vingt ou trente pages. Il faut préciser que, désormais, il ne lit presque plus que des romans policiers. Il y a quelque temps, il m'a juré qu'il ne lirait jamais plus aucun roman qui ne commencerait pas par la phrase : « On entendit un coup de feu. »

Je poursuis : de façon plus générale, il est logique que les écrivains de la génération précédente trouvent irritants les écrivains de la suivante, puisque ceux-ci leur envoient des messages qu'ils n'ont pas envie d'entendre. Ils affirment haut et fort : « Maintenant, ce n'est plus comme ça. C'est comme ci. » Dans le contexte actuel, « ça » et « ci », en gros, ce sont les modes de pensée particuliers à l'époque. Ce qui implique : certaines valeurs morales, sociales, esthétiques.

Voici ce que Somerset Maugham écrivit du premier roman de mon père, *Jim-la-chance* : « Mr Kingsley Amis a tellement de talent, ses observations sont tellement incisives qu'on ne peut manquer d'être convaincu que les jeunes gens qu'il décrit si brillamment représentent en effet la classe à laquelle il s'attache dans son roman. » Cette phrase (plutôt laborieuse) a été citée quantité de fois. Mais elle est trompeuse. Compte tenu de ce qui suit, à savoir : « La racaille. »

Les villes américaines sont tellement mieux, tellement plus *citadines* que les anglaises. Et, doit-on reconnaître, tellement plus glamour.

Certes, on pourrait comparer Londres à New York. Soit. Mais ensuite ? Qu'avons-nous ? En lieu et place de Chicago : Manchester. De Washington : York. De Los Angeles : Birmingham. De Dallas : Leeds. De Boston : Liverpool. De Miami : Bristol. De La Nouvelle-Orléans : Portsmouth. De Kansas City : Stoke. De San Francisco : Grimsby.

À Boston, je prends le petit déjeuner avec Saul Bellow, qui, bien qu'il fête ses quatre-vingts ans cette année, continue d'être en phase, et c'est étonnant, avec les modes de pensée de ses jeunes contemporains.

En chemin, je rencontre aussi deux juniors inadmissiblement prometteurs, tous deux anglais : Will Self, également à Boston, puis Lawrence Norfolk, à Chicago. Ces jeunes auteurs m'amènent à revoir ma règle littéraire : je les aime bien ! Ce *ne sont pas* des racailles ; et ils savent écrire.

Analysant l'affection perverse que je ressens, je découvre que mes instincts protecteurs ont été éveillés. Quand j'ai débuté il y a une vingtaine d'années, on écrivait un roman, on le donnait à l'éditeur et voilà. Le lectorat était homogène, se développait par le bouche-à-oreille. Pas de tournées promotionnelles dans quatorze villes. Pas d'activités collatérales. Du haut de leur trentaine, Will Self et Lawrence

Norfolk sont déjà de vieux routiers. Pour eux, le schéma actuel, par le biais duquel votre personnalité (quelle qu'elle soit) subit une métamorphose publique, est simple comme l'air qu'ils respirent. J'ai eu dix ans de paix ; ils sont nés au milieu du vacarme.

Pendant les lectures, je continue d'être surpris par le rire percutant que suscite ma phrase : « Les poètes ne conduisent pas. » Je suis content d'entendre ce rire, mais je ne le comprends pas. Le public rit-il parce qu'il est amusant que les poètes ne conduisent pas ? Ou parce que ça a l'air d'une généralisation loufoque ?

Quoi qu'il en soit, c'est la vérité. Les poètes ne conduisent pas. L'exemple parfait en est mon ami James Fenton, aujourd'hui titulaire d'une chaire de poésie à Oxford : il a raté son permis six fois. Sauf que, sur ce plan-là, Fenton n'est guère représentatif. Presque tous les poètes que je connais n'ont même jamais pris de cours. Ils devinent simplement qu'ils ne sont pas faits pour ça.

Naturellement, les poètes, en général, sont des pachas (et des ivrognes) qui apprécient de se faire conduire par des admirateurs/trices. Les romanciers (ces brutes inertes, ces jockeys vétérans du guide des rues de Londres) foncent au volant de leur Volvo, de leur Volkswagen. Quand on conduit, les rues et leur quadrillage se connectent à une section basse tension du cerveau, un angle mort du cerveau, pour ainsi dire. Les romanciers sont des pachas et des ivrognes aussi mais il leur reste tout de même cet angle mort. Les poètes ne l'ont pas. Ce truc sur lequel est inscrit : AUTOMOBILE.

Les choses sont sans doute différentes aux États-Unis, où le culte de la mobilité personnelle, et les distances, prennent une autre dimension. Peut-être les poètes conduisent-ils en Amérique, mais mal. Lowell conduisait-il ? Et *Berryman* ? Je veux voir les chiffres.

Les poètes ne devraient pas conduire. C'est la pure vérité. Il a fallu attendre le XXe siècle et son parc automobile pour nous révéler un secret sur le cerveau des poètes.

Mon père est poète autant que romancier, et cela fait une grosse différence entre nous. Je sais que c'est un vrai poète parce qu'il ne conduit pas. Il sait conduire (il a conduit une jeep une ou deux fois pendant la guerre). Mais il ne conduit pas.

Dans le Midwest, le nom « Johnson » est sur toutes les lèvres, en permanence. Primo, tout le monde s'appelle Johnson. Ce qui me rappelle la vieille chanson de bûcherons citée amoureusement par Kurt Vonnegut :

My name is Yon Yonson
I come from Wisconsin
I work as a lumberjack there…

Je m'appelle Yon Yonson
Je viens du Wisconsin
J'y suis bûcheron…

Tout le monde là-bas s'appelle donc Johnson. Et *tout* s'appelle Johnson. Et *partout* s'appelle Johnson : les rues, les forts, les ponts, les rivières.

Dans l'argot du cru, « johnson » a deux sens. L'organe masculin, comme dans cette bribe de dialogue tirée de *The Dean's December*, de Saul Bellow : « J'ai dû tenir le *johnson* de ce gars-là pour lui. Tu comprends ce que je dis ? Je lui ai tenu sa queue pour qu'il puisse pisser dans la fiole. » Un « johnson » est également un type réglo, un Américain intègre. « Un johnson honore ses obligations », écrit William Burroughs dans *Parages des voies mortes*. « Un johnson ne se mêle pas des affaires des autres mais leur vient en aide en cas de besoin. » À Madison, je reçois un courriel de Will Self, qui me rappelle de rendre visite à son ami Paul Ingram à la librairie Prairie Lights d'Iowa City. « Paul Ingram, écrit Self, est un johnson. » À Iowa City, je dîne avec Paul Ingram, un gars très enjoué, dans un endroit qui s'appelle quelque chose comme : Johnson. Paul est sans nul doute un johnson de la seconde catégorie.

À cette étape de ma tournée, je me demande quel genre de johnson je suis, moi : un mercenaire à la solde de mon roman, robotiquement bavard et irrationnellement itinérant. Plus tard, sur la côte Ouest, John Marshall, du *Post-Intelligencer* de Seattle, débute notre interview par ces mots : « La journaliste avec qui je partage une table de travail a lu votre profil dans *Vanity Fair*. Elle a dit qu'il vous fait passer pour un connard.

— Tout à fait d'accord. »

Certains interviewers ont lu votre livre deux fois et ont une liste de citations longue comme le bras. D'autres n'ont même pas terminé la jaquette – certains ne l'ont même pas commencée. M. Marshall se situe quelque part au milieu : il est robustement professionnel. Je fais partie de sa routine hebdomadaire. N'empêche, l'heure et demie passe vite et de façon pas désagréable.

« Ravi de vous avoir rencontré, termine-t-il.

— Moi de même. Et, au fait, dites à cette conne que je ne suis pas un connard. Dites-lui que je suis un johnson. »

Les gens disent que les romanciers, de nos jours, sont comme des rock stars.

Sur quelle planète vivent-ils ?

C'est comme ça depuis une éternité.

C'est ma quatrième ou cinquième tournée promotionnelle autour du monde, et il y a *encore* quelque chose que je ne réussis jamais. Tous les soirs, quand je me prépare à quitter la chambre d'hôtel amochée en quête du stylo avec lequel je fais mes dédicaces au milieu des pipes à crack et des groupies étalés et rassasiés (les *inkies* – les « encrés » –, comme les romanciers les appellent), j'essaie de jeter la télé par la fenêtre, dans la piscine. Or la télé atterrit toujours sur le parterre de fleurs ou sur le patio. Je ne sais pourquoi, je me débrouille beaucoup mieux avec le fax ou le minibar.

Après la lecture à Book Soup, sur Sunset Boulevard, je mange à Los Angeles avec un vieil ami d'école et son épouse ; nous sommes tous trois perchés sur des tabourets au bar, pour pouvoir continuer de fumer. De mon côté : une rangée d'une bonne dizaine de personnes qui, toutes, ont en main au moins un exemplaire d'un de mes livres.

Ce spectacle instille en moi un accès de mégalomanie plumitive. Je me dis : voilà comment les choses sont censées être. Tous les bars devraient être comme celui-ci. Et tous les restaurants. Personne ne devrait songer à aller nulle part sans son Martin Amis.

J'aime sortir pour rencontrer des gens, en partie parce que c'est le contraire de ce que je fais d'ordinaire toute la journée ; et c'est un privilège, que d'être envoyé en tournée promotionnelle. Mais j'essaie de mettre le processus à distance. On vous pince, vous fouine (Updike disait *poke*, tisonner), vous exhibe, vous inspecte, on fait poliment votre éloge et, très occasionnellement, on vous calomnie. Toute la journée, vous parlez dans un micro : tout est amplifié, enregistré ou retransmis. Tout ce que vous dites passe par un canal ou un autre.

Dans un article, on vous traite de johnson du second type ; un autre insiste sur le fait que vous êtes un johnson du *premier* type, et de premier ordre. On rapporte et déforme vos propos, représente et vous présente sous un faux jour. Vous vous dites qu'il va falloir garder des choses pour soi mais, en fait, vous en êtes incapable – parce que votre roman est là, ouvert au regard de tous, et il ne garde rien pour lui, n'est-ce pas ?

En début de tournée, une lecture tous les soirs, c'était d'abord un pensum, ensuite c'est devenu une course d'obstacles puis un test quotidien. Mais maintenant, c'est presque aussi agréable qu'une mauvaise habitude ; et à la Tattered Cover[1] de Denver, tout devrait bien se passer. L'écrivain n'est rien sans lecteur. Le lecteur est nécessaire

1. Librairie La Couverture en lambeaux. *(N.d.T.)*

pour boucler la boucle. Une histoire n'est rien sans une oreille. On le sait depuis toujours. Mais, à l'époque de la publicité, le lien semble exiger une confirmation publique. « Pourriez-vous mettre une note personnelle, s'il vous plaît ? » « Certainement. Comment vous appelez-vous ? » Rencontrer l'Auteur est devenu rencontrer le Lecteur. Je trouve ça salutaire.

De plus, j'ai toujours pensé le moindre déplacement comme une sorte de nouvelle. Si bien qu'une longue tournée, c'est quasiment un recueil. En y réfléchissant, je me dis qu'un tel volume serait trop répétitif. Mais tout dépend de la façon dont ce serait raconté, comme John Updike l'a montré dans *Bech voyage*. Voilà un autre aîné que je me sens libre d'admirer.

J'ai écrit plus haut que l'auteur en tournée était « très occasionnellement » calomnié. Dans la loge après une lecture à la Foire du livre de Miami, j'ai été pris à partie par une auteure – environ mon âge, le genre mauvaise fille, trapue. Elle m'a dit franco : « D'après moi, vous écrivez de la merde. » Je la remerciai d'un sourire et d'un hochement de tête. « Ouais ! ajouta-t-elle tandis que je m'éloignais déjà. Tout le monde ne vous trouve pas formidable ! » Je me retournai et la remerciai derechef.

Elle a sans doute pensé que ma gratitude était une preuve d'insincérité polie (je faisais mon « Anglais »). Et c'était le cas, du moins au départ. Mais ses paroles, je m'en aperçus bientôt, étaient précisément ce dont j'avais besoin à ce moment-là. Parce que je commençais vraiment à croire que tout le monde me trouvait formidable. Comment était-ce arrivé ?

Prenez n'importe quel jour de l'année : eh bien, ce jour-là, plusieurs milliers d'écrivains font une tournée promotionnelle aux États-Unis ; vous en croisez dans tous les grands aéroports, des dizaines, des vingtaines qui avancent d'un pas pressé. Le processus est favorisé par des rites semi-professionnalisés de générosité et de bonne volonté. Les fabricants de romans ont sans doute droit à plus d'honneurs, ne serait-ce que parce qu'ils n'ont pas pondu (disons…) *Draperies et tissus d'ameublement* ou *Comment obtenir le meilleur de votre rottweiller.*

Tout le monde ne pense pas que vous êtes formidable. Il est utile de se le rappeler. Dans un pays grand comme un continent, peuplé de 300 millions d'habitants (que je n'arrête pas de survoler), vaste étendue de haute modernité si diverse et composée de tellement de strates, il faut bien qu'il y ait des exceptions, par-ci par-là.

The New Yorker, 1995

L'anglais tel qu'on doit le parler

Kingsley Amis était un père indulgent. Son style de paternité, dans les premières années, serait le plus pertinemment décrit par la formule « aimablement minimaliste ». En d'autres mots, c'est ma mère qui faisait tout. Mais je dois préciser que, si je tombais sur lui (avant qu'il ne se réfugie dans son bureau), il disait toujours quelque chose qui me faisait rire ou sourire. Ce qui était beaucoup. Son humour découlait le plus souvent de l'originalité de sa formulation. À seize ou dix-sept ans, quand je me suis mis à lire des livres d'adultes, je suis devenu à ses yeux digne d'être un interlocuteur. Et quand, cinq ans plus tard, j'ai commencé à manier la langue anglaise dans les pages littéraires des journaux, je suis devenu digne d'être corrigé. J'avais dans les vingt-cinq ans ; mon père est resté aimable, mais il n'était plus indulgent.

« Est-ce qu'on t'a signalé ton énormité dans l'*Observer* ? » demanda-t-il un dimanche matin, guilleret. (À l'époque, j'avais déjà quitté la maison, mais j'y passais encore un week-end sur deux.) Mon « énormité » ? Je savais qu'il employait le terme dans son sens propre, « quelque chose d'exécrable », et non pas « quelque chose de volumineux ».

Mon erreur était, en effet, humiliante : j'avais fait un verbe de l'adjectif *martial*. Quelque temps plus tard, tout en continuant d'éviter *hopefully* (« si tout va bien », qu'à son avis, on entendait trop souvent dans la bouche des politiques), je balayai d'un revers de la main sa réprimande concernant mon emploi du mou *thankfully* (« par bonheur »). J'acceptai aussi de bon gré que, pour souligner ce qu'il voyait comme ma condition de disciple de Clive James (nouvelle voix très percutante dans les années 70), Kingsley se mette à lire mes articles à voix haute avec un accent australien.

Mais il y a une conversation dont je me souviens encore avec un véritable gémissement de honte : elle concernait le mot *infamous* (« infâme » ou simplement « notoire », selon). Dans un article dédié au débat des « Deux cultures », j'avais parlé de l'« *infamous* crucifixion de C.P. Snow » par F.R. Leavis. « Tu ne laisses planer aucun doute, déclara Kingsley, l'œil perçant, sur le fait que tu la désapprouves. » Je gardai le silence. Je ne dis pas : « En fait, papa, je croyais qu'*infamous* était une autre façon plus cool de dire *controversial* ("polémique"). » En réalité, *infamous* pourrait servir de signe (de « mot test », d'indice révélateur). Quiconque l'emploie de manière peu rigoureuse, comme je l'avais fait alors, proclame ceci : j'écris sans trop me soucier comment, sans m'investir parfaitement ; j'écris simplement comme tout le monde. Ainsi que Kingsley l'exprime dans *The King's English* (il ne rejetait pas, disons-le au passage, son surnom de « the King ») :

> Et l'adjectif et le nom [*infamous* et *infamy*] étaient synonymes naguère d'une extrême désapprobation morale, aussi forts qu'« abominable » ou « turpitude ». Mais voilà que, tout à fait récemment… l'adjectif a perdu de sa

> sévérité pour tomber au niveau de *notorious* [ou, aurait-il pu ajouter, simplement « célèbre »]... Le nom *infamy*, quoiqu'il ne semble plus guère être utilisé, conserve son sens ancien, mais *infamous* est devenu inutilisable en raison de son ambiguïté.

Kingsley donne des exemples pertinents (la vie qu'Untel a menée à l'université dans les années 20 « est désormais *infamous* »). Mais j'aimerais qu'il soit encore parmi nous pour goûter à ce qui doit être l'ultime profanation de cet adjectif irréprochable. Il y a peu, un distingué commentateur sportif du *Guardian* parlait de Steve McLaren – le manager licencié de l'équipe nationale de football – et de « son *infamous* parapluie ». Tout ce que McLaren avait fait, c'était de se tenir sur la ligne de touche, parapluie ouvert, sous une averse torrentielle (attitude jugée peu virile). Avec *infamous*, l'incuriosité linguistique se manifeste sous sa forme la plus dommageable. Un ajout supposément futé à la langue devient une soustraction irréfléchie. « Inutilisable à cause de son ambiguïté » : on peut en dire autant, notamment, de *decimate*, qui, comme le français « décimer », signifie réduire au dixième mais est employé dans le sens de *destroy* (détruire), *crescendo* (utilisé dans le sens de « grand bruit » au lieu d'augmentation progressive du volume) ou *refute*, qui signifie « réfuter » mais est employé dans le sens de « contester ». Le français actuel s'enorgueillit, entre autres, de « réaliser » (pour prendre conscience) et de « supporter » (pour soutenir).

Dans *The King's English*, cette dérive, Kingsley ne la cerne nulle part mieux que dans l'entrée « *Déjà vu, an uncanny sense of* » (déjà-vu, impression de ; « déjà-vu » est employé en anglais sous sa forme originale française, mais pas dans le même sens) :

> À l'origine, l'expression s'appliquait en anglais à un état psychologique passager, fréquent chez les moins de quarante ans : le sujet pense qu'il a déjà vu un endroit qu'il n'a sans doute jamais vu de sa vie (le phénomène sert alors souvent de confirmation fantaisiste au phénomène de la réincarnation). Les journalistes de langue anglaise se sont mis à appliquer le terme à un événement ou à une situation dont une personne a effectivement été témoin…

Ladite contribution journalistique obscurcit donc le sens ancien tout en procurant « à qui en a besoin une alternative utile et assez chic à "c'est là que je me revois…" et autres expressions ni faites ni à faire ». Il en va de même avec *jejune*. Dans son évolution depuis sa forme d'origine signifiant « chiche, aride » à « immature, inexpérimenté (on disait autrefois, en français, "bejaune") », *jejune* a acquis un accent aigu et une voyelle supplémentaire, et s'est vu doté d'italiques, puisqu'il s'agit d'un gallicisme. Kingsley cite le bijou suivant : « Quoique l'argument soit un peu *jéjeune*, la mise en scène des foules sont [sic] impressionnantes. » Nous observons ces évolutions (dans ce cas, la lente « émigration d'un mot anglais vers le français ») comme nous le ferions de la progression d'un virus ; comme la babésiose et la péripneumonie contagieuse bovine, ces virus affectent vaches, buffles et gnous ; ce sont les maladies des cheptels.

Le dictionnaire préféré de Kingsley était le *Concise Oxford*. « On n'a pas besoin de plus », disait-il volontiers, en donnant de petites tapes à son exemplaire, quand il ne le caressait pas. Or je m'aperçois que le *Concise Oxford* a fini par céder sur *infamous*, *déjà vu* et *jejune* : il confère désormais la place d'honneur au nouveau sens de chacun. Kingsley n'y aurait pas vu d'objection même si, en secret, il aurait appelé de ses souhaits une nouvelle abréviation : à savoir, *illit.* (pour *illiterate* – ignorant, inculte), pour compléter *colloq.* (*colloquial* – fam.) et *derog.* (*derogatory* – péj.), etc. L'usage est irréversible. Une fois qu'un mot a perdu son intégrité, on pourra ronchonner et s'offusquer tout son soûl : elle ne lui sera pas rendue. La bataille contre les dérives du vocabulaire, barbarismes et pédanteries n'est pas une bataille publique. Elle se joue dans l'âme de tout individu qui se soucie du sort des mots.

Sans doute plus par provocation qu'autre chose, Kingsley réduit l'affaire à un conflit entre *Berks* (« idiots ») et *Wankers* (« enfoirés, branleurs ») :

> Les *Berks* sont négligents, vulgaires, grossiers, rustres et d'une classe sociale inférieure à la vôtre (pense celui qui emploie le terme). Ils n'aspirent pas les *h*, parlent un anglais bâclé, le ponctuent de coups de glotte et d'une avalanche de fautes de grammaire. Si on la leur abandonnait, la langue anglaise mourrait d'impureté, comme le latin tardif.
>
> Les *Wankers* sont bégueules, maniaques, suffisants, collet monté et croient appartenir à une classe supérieure à la vôtre. Ils emploient une langue bien trop précise, insistent de façon très pédante sur des lettres qu'on n'entend pas d'habitude, surtout les *h*. Si on la leur abandonnait, la langue mourrait de pureté, comme le latin médiéval.

Ces paragraphes sont d'une magnifique symétrie. Ils n'en requièrent pas moins aujourd'hui un petit coup de jeune. Le système des classes a plus ou moins été remplacé par le système des âges (les jeunes et assez jeunes représentant la nouvelle aristocratie) ; pour ma part, je ne puis m'empêcher de voir l'opposition bâclé/pédant en termes générationnels. Aux *Berks* et aux *Wankers* je substituerais donc quelque chose comme les *punks* (voyous, minables) et les *fogeys* (fossiles). Amis avait plus de soixante-dix ans lorsqu'il termina *The King's English* (qui fut publié de manière posthume). Mais ceux qui s'en souviennent comme d'un réactionnaire – ou, si vous préférez, d'un conservateur pur et dur – seront étonnés de découvrir qu'il était loin d'être un fossile. À de très rares exceptions, il choisit toujours la voie moyenne. Il est profondément mais discrètement savant. En vertu de quoi, son livre n'est pas contraignant mais libérateur. Tous les utilisateurs de la langue, qu'ils soient verts ou gris, ressortent manifestement renforcés par *The King's English*.

Débarrassons-nous d'emblée de ce qu'il y a de fossilisé en lui, puisque ce n'est pas grand-chose. Par exemple, Amis défend sans doute une cause perdue quand il insiste sur les cinq syllabes de *ho/mo/ge/ne/ous* (l'ensemble de la population se contente volontiers de la version « incorrecte » *ho/mo/ge/nous*) ; personne ne fait plus rimer la ou les syllabes finale(s) de *Perseus* et d'*Odysseus* avec *Zeus* ; le fait que personne ne dise plus *alaaaas* en allongeant le second *a*, ou ne prononce plus *medieval « medd-eeval »* (Amis préfère *« meddy/eeval »*) est loin de confirmer la progression infaillible d'un « analphabétisme galopant » ; personne n'accentue *peremptory* sur la première syllabe, pas plus que *controversy* (« seul le *Berk* accentue la seconde ») ; sur l'utilisation des noms comme verbes, *authored* et *critiqued* sont regrettables, certes, mais seul un *Wanker* s'offusquerait désormais, comme le fait Amis, de *funded*.

Ailleurs, il se montre pragmatique, et fréquemment iconoclaste. Ridiculisé, le tabou du *split-infinitive* (selon lequel on ne devrait pas scinder un infinitif, dire *to not do* au lieu de *not to do*), devient une « superstition », une « règle imaginaire » ; de la même façon, on peut terminer une phrase avec une préposition (et en commencer une avec des chiffres arabes). Amis est plutôt plus radical quand il affirme tout de go que le gérondif – un nom verbal auquel est attaché un possessif – « est en voie de disparition », si bien que *excuse* my *butting in* (« excusez-moi de vous interrompre ») a été supplanté par *excuse* me *butting in.* C'est contraire à la grammaire, mais une règle « ne sert à rien si personne ne la suit ». Plus globalement, « le but de la langue est d'assurer que le locuteur [ou l'écrivain] soit compris, et toute conception qu'on a de ce qui est correct ou authentique doit y être subordonnée ».

La bataille – la campagne interne – est par essence menée contre la « quantité nulle », en ce qu'elle est non technique. Je veux dire les rimes, les tintinnabulations, les répétitions, les formulations obscures, les expressions malhonnêtes, vagues, les clichés, « les charpies de facéties éculées » et « les nouveautés défraîchies » (du genre *past its sell-by date* – qui a dépassé sa date limite de vente, périmé) : en bref, quoi que ce soit qui impose qu'une lecture attentive soit « ralentie sans profit ». Naturellement, l'autre facette de cette circonspection est l'acceptation du (voire l'adhésion enthousiaste au) changement linguistique positif. Peut-être le passage le plus vibrant du livre est-il l'article sur le mot *gay* :

> L'emploi de ce mot comme adjectif ou substantif appliqué à un homosexuel est victime d'une exécration

> qui s'éternise de façon peu commune. Le "nouveau" sens est pourtant passé dans l'usage courant depuis des années. *Gay lib* a trouvé sa place dans le Roget revu de 1987 et le mot en soi apparaissait dans le *Concise Oxford Dictionary* de 1988 sous le sens n° 5 = homosexuel… Il n'en est pas moins vrai qu'aujourd'hui même, en ce printemps 1995, quelque vieux grigou (*curmondgeon*) fulmine encore dans les colonnes des journaux, réclamant que le mot « retrouve » son emploi hétérosexuel correct […] Or, une fois le mot non seulement passé dans le langage courant mais accepté… nul pouvoir sur terre ne peut plus le repousser… D'autant que le mot *gay* est joyeux et chargé d'espoir, loin des macabres cliniques et des associations dans lesquelles les *homosexuels* étaient enfermés par le passé.

Curmondgeon : vers la fin de sa vie, Kingsley se vit décrit ainsi tellement souvent que cela en devint lassant. Le *Dictionary of Phrase and Fable* de Brewer définit *curmudgeon* comme « un rustre cupide et avaricieux ». Alors que tous les lecteurs un tant soit peu attentifs de *The King's English* (et des romans de Kingsley) ne peuvent qu'y reconnaître un esprit d'une infinie générosité.

Mon édition en poche (1998) de *The King's English* est agrémentée d'éloges de plusieurs plumes. Ces coupures de presse sont chaleureuses et enthousiastes ; elles témoignent aussi d'une perspicacité hors du commun. Candia McWilliam note que *The King's English* est un ouvrage de référence qui « peut se lire comme un roman, de A à Z ». David Sexton y reconnaît à juste titre « une manifestation tardive du grand talent romanesque d'Amis, sa capacité à tirer d'un infime détail de langage ou de comportement le sens de toute une existence ». Les deux écrivains ont su percevoir le charme unique de ce « Guide de l'usage contemporain » : son exubérance satirique.

Toute ma vie adulte, j'ai recherché l'adjectif approprié à mon père et à son style comique particulièrement agressif. Je me suis fixé récemment sur *defamatory* (« diffamatoire »). Voici un exemple tiré du *Latin petit-nègre* :

> À l'origine […] la langue française est une forme latine corrompue et simplifiée de latin jadis courante chez les troupes, les colons ou les marchands romains d'un côté et, de l'autre, les paysans du cru […] On imagine aisément des dialogues entre un légionnaire grappilleur, peut-être d'origine vandale ou parthe, et un péquenaud bien intentionné mais ignare :
>
> LÉGIONNAIRE (*en mauvais latin*) : Je veux de l'eau. Apporte-moi de l'eau. *Aquam.*
>
> YOKEL : Hein ?
>
> L : *Aquam* ! Dis *aquam*, crétin. Vas-y : *aquam.*
>
> Y : O ? (*Qui s'écrirait « eau » quelques siècles plus tard, à l'époque où ses descendants passeraient au stade écrit.*)
>
> L : Apporte-la à la haute falaise. La haute falaise. *Altum.*
>
> Y : Hein ?
>
> L : *Altum* ! Dis *altum*, bouseux. Vas-y… *altum.*
>
> Y : O ? (*Qui s'écrirait « haut » quelques siècles plus tard, à l'époque, id.*)

« Un livre formidable », écrivit un autre critique, Sebastian Faulks. La prose « a la qualité tendue et fine de ses meilleurs romans […] un bonus merveilleux et plutôt inattendu de l'au-delà ». Comment M. Faulks aurait-il pu savoir combien il avait raison ? Deux mois avant sa mort, Kingsley avait fait une mauvaise chute après un bon déjeuner. (« À mon âge, disait-il volontiers, le déjeuner, c'est aussi le dîner. ») Il s'était cogné la tête contre une marche en pierre. Par la suite, il devint peu à peu un vieux fou pitoyable et douloureusement déconcertant. Il tentait sans cesse, il essayait, ô combien il essayait, mais n'arrivait pas à écrire ; il ne pouvait pas lire, on ne pouvait pas lui faire la lecture ; son charabia était à mi-chemin entre *Le Chat chapeauté* et *Finnegans Wake*. À soixante-treize ans, il venait à peine de terminer un ouvrage sur le bon usage de l'anglais, *L'Anglais du roi*, mais voilà que le roi avait perdu son anglais. Son destin était une leçon cruelle. Ce sont les mots qui nous tiennent ; quand les mots partent, il ne reste pas grand-chose.

Les préparatifs de la messe en sa mémoire étaient bien avancés lorsque me parvint le tapuscript de son livre (jusque-là une simple rumeur qui courait dans la famille). L'inquiétude que je ressentis en ouvrant l'enveloppe se dissipa lorsque j'eus lu les premières pages. Elle était revenue, la voix de mon père : drôle, érudite, bien trempée, avec des touches d'une grande délicatesse (voir les entrées *Brave* et *Gender*), et, de bout en bout, une sublime éloquence. À vrai dire, l'élan artistique est plus concentré dans *L'Anglais du roi* que dans aucun des cinq romans qui suivirent son chef-d'œuvre de 1986, *Vieux Diables*. La raison en est, je crois, assez claire. L'amour de la vie, comme tous les talents humains, faiblit avec l'âge. Mais l'amour de la langue, dans son cas, ne s'est jamais altéré.

The Guardian, 2011[1]

1. Cet article servit d'introduction à une réimpression en livre de poche de *The King's English* la même année.

Post-scriptum. J'imagine qu'il est préférable que Kingsley n'ait jamais entendu l'idiolecte de Donald Trump – véritable parcours-aventure pour un puriste. Mais il aurait été prêt à sauter sur *bigly*[1] – dont le *ly* est inutile puisque *big* peut s'utiliser comme adverbe. Ce qui suit est tiré de l'article intitulé *Single-handed*ly (« sans l'aide de personne ») : « On présente des hérésies linguistiques au nom du bien de la langue ou, du moins, de la légitimité et du bon sens... Ceux qui aiment les longs mots polysyllabiques n'ont pas remarqué ou se moquent que *single-handed* soit déjà un adverbe autant qu'un adjectif... Il existe quantité d'autres adverbes vulnérables à un illettrisme inventif, même s'ils ne se terminent pas en *-ly*... À quand *quietly* ? *Altogetherly* ? Quand, au lieu de *What next*, dira-t-on *What nextly ?* » J'avais raconté à mon père que j'avais entendu la grande Jessica Lange, remerciant son équipe lors d'une cérémonie des Oscars, employer l'expression *lastly but not leastly* (au lieu de *last but not least*) ; et je lui avais parlé du dentiste new-yorkais qui, au lieu du simple et correct *Open wide*, disait : *Open widely* – Ouvrez grande*ment* la bouche. Que répond Donald quand on lui demande comment il va ? *Good*ly ? Ou peut-être (car cet homme a de la culture, après tout) *Fine*ly. Ou encore le néologisme *Well*ly.

---

1. La porte-parole de la campagne de Trump s'est acharnée à prétendre que le candidat disait en fait *big-league* (variation utile de son sordide *big-time*), quoique l'application adverbiale de *big-league* ne figure pas dans la base de données des lexicographes. D'ailleurs, pourquoi, dans ce cas, Trump accentue-t-il à la manière d'un trochée (*tum-ti*) et non d'un spondée (*tum-tum*) ? Quoi qu'il en soit, on croit entendre « *bigly* », même si les crédules accepteront que le *-gue* doive se comprendre tacitement.

Americana

Perdre à Vegas

Si, pour une raison ou une autre, on se voyait limité à un seul adjectif pour décrire Las Vegas, il faudrait choisir le suivant : non islamique. Je reviendrai sur ce thème. Mais, d'abord, je vais vous expliquer ce qui m'a amené à la *Sin City*, la ville du péché. J'étais inscrit aux Championnats du monde de poker. Fort de mon intense préparation, j'attendais la compétition annuelle avec une grande impatience et une ambition indéridable.

« Je vous avertis, murmurai-je en traversant le casino qui se donne le nom d'aéroport international McCarran. Ne croyez pas que je me satisferai de broutilles. » Je me suis débarrassé de tout tic ou indice qui pourrait me trahir ; très peu pour moi les over-bets, les calls (quand on suit) la mort dans l'âme, je ne vais pas me contenter de payer la grosse blinde au pré-flop, et pas de quinte par le ventre non plus ; libéré, aussi, de tout le boniment sur le « mauvais coup », le défaitisme et l'apitoiement sur soi (quand on se plaint de ses cartes) : mon poker s'était hissé à un tout autre niveau. Récemment, j'avais lu des dizaines de guides pratiques écrits ou dictés par les stars et les tsars du tapis vert ; et je maîtrisais, en théorie du moins, la technique du changement de vitesse. Ma stratégie pour le championnat était la suivante : au début, je jouerais serré, le cul rivé à ma chaise comme Joey Knish et, même sur les meilleures mains de départ, je la jouerais à la défensive et me contenterais de payer la mise ; puis je me lâcherais, deviendrais agressif, relancerais, blufferais, je volerais les blinds et les pots ; ensuite, je resserrerais à nouveau mon jeu… et ainsi de suite. Je n'étais pas venu à Vegas pour arriver à la dernière table puis retourner à la tribune avec seulement cinq cent mille en poche. J'étais venu remporter dix millions de dollars (qui seraient ensuite doublés par un sponsor éperdu et généreux). J'étais venu décrocher le Bracelet du World Series of Poker (WSOP). Je pénétrerais dans la fameuse Amazon Room pour remporter le pactole.

Bientôt, je vous raconterai mon mauvais coup avec les trois fives. Mais, d'abord, quelques observations sur le décor nevadien.

Las Vegas est foutrement non islamique. Quand, sur le parvis de l'aéroport, je grimpai dans l'un de ces frigos motorisés qu'on appelle « taxis » là-bas, le chauffeur me demanda si je voulais « de la musique ». Je répondis que non, que je ne voulais pas qu'il mette de la musique, parce que j'étais convaincu qu'il y aurait de la musique partout où j'irais, que je veuille ou pas *de la musique*. Cette ville est très bruyante. Les *whoops* des tables de craps (les *yea !* les *ooo !* et les *ow !*), les appeaux continus et joliment panachés des portables (*« What's good, buddy ? »*), les jingles des machines à sous comme dans une pouponnière de gamins cinglés, horriblement prolongés et aussi doux à l'oreille qu'une alarme défectueuse, et puis les cataractes acoustiquement rehaussées de pièces chutant dans les bacs.

Et quelle musique ! Ben Laden nous avertit que la musique est le « pipeau du diable ». L'islam déplore aussi toute représentation visuelle de la forme humaine. Las Vegas ne figurerait pas sur la liste des villes préférées de Ben Laden. Le long de la voie rapide, des panneaux ornés de décolletés pneumatiques et de fesses lubrifiées font la promotion de clubs de strip-tease, de salons de lap-dance (de « danse-contact », comme on dit au Canada), de bars topless et de revues nu intégral (à peu près les seuls endroits de Vegas où l'alcool ne coule pas à flots). Dans les casinos du Bellagio, où je suis descendu, il n'y a pas de filles à moitié nues qui dansent – même si la moindre serveuse arbore un décolleté plongeant comme un canyon. En revanche, au Rio, qui accueille le WSOP, les filles à moitié nues semblent faire partie du mobilier ; en outre, à intervalles réguliers, une sorte de voie de chemin de fer descend du plafond pour vous donner une resucée du carnaval de Rio, avec chars, orchestre de bidons et filles à moitié à poil.

Dans le comté de Clark, la prostitution est à la fois proscrite et omniprésente. L'écrivain Marc Cooper a appelé son livre sur Vegas *Le Dernier endroit honnête en Amérique* parce que la Ville du péché, *grosso modo*, ne cultive pas l'hypocrisie. Mais des anomalies demeurent tandis que les lieux passent des mains de la pègre à celles des magnats, de Little Italy à Wall Street, de Filthy Frank Giannatasio au financier Michael Milken. Vegas, officiellement, a un temps tourné le dos au sexe, pour s'accorder à sa tentative de métamorphose en destination « familiale » ; mais celle-ci a tourné court (un ou deux *fun palaces* plus tard) quand on s'est rendu compte que les enfants ne jouaient pas aux jeux d'argent. Quoi qu'il en soit, le sexe est omniprésent ; sans doute est-ce d'ailleurs inévitable, compte tenu des affinités bien attestées de celui-ci avec les jeux de hasard.

Plus d'une centaine de Pages jaunes de Las Vegas sont consacrées à l'échange sexe contre liquide : Pom-pom girls à peine majeures, La totale à tout juste dix-huit ans, La totale par les Casino House Girls… La semaine de mon séjour, tous les serveurs et les chauffeurs de frigo parlaient du type qui avait gagné gros aux machines à sous avant de monter dans une chambre avec une échangiste qui avait drogué sa boisson. Elle lui avait laissé son passeport, ses clefs de voiture et une seule carte de crédit. Commentaire des Las Vegans : *Ça, c'est la classe.* En règle générale, vous devez vous estimer heureux si on vous laisse votre caleçon. En plan B, il y a du porno dans toutes les chambres. Pour la plupart annoncé « interactif » : les visionneurs ont droit à quelque chose qu'on pourrait appeler le « contrôle éditorial » sur ce qu'ils regardent. C'est donc qu'un spécialiste très pointu s'est penché sur la question des besoins du vacancier interactif. Les Talibans ont interdit le sport et utilisent les stades pour les flagellations et exécutions publiques. Ils auraient du pain sur la planche à Vegas. Partout : des écrans multiples montrant des golfeurs, des joueurs de basket et de base-ball avec leurs combinaisons satinées et, bien sûr, les visages sous cage des Dark Vador du ballon ovale. L'ampleur de l'addiction est manifeste quand on se retrouve à regarder un tournoi télévisé de pierre, feuille, ciseaux : on voit un arbitre penché sur la partie, le sourcil froncé, une foule vociférante – et à la clef un chèque de 50 000 dollars de la taille d'une porte de garage. Dans l'interview suivant le match décisif, le gagnant tout sourire a le plus grand mal à expliquer pourquoi il est si incroyablement bon à pierre, feuille, ciseaux.

Et puis, il y a le *gambling*. L'industrie dit *gaming* (un chouïa plus ambigu ? « jeux de hasard » ou simplement « jeu » ?) : anathème aux yeux, entre autres, de l'ayatollah Khomeini, qui a interdit l'une des plus belles inventions de l'islam, les échecs, de crainte que les gens jouent pour de l'argent. Les jeux d'argent : épicés d'impiété et d'alcool à gogo. Il faut souvent faire la queue à Vegas, au restaurant, pour prendre un café, pour aller voir Elton John, *Cats*, des revues de soutiens-gorge en strass, pour les frigos motorisés, pour un tabouret lors de parties de poker à l'extérieur du tournoi ; mais on n'a jamais besoin de faire la queue pour les jeux de hasard dans lesquels la probabilité joue toujours en faveur de la « maison » (la banque). Ce qui frappe le plus dans les casinos de Las Vegas, c'est leur échelle et à quel point ils sont bondés. Les chiffres de la fréquentation sont tiers-mondistes. Quand, en pénétrant dans un hôtel de la taille du Pentagone, on cherche la bonne queue, on s'aperçoit qu'en fait, on est déjà dans une queue : la foule fait la queue pour faire la queue.

Direction l'aile de poker du Rio, pour une acclimatation en profondeur. Ce sera nécessaire au cas où je ferais mon Chris Moneymaker et remporterais le Bracelet du premier coup. Je cite le dossier de presse de PokerStars.com : « Quand [en 2003] un comptable de 27 ans, du Tennessee, Chris Moneymaker, a transformé sa victoire dans un tournoi en ligne à 39 dollars sur www.PokerStars.com en une manne de 2,5 millions de dollars au Championnat mondial de poker, des tas de gens se sont demandé : “Pourquoi pas moi ?” »

On peut imaginer sans trop de risques d'erreur que l'actuelle phénoménale flambée d'intérêt pour le poker aux États-Unis est due en partie au patronyme de Chris Moneymaker – « Chris Faitdufric ». Et s'il s'était appelé Chris Perdufric, Chris Chomdu ou Chris Trouduc ? Pokerstars.com aurait dû revoir une partie de sa copie (« Pokerstars.com Lance le Tournoi du Millionnaire Moneymaker ») et, quand Partygaming.com a été introduit en Bourse l'an dernier, l'entreprise n'aurait peut-être pas dépassé Disney et British Airways.

L'aile de poker au Rio est un centre de conférences, dédié en ce moment au Texas Hold'Em, la forme de poker la plus pratiquée. « Votre petit boulot pourrait bientôt n'être qu'un mauvais souvenir », vous allèchent les affiches. « Chris Moneymaker, comptable. Joe Hachem, chiropracteur. Greg Raymer, avocat spécialisé en droit des brevets. » Sur un panneau, les trois champions vous regardent de travers, comme dans la publicité pour un combat de catch. Or ces hommes ne sont que des petits-bourgeois en surpoids : un comptable, un chiropracteur, un avocat. C'est d'ailleurs peut-être là toute l'affaire. Ils représentent des désirs contradictoires de la psyché contemporaine : d'un côté, le besoin de rester anonyme au sein d'un groupe clairement défini ; de l'autre, un appétit torride de célébrité. Être tout à fait ordinaire et pourtant totalement exceptionnel : personne ne combine cela de façon aussi lisse que la star du poker, Chris Moneymaker, le comptable du Championnat du monde sorti de son Tennessee profond.

Comme les fléchettes dans les années 80, le poker essaie de redorer son image. Pourquoi, alors, s'expose-t-il à Las Vegas ? Et pourquoi le salon des professionnels présente-t-il en continu des spots de pin-up en bikini sur les écrans plasma, pourquoi les dizaines de nanas en short satin ras des fesses à la limite de l'incitation à la débauche, et pourquoi, plus tard au tournoi des Médias, les *guest stars* sont-elles l'actrice soft Shannon Elizabeth (*American Pie*) et l'acteur hard Ron Jeremy (plébiscité « Voltigeur le plus répugnant de la San Fernando Valley ») ? La règle d'or semble être la suivante : vous avez un produit à vendre ? Accolez-lui de la chair femelle. D'ailleurs, en termes glandulaires, le poker est inséparable des énergies charnelles : mains moites et affolement du rythme cardiaque. Je suis désormais assez vieux pour inspecter les serveuses d'un œil purement anthropologique : c'est incroyable mais la moyenne de statistiques vitales se situerait aux alentours de 38E-28-26. Au fait, ces merveilles lourdes du haut et rien au popotin, ne feraient pas tourner une tête dans le vrai Rio (de Janeiro), où le gros du gonflage chirurgical se pratique en dessous de la ceinture.

Il pourrait sembler pervers de prendre Las Vegas comme décor d'une lamentation des postérieurs réduits – Vegas, la destination vacances des postérieurs géants ! L'avocat spécialisé en droit des brevets Greg Raymer n'est pas un Apollon mais une femme s'est tout de même glissée dans sa file de demandeurs d'autographes : « Mon mari est un fan. Vous l'inspirez, *à fond !* » Mâchant je ne sais quoi, elle s'est avancée en fauteuil roulant : des bras comme des jambes, des jambes comme deux torses et un torse comme une partouze en fin de course. Sur le parvis plus loin, un homme à deux roues réussit à « tomber » de son véhicule pourtant à l'arrêt : les passants le ramassent, l'écopent, le remettent plus ou moins en place mais, plus liquide que solide, il suit tout simplement la force de la gravité, telle une inondation dévalant l'escalier depuis la salle de bains du premier. Al-Qaïda ne se prononce pas sur la question de l'obésité. Mais même le non-croyant est capable de contempler ce genre de formes humaines avec une désolation quasi mystique : sans borne, tendant vers l'infini, comme une tentative individuelle en faveur de la globalisation.

Avec une fausse nonchalance, je prends part au tournoi des Médias, sans me laisser décourager par mon éviction prématurée. Si l'argent est la « langue du poker », et c'est un fait, alors la session est une pantomime. Les gains sont destinés à des organisations caritatives. Ça sert à quoi, à qui, ça ?

La veille de ma première journée de championnat (le remporter prendra toute une semaine), je dîne avec Anthony Holden et James McManus, deux des écrivains-joueurs les plus titrés du royaume du poker. Holden a remporté un titre ou deux ; et McManus, à Vegas même, en 2000, est parvenu à la dernière table. Mon intention, comme nous le savons, est de faire un peu mieux que ça, croyez-moi !

« Soyez ultraconservateur le temps qu'il faudra pour vous y retrouver, me conseillent-ils. Il y a dix joueurs par table, alors soyez prêt à une compétition plus rude que vous n'en avez l'habitude. Il existe cent soixante-neuf mains de départ possibles. Une dizaine d'entre elles seulement valent la peine. Couchez-vous toujours sauf si vous avez une paire de valets ou plus, un A-K (as-roi) ou des cartes assorties. Plus tard, si vous êtes derrière le bouton [à la droite du donneur, qui change à chaque main], n'attendez pas toujours les meilleures mains. Vous pouvez vous lancer avec K-J (roi-valet) ou une paire de huit. À ce moment-là, il vaut mieux être trop large que trop serré…

large-fort. Évitez de faire comme Al [Al Alvarez]. Évitez le serré-faible. »

À la fin de la soirée, McManus, bon prince, m'agrippe le bras : « Te laisse pas intimider, mec ! Rappelle-toi, tu es Martin putain d'Amis ! »

De retour au Bellagio, je continue la lecture de *La Cinquième Carte*, le bouquin de McManus sur son run resté dans les annales. Et je m'inquiète un tantinet quand je découvre qu'il faut être perpétuellement et implacablement *couillu* plus que tout le reste du monde si on veut exister plus de dix minutes au No Limit, où chaque main peut être votre dernière. Être couillu et rester cool : couillu-cool. Les autres manuels n'ont jamais mentionné ça, parce qu'ils prennent le couillu-cool pour acquis. Ce qui ne dévalorise en rien l'intrépidité plus ou moins fiable et le calme qui m'ont plutôt bien servi, au fil des ans, dans diverses cuisines à l'atmosphère oppressante du nord de Londres, où des vingtaines de livres sterling changent régulièrement de mains. N'empêche, le livre de McManus me rappelle aussi qu'après la première journée, je serai confronté exclusivement à des professionnels acharnés dans l'équivalent, au poker, de ce qu'est le Super Bowl pour le football américain.

S'il est indéniable que je suis Martin putain d'Amis, qu'en est-il de Chris putain de Moneymaker et de Mike putain de Mouth Matusow et de Chris putain de « Jesus » Ferguson – et, d'ailleurs, de Kathy putain de Liebert et d'Annie putain de Duke ?

Juste avant midi, le lendemain, une immense sérénité et la conscience d'un pur héroïsme m'escortent dans l'Amazon

Room. Mes narines enflent face à l'élégance du décor : on dirait la salle à manger d'un paquebot après l'irruption de pirates particulièrement impitoyables. Environ deux mille requins du tapis vert font zigzaguer leurs jetons : cigales et cascabelle de crotale. Il y en a six mille autres là d'où ils viennent. Ce ne sera pas un joyeux voyage d'entreprise comme le tournoi des Médias. Ce sera tendu ; oh oui, ça va tanguer, entre le badge Presse et l'accent anglais. Je trouve ma place et affine ma présence à la table.

Pour l'instant, nous sommes neuf et, dommage : que des hommes. J'adresse à mes voisins immédiats un coup d'œil militaire. Les autres, à l'horizon du tapis vert en forme de haricot, forment un flou asocial peau mouchetée poil follet lunettes à verres miroir et tee-shirt sans manches, casquette de base-ball maintenue en place par des écouteurs de la taille de sabots de Denver.

« Salut, lance le gars à ma droite, la trentaine, visage avenant, teint olivâtre. Moi, c'est Josh. Avec un J.

— Tes parents étaient des originaux ! s'exclame le donneur comique étiqueté Dan.

— Ils étaient hippies, répond Josh. Quoi d'autre ! ? »

À ce stade, rassuré par Josh, je me détends assez pour me retourner et porter le regard au loin. Approximativement une montagne de lard par table, croupe bavant tout autour du tabouret ; la même proportion de femmes plutôt stylées – et des garçons de douze ans, qui ont apparemment pris l'Amazon Room pour une destination de vacances familiales. Mais je me dis que, après tout, ces gamins doivent être majeurs, sans quoi ils auraient été refoulés à l'entrée du casino. N'empêche, la moyenne d'âge au poker chute régulièrement. Ce sont les pirates informatiques. Le poker est moins une question de cartes, déclare Doyle Brunson (le premier sage et gentleman du jeu), que de gens. Cela dit, les rats du Web ne rencontrent jamais personne. Pour eux, le poker n'est pas une affaire de *gens*. Plutôt de mathématiques. Ils jouent les cotes implicites inversées sur les taches des cartes.

Dan tapote la table. « Messieurs ? Cartes en l'air. »

Qu'on me permette maintenant de passer un bon bout de temps à décrire en détail la première donne – pour une raison horriblement gênante que j'expliquerai en temps voulu. Je jette un coup d'œil : Ajax (*ace-jack*/as-valet) pas de la même couleur. Une main dangereuse. Ma position est optimale. Comme personne ne relance, je colle (call) la grosse blind (prononcer « blinde »), la mise obligatoire de 50 dollars qui ouvre le pot lors du premier tour d'enchères. Quatre adversaires m'imitent. Le flop donne : Q-10-K (Reine-10-Roi). Mon calme épique, mon pur héroïsme m'abandonnent et je pousse un cri tel que, d'entrée de jeu, je brise les règles : j'amorce un mouvement de recul et plaque les cartes contre mon torse.

« Monsieur ! ? Les cartes doivent rester sur la table ! gronde Dan. Je devrais annuler votre main. »

Oh, non, pas ça ! Je manque crier : j'ai une quinte au roi ! Mais je suis l'image même de la contrition et mes cartes peuvent rester. Tout le monde passe. Sur quoi, je suis assailli par ce qui à Las Vegas est une inhibition préjudiciable : la culpabilité puritaine (parce que ma main, à strictement parler, est nulle et non avenue). Donc, au lieu de me transformer en une sulfateuse de relances, je passe aussi : attitude impardonnable. Le quatrième tour d'enchères donne un 3 et le tableau est un rainbow (arc-en-ciel : toutes les cartes sont de couleurs différentes). D'où : flush impossible. Encore une fois, tout le monde passe et c'est à moi de parler. Maintenant, je comprends la raison des quatre calls froids et huit checks consécutifs (un phénomène qui ne se reproduirait plus) : il n'y avait quasiment rien dans le pot. Il restait encore deux cartes à venir et ma meilleure option aurait été de sous-jouer : une relance de 100 dollars ou peut-être 200 ou 300 pour donner l'illusion que j'allais m'adjuger le pot avec une relance rédhibitoire. Mais j'ai l'intention d'effrayer toutes les paires et les tierces dont j'imagine l'éventail autour de moi ; je parie donc 1 000 dollars, et la tablée se couche.

Deux possibilités s'offrent à moi, me semble-t-il. Je peux exprimer ma joie d'avoir gagné 200 dollars en montant sur ma chaise et en agitant le poing jusqu'à ce que la caméra de télé vienne zoomer sur moi et me rende célèbre un instant. Ou je peux lâcher une grossièreté. Il n'y a encore pas longtemps, les retransmissions des conversations des joueurs pendant les séquences télévisées ressemblaient à du morse, tellement le bipeur fonctionnait à plein régime (« Puis ce *biiiiip* fait son *biiiiip* direct avec un *biiip* de trey sur la *biiiip* de rivière »). Maintenant, les obscénités audibles vous valent une exclusion de dix minutes. Or c'est exactement le laps de temps qu'il me faut : une pause cigarette à l'air frais, sur le parvis, où la température n'est que de 44 degrés.

Mais j'opte pour le tilt : je me déconcentre, je m'énerve. Pendant tout le round suivant, je suis en plein dedans : je joins sinistrement transe d'affolement et panique d'appât du gain à une paire qui est la main la plus forte (je perds face à un trips), puis à une double paire également la main la plus forte (je perds encore face à un trips) et enfin après le dévoilement du flop, un tirage couleur à l'as qui, ah que c'était rageant, est resté tel quel pendant les streets (tours d'enchères) quatre et cinq. Mon jeu est pur solécisme : mes paris sont incohérents ; je reste muet pendant toute une minute quand c'est mon tour de parler ; et je me couche quand je pourrais relancer. En bref, j'ai complètement craqué et j'ai déjà perdu 3 500 dollars – plus d'un tiers de la mise qu'on m'a gracieusement attribuée.

« Allez prendre un russe blanc, me conseille Josh tendrement. Ou plutôt deux… Ça vous arrondira les angles. Mais pas trois. »

Or je les arrondis, mais à la dure et à en avoir des nausées, avec une succession de mains… qu'après un moment je me mis à noter : 7-2, 8-3, Valet-4, 3-2, 5-4, 10-3, 7-3, 9-4, 8-2, Reine-2, 9-3, 10-4, 3-2, Valet-5, 4-3, 10-2, 8-3, Reine-2, 9-3, 10-2, et ainsi de suite, pendant dix ou onze rounds. Puis j'écope d'une paire de 9, que je joue timidement – j'en tire un troisième, et l'emporte, tout tremblant. Mon second et ultime gain au championnat.

Jusque-là, le siège à ma gauche est resté vide (la pile de jetons à peine érodée par le paiement de quelques blindes). À la table manquait, semblait-il, un de ces veinards qui ont du « flair ». Or le voici, en retard de deux heures, dégingandé, joli comme un punk et frais émoulu du comté d'Essex, Angleterre, avec iPod, lunettes noires, bandana rose Beanie. Il se présente : Gar, avec un G. Il semble que le siège de Gar pourrait ne pas rester occupé longtemps : encore debout après son premier flop, Gar mise tous ses jetons, il est, comme on dit, all-in.

« Hé, Dave, je suis all-in ! beugle Gar à son ami quatre tables plus loin. Dave ! Dave ! Je suis all-in ! Je suis comme ça, moi, me dit-il. Serré-faible. Le baudet d'Internet !

— Je suis », lance Josh, figé. Et il pousse ses 9 500 dollars, qui vont faire la paire avec Gar.

Sur le tableau : As-4-Valet. Comme on ne prendra plus de paris, les joueurs montrent leurs cartes. Josh : 4-4 ; Gar : As-Roi. Quatrième carte du tableau : 10. « À plus tard, les gars », lance Gar, reculant. Mais la rivière est une Reine. Gar hausse les épaules, s'assoit, empile, feuillette et fait sonner ses jetons. Josh en reste abasourdi, l'air d'avoir l'estomac chaviré, pendant deux mains supplémentaires. Ensuite, après des adieux enroués, il disparaît. Gar ne remarque rien. De nouveau, il est all-in. Et il demande : « Combien vous avez, là ? À la louche. » La table a trouvé son flair.

Après la pause déjeuner, se suçant le bout des doigts et réclamant une serviette, Gar revient avec une grosse assiettée en carton de hamburgers saignants qui empestent. Et le doux regard de Josh est supplanté par le visage renfrogné et grêlé de Mike Woo. Mais, attendez… N'est-ce pas Mike Woo comme dans Mike putain de Woo ? Mike est un nom, un visage… Et bientôt il se lancera dans des batailles contre Gar ou quiconque osera approcher. Je redoute d'avoir une paire d'as – je suis à ce point couillu-cool. Mais ça n'arrive pas. Je tente as-roi, le Big Slick (*slick* comme dans « glissant » car cette combinaison dangereuse peut vous faire perdre des fortunes), deux fois, et perds les deux fois. Bientôt, je suis à l'affût de quelque chose, n'importe quoi, qui puisse me permettre d'aller all-in avant que mon tas de jetons sombre en dessous de la barre des 1 000 dollars.

Valet-2, 3-2, 8-3, 5-4, 9-3. Gar est parti, ses paires de valets s'étant cassé les dents sur trois overcards au flop. Mike Woo est parti, sa quinte au roi ayant succombé à un case ace. 5-2, 8-6, 7-3, 5-4, 6-5. Je commence à comprendre que ma meilleure main était ma première : je n'ai pas eu de lock, de cinch ou de stone-cold nuts (je ne me suis retrouvé dans aucune des positions où j'aurais été imbattable) – mais j'ai eu un straight (une quinte aux couleurs non identiques). Depuis ? Trois neuf. Une seule fois avant dans ma vie, j'avais eu une partie où Dieu me détestait autant que là, et j'avais failli équilibrer mes comptes, mais, aujourd'hui, son ire connaît No Limit. Enfin, j'ai une paire de 5 et me lance : all-in. Mon ennemi solitaire, enfer et damnation, montre 6-6. Flop : 5-Valet-3. Moi : 5-5-5. Au quatrième tour d'enchères sort un 2. Cinquième : un 6. Il a le nombre de la Bête (*cf.* L'Apocalypse : 6-6-6). Il a la haute main.

« Ça craint, dit le chauffeur au volant du frigo qui me ramène au Bellagio. Un vrai coup de poing dans le bide. Toute ma sympathie. Moi, hier soir, j'ai crashé sur un méga-mauvais coup. J'avais un American Airlines [As-As] et j'étais all-in. Un type suit avec une paire de 5 ! Le flop est un As-4-2. La turn est un autre as ! Quatre as ! Mais lui, il a quatre trèfles consécutifs ! Ensuite, ce con se ramasse une putain de quinte avec le putain de trois bleu sur la putain de rivière. Voilà... ça, c'était mon mauvais coup. Et le vôtre... ? Désolé. Pas envie d'en causer, hein ? C'est ça, c'est ça. Déconnectez pendant un moment. Évacuez cette merde. Vous voulez que je mette de la musique ? »

Le meilleur hôtel de Las Vegas est tout près du pire hôtel de Las Vegas, à l'extrémité nord du Strip. On peut aller de l'un à l'autre sans que votre destination s'éloigne perpétuellement quand vous la croyez à portée de course et sans découvrir, au dernier moment, que vous devez traverser en courant une autoroute à douze voies. Le meilleur hôtel s'appelle le Wynn, du nom de son propriétaire, Steve (autre nom banal à Vegas), et il n'est pas thématique : pas de tour Eiffel ou de place Saint-Marc, pas de joutes médiévales ou de forêt tropicale en caoutchouc, pas de tigres blancs ou de bassin à requins, pas de volcan ou de statues qui parlent. Au Wynn, même l'extérieur est air conditionné : un frigo *al fresco* de la taille de deux terrains de foot. Les piscines sont bordées de *cabanas* comme de luxueuses cabines de plage, de postiches virtuoses, de pédicurie et de minibars. Partout : des tables de massage et de baccarat. Le Wynn est un monument dressé à ce que les physiciens appellent l'entropie négative. D'énormes mises de fonds en électricité et dollars créent l'ordre et le confort, avant de s'évaporer sous forme de chaos et de déchets.

Un secteur permet le bronzage « à l'européenne » mais personne n'en profite. À Vegas, on trouverait minable de montrer ses seins en public : à Vegas, quand on fait ça, on se fait payer. Brièvement, je regrette cette situation car à Vegas on voit la silhouette humaine comme la nature pourrait l'avoir voulue : svelte, tonique, bronzée et maintenue à grands frais. Les humains goûtent aux plaisirs de la néguentropie : eau chauffée, air rafraîchi, boissons glacées ; et ils ont la chance d'avoir fortune et jeunesse. Je ne suis pas dans mon élément ici, au Wynn. Le pire hôtel d'*uptown* Las Vegas ne s'appelle pas le Looze. Il s'appelle le Frontier. Quand, Gros-Jean comme devant, je m'en approche, Martin Moneymaker se métamorphose en Martin Chomdu ou Martin Trouduc (et que Martin putain d'Amis aille se faire voir). Tout paraît plus normal : CREVETTES ET STEAK 8,95 $, annonce le néon. FAJITAS À GOGO POUR 2 / 2 RITAS OFFERTES 19,95 $. BIÈRE GLACÉE

ET PETITES COCHONNES. COMBAT DE BOUE LIVE. COW-GIRLS SAUVAGES EN BIKINI. Sur le parking : un coupé blanc souffre de combustion spontanée : son capot a explosé. Sous la haie mal en point, deux pigeons picorent voracement, genre sorcières au nez crochu, une poignée de crackers au fromage jetés là. Autrefois, le Frontier était un hôtel à thème : en témoignent le snack-bar Tex-Mex, je suppose, et la statuaire en plastique poussiéreuse de la salle de bingo Pierrafeu. De nos jours, le thème, ce serait plutôt « Hôtel discount de réserve indienne ». Des formes humaines taille bennes à ordures piétinent dans l'obscurité déprimante du *cocktail lounge*, où règne une sinistrose visqueuse, moite et charbonneuse. De toute évidence, ses représentations politiques n'ont jamais eu beaucoup de chance avec le concept, mais nous connaissons tous la primauté, pour l'islam, de l'idéal d'égalité et de justice. Après le Wynn, le Frontier nous rappelle que l'argent et le succès, gagner et perdre, etc., sont des sommes nulles. Comme il n'y en a pas assez pour tout le monde, ce que l'un gagne, l'autre le perd.

C'est au Frontier que je me résous enfin à devenir un pro du poker à temps plein. Il est évident que j'ai le talent requis. Maintenant, il me faut les cartes : American Airlines (paire d'as) ou Big Slick (as-roi) de couleur identique au moins toutes les deux mains. Ma femme et mes filles se satisferaient de vivre avec moi ici au Frontier (et les Trouduc, qui sait, pourraient bénéficier d'un tarif familial).

Je m'imagine au bar, descendant une deuxième margarita pour me rafraîchir la boîte crânienne, gobant coup sur coup une *fajita*, une *machaca* et une *gordita* (mais où est mon *enchilada* ?) avant de partir au turbin. Une équipe du nom de Divas du Bonnet D fait son échauffement sur le trampoline. Et je raconterais à n'importe qui voudrait bien m'entendre la fois où j'ai participé au championnat du monde et étais à deux doigts de le remporter quand j'avais eu ce mauvais coup à cause de trois 5.

The Sunday Times, 2006

Le deuxième acte de Travolta

C'est lui-même qui a ouvert la porte – je me suis donc retrouvé directement face à l'icône. C'était en janvier 1995 et, le matin même, il avait commencé à travailler sur *Get Shorty*, la superproduction (il partageait l'affiche avec Gene Hackman, Rene Russo et Danny DeVito) d'après le thriller satirique d'Elmore Leonard sur Hollywood. Grand livre, grand film, grand jour. Je m'attendais donc naturellement à une longue attente ou carrément à une annulation ; ou au moins à un garde du corps, une fouille et, probablement, une entrée monumentale ouvrant sur une villa de style hispanisant, grouillant de monde : l'entourage de la star…

Mais non. Voilà que John Travolta me retirait mon manteau des épaules et le pendait en personne à un portemanteau, avant de tourner vers moi le fameux bleu saphir de ses yeux enfoncés profondément dans leurs orbites, qui vous font penser instantanément : il m'accorde toute son attention. Les yeux d'un acteur ne cillent pas à moins qu'il leur indique de le faire ; les yeux de Travolta ne cillent pas. J'avais l'impression d'entrer dans un poster de Warhol : un Mao, un Elvis. Comme tomber par inadvertance sur James Dean ou Jimi Hendrix. On a l'impression que John

Travolta est tellement iconique qu'il devrait être mort. Mais il ne l'est pas. Plus.

À la vingtaine, Travolta était, et de très loin, l'étoile la plus brillante du firmament : tout le monde le voulait dans tout. « Ça pouvait bien être un rôle pour une vieille de quatre-vingts ans, a dit un jour son ex-girlfriend Marilu Henner, qu'on le proposait tout de même à John. » À trente-cinq ans, Travolta était un trou noir humain, perdu dans le néant interstellaire de Hollywood. (Notons qu'en italien, *travolta*, nous ne serons pas surpris de l'entendre, signifie « retourné », « secoué », « mis à terre ».) Il a maintenant quarante ans et sa carrière a pris un tour pour lequel la profession n'a pas de mot. « Come-back » est loin de faire l'affaire et « renaissance » ou « revival » ne valent pas mieux. Ce produit-là est passé directement du degré zéro à : *la majesté.*

Qu'est-il arrivé ? La réponse, bien sûr, c'est : *Pulp Fiction.* Autre réponse, plus générale : Quentin Tarantino. En douceur, Travolta m'emmène au salon (nous nous trouvons dans une propriété qu'il loue à Beverly Hills, au nord de Sunset Boulevard). Sa voix, chutant à un murmure empreint de gratitude, me raconte comment ça s'est passé : « *Tout* est grâce à Quentin. » Semblerait-il. En fait, même Quentin a eu besoin d'un coup de pouce. La dernière phase de cette inimitable histoire américaine doit beaucoup au postmodernisme ; et à la scientologie. Dans quel état d'ébriété se trouvait Scott Fitzgerald quand il prétendit que les vies américaines n'autorisaient pas de deuxième acte ?

Il y a deux ans quasiment jour pour jour, John Travolta n'avait qu'un projet au cinéma. « *Look Who's Talking 3* », déclina-t-il, avec une certaine résignation (mais avec une gêne et un mépris insuffisants). Le film avec les chiens qui parlent. Nous pouvons imaginer Travolta à l'époque, dans son château de vingt pièces sur Penobscot Bay, dans le Maine, ou dans son second chez-lui, au complexe Spruce Creek Fly-In (aérodrome privé incorporé) de Daytona Beach, en Floride, ou, d'ailleurs, dans les airs entre les deux, aux manettes de l'un de ses trois avions, en train, comme tout acteur qui se respecte, de se préparer mentalement pour le film avec les chiens : les *chiens* pensants.

Il se trouvait être riche, gras et heureux dans sa vie privée comme jamais auparavant, avec sa femme, l'actrice Kelly Preston, et son bébé, le petit Jett. Mais il était sur le point de tourner un film sur *des chiens qui parlent.* « J'essaie d'être réaliste, dit-il, mesuré comme toujours. Vous comprenez… on ne danse pas sans jambes. Je continuais de travailler avec ce qu'on me proposait de mieux. Mais je pensais : Hum, je suis fini. » S'ensuivit une série de rumeurs suivant lesquelles Quentin Tarantino, la « dernière coqueluche de Hollywood », voulait rencontrer John Travolta, la relique glacée à la carrière envolée. La rencontre eut lieu, elle dura douze heures.

« Il ne m'a pas donné l'impression d'avoir un projet précis. Il avait commencé à écrire *Pulp Fiction*, mais il n'arrêtait pas de parler d'un film d'horreur. Moi, je ne suis pas du genre film d'horreur. L'intérêt qu'il me portait paraissait être d'ordre… générique. » La rencontre débuta dans l'appartement de Quentin, « qui se trouvait être *mon* appartement. Celui que j'avais loué à mon arrivée à L.A., en 1974 ». (Tout le contraire d'écervelé, Travolta ne tira aucune conclusion de la coïncidence.) Ils parlèrent, burent un verre de vin, sortirent dîner, puis revinrent, jouèrent à des jeux de société de Tarantino (sur le cinéma), ressortirent dans un café, revinrent chez le cinéaste. « Puis Quentin m'a passé un savon. Il a dit : “Qu'est-ce que tu as *fait* ? Tu ne te souviens pas de ce que Pauline Kael a dit de toi ? Et Truffaut ? Tu n'as pas conscience de ta place dans le cinéma américain ? John, qu'est-ce que tu as *fait* ?” J'ai été blessé, mais ému. Il était en train de me dire que j'avais eu la carrière la plus prometteuse de la profession. Je suis ressorti de là la queue entre les jambes. J'étais *ravagé*. Mais j'ai aussi pensé : Merde, je devais être vachement bon. »

Assis à une table circulaire, nous buvions un verre de vin. La maison était confortable et anonyme, mais on sentait la présence de l'organisation en profondeur qui encadre la vie d'une star de cinéma : domestiques, *conseillers*... On a décrit Travolta comme un millionnaire qui vivait comme un milliardaire. N'empêche, ici à L.A., tout est ramené et profilé à l'échelle du film en cours – *Get Shorty* –, y compris la star en personne. Bien que les énergies soient centrées autour de Travolta, il existe une autre source de pouvoir, jusque-là plongée dans un sommeil *agité*. Kelly Preston apparut, ébouriffée, jolie, menue. Suivit une discussion menée sur un ton assez grave quant au retour imminent de Jett à la pleine conscience. Peu après, Jett apparut dûment, à son tour, dans les bras de sa mère, comme chiffonné et concentrant tous ses efforts avec ivresse sur une bouteille de jus de fruit. Avalanche de câlins, bisous, déclarations. Les sourcils de Jett mesurent trois centimètres.

Il m'est passé par la tête l'idée que Jett devait être l'une des créatures les plus choyées de la planète. Dans le Maine, de toute évidence, il a sa propre aile Pays des Merveilles, où des serviteurs l'abordent chargés d'assiettées de crevettes à la tempura. Les enfants ont une façon particulière de tout chambouler, mais les enfants de stars (avec leur ego surdimensionné) ont plus d'espace pour le faire. Ils ont donc tendance à jouer à la baleine : les enfants de stars de cinéma vivent *vraiment* comme des stars de cinéma. Avez-vous la moindre idée à quel point les *domestiques* sont gentils à l'égard de Jett Travolta ? Vous-même, ne seriez-vous pas gentil avec quelqu'un qui s'appelle Jett *Travolta* ?

Nous avons parlé de la parentalité. Travolta avait envie de parler, envie d'écouter. Les grotesques vicissitudes de sa carrière doivent lui paraître de l'histoire ancienne désormais ; cela dit, il est possible qu'il ait depuis longtemps appris à être objectif. Il avait dit un jour quelque chose qui m'avait frappé ; je le lui répétai en croquant dans mon cheese-cake : « On imagine qu'Untel est introverti, égocentrique en permanence… Il va mal. Il se sent perdu. Mais faites-lui au moins la grâce de ne pas le prendre pour un *demeuré.* »

La question de Tarantino demeure, et demeure sans réponse. Qu'est-ce que Travolta *a fait* ? Se pelotonner sur son canapé avec une cassette des *Collected Movies 1976-1993*, c'est suivre la trajectoire d'un déclin vertigineux. Au firmament comme ailleurs, les étoiles les plus vives sont les plus éphémères : de géantes bleues à trou noir. Mais l'Univers n'est pas assez ancien pour contenir la dégénération effectuée par Travolta. Il faudra dix milliers de millénaires à notre Soleil pour qu'il atteigne sa forme ultime, glacé dans une indétectabilité cristalline. Travolta, lui, l'a fait en dix ans.

En 1980, John Travolta avait déjà tourné dans trois films qui l'avaient propulsé tout droit dans l'immortalité de la pop culture. Les images viennent toutes seules. D'abord, *Saturday Night Fever* : en érection polystyrénée sous boules disco, cintré dans le genre de chemise qui réduit les tétons à des boulettes de plasma, perché sur des talons compensés, doigt pointé vers le ciel. Puis *Grease* : rocker à la cigarette pendue au sourire à tomber debout, yeux réduits à des fentes d'un cool stéréotypé. Et, enfin, *Urban Cowboy*, le profil sculpté, romantique, fier, perplexe, sous le bord dur comme du carton du chapeau de conducteur de bestiaux. La durabilité de ces images ne tient pas seulement à sa beauté et à de bons éclairages. Ce que nous voyons là, c'est ce que la caméra voit lorsqu'elle est confrontée à une charge palpable de vie. Travolta donne des performances complètes dans ces films, qui forment une trilogie dont le sujet est le jeune mâle. Avec ses froncements de sourcils et ses regards noirs contrariés, ses cadences tout en langue, son incertitude plastronnante, avec les mises en italique de son front, Travolta invente une réflexion mûre sur ce que c'est qu'être immature.

Suivit un film de transition, *Blow Out* (1981), surdirigé et lamentablement sous-écrit par Brian De Palma, qui, en 1976, poussa Travolta vers *Carrie* (dont la carrière suivrait le même genre d'ellipse). Épouvantail aux illogismes dépenaillés, agrémenté par des références à Hitchock via Antonioni, *Blow Out* était néanmoins un choix logique pour Travolta, qui, à vingt-sept ans, était prêt, semblait-il, à recevoir son héritage italo-américain. Pauline Kael, dans ces pages mêmes, le comparait au Brando de *Sur les quais* (« La volonté de montrer ses émotions à nu et la maîtrise qui permet de le faire dans la peau du personnage ») ; en gros, on s'attendait à ce qu'il passe sous la coupe de cinéastes de la trempe de Coppola et de Scorsese. Au lieu de quoi, il tomba sous celle de Sylvester Stallone. S'ensuivit un effondrement catastrophique.

Loyal, Travolta n'a jamais vu les choses de cette manière. Lui croit plutôt avoir été plus ou moins naturellement détrôné par une nouvelle génération d'acteurs : Hanks, Cruise, Costner. On ne s'en interroge pas moins sur la nature de l'attrait que put exercer Stallone. Certes, celui-ci est aussi une icône. Rambo, ce trapèze mortel d'abats ; Rocky, faisant du jogging avec son chien. Peut-être même le bidule avec les chiens remonte-t-il à celui qu'on surnommait « Sly ». Quoi qu'il en soit, après 1982, Travolta ne partageait plus la vedette qu'avec des *chiens*.

En l'espace de un an, il tourna dans : la séquelle de *La Fièvre du samedi soir*, *Staying Alive* – un hommage tout muscles et sans charme au bodybuilding et au Big Time ; et *Seconde Chance*, avec Olivia Newton-John, une pseudo-séquelle lubrifiée de *Grease*, l'un des pires navets jamais tournés. La scène d'ouverture nous transporte dans les cieux : nuages, anges en smoking blanc, voix grave de Dieu hors champ. Oliver Reed joue le diable. A-t-on idée du danger que court un film quand on sait qu'Oliver Reed y joue le diable ? Oliver Reed en costume de Monsieur Loyal ?

Ensuite vint le parfaitement moyen *Perfect*, que l'on peut considérer comme un sommet de la période. Puis Travolta se retrouva dans le genre de films dont le titre se voit attribuer des points d'exclamation quand ils apparaissent à la va-vite dans les magasins de location. Je parle de ce que Columbia Tristar Home Video a appelé en français *Allô Maman, c'est Noël !* (Un film de Tom Ropelewski). *Allô maman, ici bébé* (1989) présentait un bébé bavard ; *Allô Maman, c'est encore moi* (1990) présentait un bambin bavard en plus d'un nouveau-né bavard. *Allô Maman, c'est Noël !* était le film avec les chiens : un véritable plaidoyer pour le muet. En 1993, Travolta, c'était ça.

« Quentin, reprend Travolta, m'a envoyé *Pulp Fiction* dès qu'il l'a eu terminé. En précisant : "Regarde le rôle de *Vincent*." » Tarantino l'avait adapté pour Travolta ; il croyait en Travolta – « mais il était le seul. Ce qui vous montre en quelque sorte jusqu'où j'étais tombé. Le studio voulait un acteur avec... plus de fièvre ! Quentin avait beaucoup plus à perdre que moi. Finalement, il leur a dit : "Soit vous le faites avec John Travolta soit vous ne le faites pas." »

Parallèlement – cela pourrait sembler loufoque –, Tarantino dut emporter l'adhésion de Travolta lui-même. « Mes doutes n'étaient pas artistiques. Plutôt moraux. » L'idée étant : nous vivons une époque d'influençabilité des masses. À ses débuts, à l'époque de Tony, de Danny et de Bud, les effets des performances de Travolta étaient imprévisibles : elles créaient de véritables phénomènes de mode. Or quel genre de modèle était Vincent, avec son aiguille hypodermique et son pistolet ? Cette réserve paraît responsable, mais guère appropriée, compte tenu du sort de Vincent (criblé de balles, sur un siège de toilettes). Compte tenu, aussi, de la qualité de l'écriture de Tarantino. Comme chez David Mamet ou Elmore Leonard, l'insensibilité glacée du dialogue pointe toujours vers un ailleurs, un monde moral qu'il prend bien soin d'évacuer. Dans une scène, Vincent va acheter quelques grammes d'héroïne à son dealer, Lance (le drôle et christique Eric Stoltz) :

> LANCE : T'as encore ta Malibu ?
> VINCENT : Oh mec. Tu sais pas ce qu'un connard a fait l'autre jour ?
> LANCE : Quoi ?

VINCENT : Il l'a putain de viandée...
LANCE : Oh mec... C'est tordu, ça.
VINCENT : À qui tu le dis. Elle était au garage depuis trois ans. Dehors depuis cinq jours et ce pédé de merde me la viande.
LANCE *(pesant la poudre)* : On devrait les tuer, merde, mec. Pas de procès, pas de jury. Exécuté direct... L'enculé.
VINCENT : Qu'est-ce qu'est plus dégonflé que niquer la voiture d'un mec ? Quoi, merde, *ça se fait pas de viander* la bagnole d'un mec.
LANCE : Ça se fait pas.
VINCENT : C'est contre les règles.
(Drogue et fric changent de main.)
LANCE : Merci.
VINCENT : À toi. Ça te dérange si je me shoote ici ?

À ce stade de sa carrière, Travolta était quasiment incapable d'accepter un bon scénario ou d'en rejeter un mauvais. Déjà à l'époque, il en voyait lui-même l'ironie. « Je disais à Quentin : "Non. Je vais faire *Allô Maman, c'est encore moi 4*. Celui dans lequel les chaises parlent." » Quand, le lendemain, je l'ai interrogé sur la longue liste de rôles qu'il avait eu tort de refuser, Travolta cita *Arthur* et *Splash* avant de lâcher *Le Prince de New York* et *Midnight Express* ; sans compter qu'il avait platement rejeté *Officier et Gentleman* et *American Gigolo*. Travolta est quelqu'un de réfléchi et de cohérent, mais il est également obtus et prompt à passer à côté des choses...

La conversation se porta sur *Get Shorty*. (Il venait à peine de terminer un projet intermédiaire, *White Man*, un drame sur le clivage racial, produit par le compagnon d'écurie de Tarantino, Lawrence Bender.) Je dis ce que je pensais : à savoir qu'Elmore Leonard était l'un des plus grands écrivains populaires de tous les temps ; que *Get Shorty* était un chef-d'œuvre ; et que la mère de Travolta (en collaboration serrée avec son agent) n'aurait pu lui dénicher un meilleur rôle que celui de Chili Palmer, le requin de Miami qui refourgue des crédits aux gens et a de grandes idées sur comment faire des films.

« D'abord, je l'ai refusé.

— Vous avez fait *quoi* ?

— Je l'ai refusé. Puis Quentin m'a appelé et il a dit (la voix de Travolta se transforme en un murmure enjôleur) : "Un rôle comme ça, ça ne se refuse pas. On l'accepte tout de suite. Je ne vais pas te laisser commettre cette erreur-là."

— Je vois que vous avez perdu du poids pour Chili.

— C'était le souhait de Quentin. Il a dit : "Perds dans les huit kilos." J'ai perdu exactement huit kilos. »

En écrivant *Pulp Fiction*, Tarantino dut comprendre instinctivement que Travolta ne pourrait jamais faire un comeback dans le sens habituel du terme. Sa renaissance devait être une réinvention, et une parodie. Le gracieux mais instable (émotionnellement) poulain américain – Tony/ Danny/ Bud – ne pouvait revenir qu'en transporteur à bajoues et puant la corruption à plein nez. C'est pourquoi la scène de danse avec Uma Thurman est cruciale : c'est un coup de théâtre postmoderne, qui requiert la connivence malicieuse du public. Chaque spectateur sait ce que Travolta peut faire sur la piste de danse. Contempler ses girations shootées, c'est voir un Picasso vieillissant dessinant un personnage bâton. « Stephanie, demande Tony Manero sur un ton suppliant dans *Saturday Night Fever*, je veux te demander quelque chose, d'ac ? Tu trouves que je suis intéressant… intelligent ? » Tarantino fournit la réponse cruelle – et contemporaine – à cette vieille quête yankee. Tout ce que Vincent sait faire, après trois années passées en Europe, c'est commander un big mac en français.

Pourtant, le but premier de Tarantino était simplement de faire en sorte que Travolta se retrouve devant la caméra avec un dialogue digne d'être récité. Et voilà : nous découvrons que le talent est toujours là, intact, entier : concentration, timing, fluidité, esprit. Pour préparer son rôle, Travolta est allé trouver non pas des exécutants de la pègre mais des héroïnomanes. Chez eux, il a trouvé la crainte de la pleine conscience – la peur de cette intelligence que Tony/Danny/Bud aimait espérer qu'elle lui viendrait un jour. À partir de là, chez Vincent, tout est dans un infime tressaillement, un roulement des yeux morts.

« Pauline Kael a dit que vous aviez le "don de la transparence". Que croyez-vous qu'elle voulait dire ?

— Il ne faut pas grand-chose pour exprimer une idée. Je passe mon temps à convaincre mes metteurs en scène de ne pas m'obliger à surjouer. Moi, je dis : "Vous ne le verrez pas sur le plateau. Vous le verrez dans la salle de montage." »

Et d'ajouter, avec une emphase plus tranquille que ne le suggèrent mes italiques : « J'ai la capacité d'être *ça*, et *ça se verra.* »

Le pitch de *Get Shorty* est formidable. Si Hollywood regorge de tricheurs, de menteurs, d'arnaqueurs et de fraudeurs – si les films sont faits par des escrocs –, pourquoi un escroc ne pourrait-il faire un film ? Chili Palmer, ex-fanfaron et triqueur de la pègre, un Shylock qui prête à 150 %, va récupérer une dette à Hollywood, et y reste. Les pratiques commerciales lui paraissent familières même s'il devine, que, roublard ou pas, il doit apprendre à maîtriser certaines subtilités.

> On ne prend plus un « rendez-vous », on dit qu'on a un « 14 h 30 à Tower ». Si un studio fait circuler un scénario, on ne dit pas « ils ont pris un Pasadena » : l'expression est passée de mode avant d'avoir été en vogue. Comme « Untel est un as du réseau ». Il faut apprendre des tas de termes, pas comme dans le business de Shylock où il suffisait de savoir dire : « File-moi ce putain de fric. »

La plupart du temps, sur les plateaux, le journaliste invité poireaute pendant six heures, et quand, enfin, les caméras tournent, tout ce à quoi il a droit, c'est un figurant nouant ses lacets. Mais Travolta fut courtois comme toujours. J'arrivai à temps au parking à étages de l'aéroport de Los Angeles pour assister à plusieurs prises d'une séquence d'action amusante, dynamique et essentielle : Chili Palmer brocarde, tabasse et finalement se lie d'amitié avec l'« Ours », un crétin menaçant (ex-cascadeur). En veste de jockey et mocassins (« l'idée qu'un gars de la rue se fait de *GQ* », Travolta prit-il soin d'ajouter), il arborait un rictus compatissant qui rappelait Jack Nicholson dans *Chinatown* – le rictus qui dit : « T'es encore plus con que tu crois que je crois que tu l'es. » Les deux acteurs répètent. Coup de pied, coup de poing, genou au visage, et l'Ours se retrouve à terre. Chili se penche sur lui et demande :

« Tu as joué dans combien de films ?
— Une soixantaine.
— Raconte pas de conneries. Cite-moi des titres.
— *Saturday Night Fever* », invente l'Ours.

Sur le plateau, Travolta est innocemment royal. Un prince qui se mêle à ses sujets. Auréolé de la finition grand teint (maquillage léger) de la starité intransigeante, il provoque l'hystérie où qu'il aille. (Tarantino : « J'ai marché dans la rue avec des grandes stars, OK ? Mais avec John Travolta, je ne peux pas faire *deux pas*. Même les automobilistes s'arrêtent. Les gens tombent littéralement sur lui. ») La veille, un assistant de production a averti les figurants qu'ils seraient virés s'ils continuaient de lui demander des autographes. « Non, non. Vous ne serez *pas* virés », le contredit Travolta, et il continua de signer. Aujourd'hui, quand j'arrive, il va me chercher un cappuccino, alors qu'il est confronté à une nouvelle fournée de paparazzis ; puis je m'assois à côté de lui (la maquilleuse s'occupe d'imperfections subatomiques) sur un fauteuil de réalisateur. Stop : non, pas *un* fauteuil de réalisateur. *Le* fauteuil du réalisateur, le fauteuil de Barry Sonnenfeld.

« Comment se fait-il que vous soyez la star du *peuple* ? Ça ne vient certainement pas de votre niveau de vie. Ils vous aiment comme si vous viviez encore avec vos frères et sœurs à Englewood, New Jersey.

— Ça marche dans le sens inverse. Vous savez… le rêve américain, vivre son rêve. Ils *ne veulent pas* que vous soyez humble. »

Vingt minutes plus tard, j'apprends quelque chose – quelque chose de complètement ridicule – sur le fait de ne pas être humble. En public, Travolta est poli, attentionné, voire courtois à l'ancienne mode. Toutefois, il ne commet pas l'erreur de la star dans *Get Shorty*, qui, d'après Chili, « voulait faire croire aux gens qu'il était un type comme un autre, mais avait trop l'habitude d'être qui il était pour y réussir ». On ne peut pas être à la fois une star de cinéma et un gars ordinaire. On ne peut être une star de cinéma et en même temps ne pas être une star de cinéma.

Une voiture avec chauffeur approche. J'imagine qu'on va nous conduire jusqu'à la caravane de Travolta (pour nous épargner de faire trois minutes de marche à pied). En réalité, on va nous conduire à *l'ascenseur*, à trente secondes à pied. En chemin, nous dépassons l'Ours. Travolta demande au chauffeur de s'arrêter et baisse sa vitre. Gentiment et, me semble-t-il, sans la moindre ironie, il demande à cette force de la nature s'il veut qu'on l'« emmène en voiture ». L'Ours répond qu'il se débrouille, pas de problème. Nous atteignons notre destination et descendons de voiture. Au moment où s'ouvrent les portes de l'ascenseur, nous sommes rejoints par deux membres de l'équipe. Et l'Ours.

Je lui confie : « John, je me retrouve dans une position délicate. » En me facilitant les choses, Travolta me les a rendues difficiles. Cela fait vingt ans que, bon an mal an, j'interviewe des célébrités. Et je dois avouer que je n'ai jamais interviewé quelqu'un de plus généreux que Travolta : généreux avec son temps, sa sollicitude. Quand, il y a des années, je suis venu à Los Angeles interviewer Brian De Palma, ça s'était passé différemment. Je suis arrivé comme prévu sur le plateau, et il a annulé. Hollywood était *censé* fonctionner de cette manière. (J'étais ravi. L'article s'était écrit tout seul.) J'expliquai à Travolta : « Un journaliste n'a pas envie de découvrir que John Travolta est un chic type. Ça ne fait pas une bonne histoire.

— Ce qu'on écrit sur moi est l'une des choses que je ne peux pas contrôler. Alors, je me suis dit que j'allais faire le maximum de mon côté, et puis on verrait bien. »

Était-ce ça, le postmodernisme ? Et le « contrôle » : était-ce la scientologie ? Nous avions abordé le sujet la veille, au cours de notre second dîner ensemble. Dans la version de John Travolta, du moins, la scientologie paraissait le contraire de suspecte, fade, voire ennuyeuse : autogestion par un réseau de potes, et un accent mis sur la thérapie de groupe (mais en s'appuyant sur la médecine moderne). Certains sont attirés par la religion (la scientologie est désormais officiellement une religion, déduction d'impôts comprise) moins en raison d'une quelconque quête de Dieu qu'en raison du besoin qu'ils ressentent d'appartenir à un groupe de soutien. En lisant Nirad Chaudhuri, on découvre que l'hindouisme, par exemple, est tout à fait terre à terre : comportez-vous bien à l'égard de cette vache, et vous prendrez l'avantage sur votre voisin. De par sa doctrine, la scientologie est une école de survie. Elle vous apprend à payer votre loyer et à ne pas devenir fou. « Sans elle, avance Travolta, je n'aurais pas fait plus long feu que John Belushi. » Comme on dit : du moment que ça marche.

La caravane de la star est une version luxe de l'abri de Buddy dans *Urban Cowboy* : moquette épaisse, four à micro-ondes, magnétoscope. Pizza, thé glacé. Sur invitation de ma part, Travolta raconte l'histoire de son atterrissage forcé à l'aéroport national de Washington, aux manettes de son Gulfstream avec femme et enfant à bord.

« J'ai eu l'équivalent de sept pannes… des pannes contagieuses. » La conversation devient technique : son

« correcteur de transducteur » ne fonctionnait plus. « J'ai demandé à atterrir d'urgence à la radio. Puis, *tout* s'est détraqué. J'avais un seul gyro. Plus de volets. Plus d'inverseurs de poussée. Quand je pilote, j'entre vraiment dans le domaine de l'objectivité, là-haut. Cette fois-là, je me suis aperçu que j'étais très calme. À l'école de pilotage, on vous met dans ce qu'on appelle un "cockpit noir". J'avais donc l'impression d'avoir déjà vécu ce genre de crise. »

L'anecdote m'apparaît être une bonne métaphore de la carrière de Travolta. Le décollage, l'altitude phénoménale, les pannes contagieuses, le cockpit noir, l'atterrissage à tâtons mais en fin de compte triomphal. D'un air nonchalant, Travolta m'informe qu'on vient de lui offrir 8 millions de dollars (deux fois son tarif du moment) pour un premier rôle dans un film avec Sharon Stone – « Il y a une heure. » Sharon Stone ? Ici à Hollywood, on peut disparaître dans deux directions. Mon instinct paternel clignote. Tony, Danny et Bud requéraient tous d'être paternés. La douceur perplexe du sourire du jeune Travolta, je la crois sincère, et durable. Travolta est aussi un battant hors norme qui a appris le calme. Mais il a besoin d'être guidé ; oui, son transducteur a besoin d'être rectifié. Bien sûr, à l'heure qu'il est, je serais tout prêt à proposer mon guidage à John – quelques conseils d'orientation. Mais je les offrirai plutôt à Quentin Tarantino. Tout ira bien. Seulement, ne lâchez pas Travolta d'un pouce.

The New Yorker, 1995

Post-scriptum. La renaissance de Travolta, en fin de compte, manqua de souffle. Son dernier bon film fut

Primary Colors (1998), dans lequel il nous régala avec son interprétation de Bill Clinton (un mélange d'adorable grand frère et de molosse charismatique). Depuis, seul le retour d'Elmore Leonard et de Chili Palmer dans *Be Cool* (2005) lui permit de briller une dernière fois. Dommage. Mais quelle importance cela peut-il avoir comparé à la mort de Jett Travolta en 2009 (une attaque, liée à son autisme). Jett avait seize ans.

Pornoland : « Les foufounes, c'est des conneries »

1. Les foufounes, c'est des conneries

Les foufounes, c'est des conneries. Ne vous laissez jamais convaincre du contraire.

Je dis à John Stagliano, à qui l'on doit *Buttman*[1] : « Je voudrais savoir quelque chose… » Au sortir de sa villa porno (nous nous tenions sur son patio porno devant sa piscine porno). Malibu, Californie. Au bas de la pente, de l'autre côté de la route : l'océan Pacifique ; les Stagliano n'ont pas accès à son rivage porno. Mais, le soir, ils peuvent contempler le coucher du soleil porno avec ses roses, mauves et orange sanguine pornos, puis s'attarder un moment, qui sait, sous la lune porno. « Je voudrais savoir… Comment expliquez-vous l'importance, pas seulement dans votre travail mais aussi dans la profession en général, comment expliquez-vous l'accent véritablement incroyable qui est mis sur le sexe anal ? » Après une pause infime et un infime haussement d'épaule, Stagliano répond : « Les foufounes, c'est des conneries. »

1. *Butt* : « fesses ». *(N.d.T.)*

John suivait là *stricto sensu* la définition du dictionnaire. « Conneries » : inepties destinées à tromper. Brodant sur « vaginal », Stagliano élabora : voilà, vous avez une gonzesse qui s'égosille. Le spectateur vraiment perspicace (plié en deux en avant sur son canapé) doit se demander : c'est pour de vrai ? Ou c'est des conneries ?

Mais avec « anal », l'actrice doit exprimer une réaction d'un ordre différent : plus gutturale, plus animale. Comme Stagliano exprime ça, de façon un tantinet surannée mais brillamment : « Sa personnalité ressort ! » (Or c'est sa personnalité, après tout, n'est-ce pas, que le spectateur de porno meurt d'envie de découvrir ?) Stagliano poursuit : « On a besoin de mecs qui peuvent vraiment bien baiser et donner l'impression que les filles sont plus… viriles. » Plus viriles, à savoir : plus masculines ; ici encore, Stagliano est dans la droite ligne du *King's English*. On veut que les filles montrent « leur testostérone ».

Le nom de Rocco Siffredi fut évoqué à maintes reprises, avec mélancolie et respect. Rocco Siffredi, l'Italien grotesquement membré, est dans le porno le roi des *buttbangers*, des *assbusters* (« casseurs de cul »).

« Rocco a plus de pouvoir dans la profession que n'importe quelle actrice », déclare Stagliano, heureux de revenir au score en faveur des gars (dans l'ensemble, les acteurs masculins sont les simples figurants du porno). « J'ai été le premier à faire tourner Rocco. Ensemble, on a évolué vers le hard. Il s'est mis à cracher sur ses partenaires. Un truc très mâle dominant, les femmes sont poussées dans leurs derniers retranchements. On dirait de la violence mais non. Je veux dire… le plaisir et la douleur, c'est kif kif, non ? Rocco est poussé par le marché.

Ce qui fonctionne dans le marché d'aujourd'hui, c'est le *réel.* »

Les trous du cul, ça, c'est du réel. Mais les foufounes, c'est des conneries.

2. Bush et Gore

À l'heure actuelle, il existe aux États-Unis deux types de pornographie dans le courant dominant : *Features* et Gonzo.

Les *Features* sont des films de cul avec un semblant de trame : décor, scénario, personnages. « On ne montre pas seulement des gens en train de baiser, explique un cadre *Features*. On montre *pourquoi* ils baisent. » Ces films sont censés être destinés au marché « Couples ». Il paraît que ceux-ci veulent savoir *pourquoi* les gens baisent. Je peux fournir à ces couples une réponse succincte valable dans tous les cas : pour le fric.

Dans *Flashpoint* (*Point Chaud*, Wicked Pictures), par exemple, un peloton de stars du porno sont habillées en pompiers. Le premier plan nous montre lesdites stars du porno glisser le long de la barre puis grimper dans le camion rouge vif. Une voiture explose, un collègue (pas une star du porno mais un figurant sur le retour) tombe au front, dans l'exercice de ses fonctions. S'ensuit une cérémonie funèbre follement barbante, y compris le *Notre Père* dans son intégralité et le lent et solennel enroulement, par une star du porno, du drapeau américain. La star du porno Jenna se lamente sur le sort du figurant mort au combat. De retour de l'enterrement, elle se retrouve seule avec une star masculine du porno habillée en soldat du feu. Comme il a la gentillesse de chercher à soulager son chagrin, en échange, elle lui offre une fellation, plus une pénétration. La prochaine scène de sexe, environ un millénaire plus tard, est également un exemple de soutien aux parents des victimes. Une star masculine du porno réconforte deux stars féminines du porno, dont une par pénétration anale…

Au bout d'un moment, on commence à se dire que les stars du porno, même si elles jouent comme des pieds, ont un talent fou : faire tout ça en ne se départant jamais de leur sérieux. Il est vrai que le manque d'humour universel et institutionnalisé est la sève même du porno.

Des films comme *Point chaud* sont envoyés dans les magasins de location de bandes vidéo. Dans la version soft, le contenu hard est délicatement dissimulé par un objet qui traîne par là : casque de pompier, botte de pompier… C'est cette version soft qui est vendue au câble, aux hôtels franchisés et ainsi de suite. Les *Features* doivent l'humiliante fatuité de leurs conventions à un ancien précédent juridique, le « Miller Test ». Miller v. California (1973) établit qu'un film cochon était obscène s'il était « dans son ensemble » dénué de « valeur » sociale, littéraire, artistique, politique ou scientifique. En termes juridiques, l'élément-clé ici est, cela va de soi : « dans son ensemble ». Des millions de dollars ont été dépensés pour cerner sa définition.

Flanqué d'une femme aussi sérieuse et active que Hillary, Bill Clinton n'aurait jamais pu être un véritable copain du porno mais, en gros, il le laissa tranquille sous couvert de Premier Amendement – contrairement à ses deux prédécesseurs, qui avaient systématiquement harcelé la profession à coups de confiscations, poursuites judiciaires, amendes et peines d'emprisonnement. En outre, on peut imaginer que le porno ne s'est jamais senti plus splendidement à l'abri que lorsque Clinton, au cours de son second mandat, devint : le président porno.

Aujourd'hui, le porno est crispé et se prépare à des changements. Il craignait Gore. Il avait une peur bleue de Bush. Le porno Gonzo, on l'appelle aussi : *wall-to-wall* – sol-mur : intégral… Il montre des gens baisant sans se soucier un iota de la raison pour laquelle ils baisent. Dans le Gonzo, pas de *Notre Père*, pas d'enroulage de la bannière étoilée. Les *Features* sont beaucoup plus, infiniment plus obscènes que naguère, mais le Gonzo est vraiment gonzo, à savoir outrageusement transgressif ; et son nouveau terrain de jeu, c'est la *violence*.

3. Tentatrice et Jonathan Morgan

J'ai déjeuné avec Tentatrice (*Features*). J'ai déjeuné avec Chloe (Gonzo). Et le lendemain, je suis allé voir Chloe sur le plateau de *Welcum in Chloeville* (« Bonfoutre de Chloeville »).

Mon déjeuner avec Tentatrice fut relativement calme. D'abord, la scène me rappela la fois où j'avais interviewé Penny Baker, qui avait été élue Playmate Playboy de l'année : au bout de soixante secondes, j'étais à court de questions. À l'instar de Penny, Tentatrice semblait être sur ses gardes à cause de la présence d'un cadre de sa boîte – en cette occasion Steve Orenstein de Wicked Pictures, pour qui elle joue sous contrat. Mais Tentatrice a fini par se détendre.

« Dites-moi, Tentatrice, demandai-je (après m'être excusé du côté primaire et gênant de ma question), qu'est-ce que vous *refusez* de faire ?

— Je ne fais pas l'anal. Ils veulent me forcer. Vous savez… juste un doigt ou la langue. Ou un enfoncement mini : juste le gland. Mais je refuse. Avant, je ne faisais pas les faciaux. Maintenant, je les fais. »

Faciaux : il ne s'agit pas de traitements esthétiques ou de massages des pommettes et des tempes. Mais de ce qu'on appelle indifféremment le *pop shot* (le coup de fusil) ou le *money shot* (la grande scène du deux) : l'éjaculation du mâle.

« Et qu'est-ce qui se passe quand un partenaire n'arrive pas à bander ? »

Jadis, le fiasco sexuel était la Némésis du porno. Une contre-performance pénienne traçait la ligne de démarcation entre perte et profit. Mais la situation a changé, m'indique-t-on, grâce au Viagra. Grâce auquel l'acteur se produit quarante-cinq minutes plus tard, cramoisi et avec un mal de tête carabiné. « On perd aussi une certaine dimension, explique John Stagliano. Le gars baise sans être excité ! » C'est juste « pour la galerie » – et bientôt on en revient à : les foufounes, c'est des conneries.

Autre problème avec le Viagra : le type peut avoir un problème au moment du *pop shot*, et ainsi compromettre le facial.

« Que faites-vous alors, Tentatrice ?

— On te donne une gorgée de piña colada. Tu la gardes dans la bouche puis tu la laisses… genre… *couler* tout autour de l'engin qui se trouve être dans ta bouche à ce moment-là. »

Physiquement, Tentatrice me rappelait les filles de mes amis. Pas la moindre timidité verbale mais, au niveau du look, si. Longs cheveux raides régulièrement ramenés derrière l'épaule d'un mouvement lent des mains, aucun vernissage du visage, yeux gentiment plissés, il émanait d'elle ce que le poète Philip Larkin (1922-1985) appelait la « force et l'épreuve / d'être jeune ». Je l'ai interrogée sur son parcours et elle m'en a raconté un bout. Et oui, il y avait là de la force et de la douleur (et de la jeunesse, à n'en pas douter : Tentatrice a vingt et un ans).

« Mais je ne veux pas que vous écriviez là-dessus. Et vous pourrez ne pas citer mon vrai nom... ? Je n'ai plus de relations amoureuses. Elles sont trop déstabilisantes. Je ne fais l'amour qu'à l'écran. »

Tentatrice est l'une des heureuses élues. C'est une star. Après le déjeuner, je me suis rendu à Wicked Pictures discuter avec Jonathan Morgan (acteur devenu réalisateur) dans une salle de montage informatisée où il montait son dernier *Feature*, une comédie incroyablement pas drôle, *Inside Porn* (« Au fond du porno »).

« Ah ! s'exclame-t-il. Voilà un double anal. »

Un double anal : à ne pas confondre avec une DP (double pénétration : anale et vaginale simultanées grâce à la présence de deux hommes). Un double anal est un double anal. Il existe aussi des triples anaux.

« Les filles sont cataloguées A, B et C, explique Jonathan. Le nom des filles A figure sur le boîtier. C'est elles qui ont le pouvoir. Alors elles arrivent en retard ou pas du tout. 99,9 % font ça. » Avec un geste en direction de l'écran : « Ça, c'est une borderline A/B qui fait un double anal. Les réalisateurs s'en souviendront. Elle va recevoir des coups de fil. Pour un double anal, généralement, c'est une B ou une C. Elles doivent accepter de faire les trucs cochons, sinon, elles n'auront pas de coup de fil. Elle a un gamin, elle a des vergetures... alors, elle se retrouve là à faire un double anal.

« Il y a des filles qui sont usées au bout de... neuf mois, un an. Une fille de dix-huit ans, mignonne... elle signe avec une agence, elle tourne cinq films dans sa première semaine. Cinq réalisateurs, cinq acteurs, cinq fois cinq : elle reçoit des coups de fil. Cent films en quatre mois. Très vite, c'est plus une nouvelle. Son tarif baisse, elle ne reçoit plus de coups de fil. Après, c'est : "Bon, tu acceptes de faire de l'anal ? Et les tournantes ?" Après ça, elle est usée. Plus un seul coup de fil. Les forces du marché, dans cette branche, les usent hyper vite. Ça les tarit. »

J'ai remercié Jonathan pour sa franchise. Mais il n'a pas été aussi franc que Chloe. Que j'ai à nouveau croisée dans le lobby de mon hôtel ; je l'ai accompagnée jusqu'à sa Mustang.

« Vous voyez ça ? »

La plaque d'immatriculation : STR82NL.

« *Straight to anal...* » Anal direct, traduit Chloe.

Et ce n'était qu'un début.

Chloe était gonzo. Elle m'a donné le vrai du vrai.

4. Productions extrêmes : Max Hardcore et Khan Tusion

On apprend ce qui suit dans un unique numéro d'*Adult Video News* (avril 2000).

Au mois d'octobre, au Mexique, pendant le Séjour XXXtrême pour Adultes seuls, la star du porno Vivian Valentine arborait l'œil au beurre noir récolté dans *Rough*

Sex (« Sexe brusque », Anabolic Video). « Je n'éprouve aucun regret, aucun ressentiment », a déclaré Vivian.

Regan Starr, qui a joué dans le deuxième film de la série, *Rough Sex 2* (« Sexe brusque 2 »), ne voit pas les choses du même œil. « Je me suis fait tabasser. Avant la vidéo, on m'a dit… et ils n'étaient pas peu fiers de le dire, en plus… que dans ces films, la plupart des filles chialent, ça fait tellement mal… Je n'arrivais plus à respirer. On me battait et on m'étouffait à la fois. J'étais vraiment hors de moi, mais ils n'arrêtaient pas. Ils continuaient de filmer. On m'entend dire : "Arrêtez cette putain de caméra", mais ils ont continué. » Le réalisateur de la série *Rough Sex* (la série a été interrompue par la suite), alias Khan Tusion, proteste de son innocence. « Regan Starr, prétend Tusion, déforme complètement la réalité. »

Si vous n'aimez pas Khan Tusion, vous n'aimerez pas Max Hardcore non plus. On trouve, dans la rubrique régulière *Sur le plateau* d'*AVN*, un compte rendu joyeusement scandalisé du making of de *Hollywood Hardcore 13*. Dans une scène, l'acteur-réalisateur Hardcore baise façon hard Cloey Adams, qui joue une mineure. « Si tu es une gentille fille, après, je t'emmènerai au McDonald et je t'achèterai un Happy Meal. » Sur quoi, Hardcore « lui pisse dans la bouche ». Face à la caméra, Cloey Adams demande : « Qu'est-ce que tu penses de ta petite princesse maintenant, papa ? » Hardcore n'en a pas encore fini avec elle. « Il se tourne vers l'équipe et dit calmement qu'il a besoin d'un spéculum et d'un tuyau… L'un des trucs préférés de Max, c'est d'écarter le trou de la fille avec un spéculum, de pisser dans son trou ouvert et de lui faire sucer sa pisse à l'aide d'un tuyau. C'est pas romantique ? »

Soit. Le porno américain répond aux *forces du marché*, comment pourrait-il en aller autrement ? Ce qui précède nous en dit long sur le porno. Mais qu'est-ce que ça nous dit sur l'Amérique ? Et si l'Amérique est plus un monde qu'un pays, qu'est-ce que ça nous dit sur le monde ?

• En moyenne, un Américain passe quatre heures cinquante minutes par jour devant un écran à regarder du porno (vidéos et Internet confondus).

• En moyenne, le budget porno d'un Américain non propriétaire est supérieur à son budget location.

• Le porno représente 43,5 % du Produit national brut des États-Unis.

Comme les foufounes, ces statistiques-là, c'est des conneries. Je les ai inventées. Mais les chiffres véritables sont tout aussi dingues, tout aussi vertigineux, ils crèvent tous les plafonds. Ce qui suit, par contre, ce ne sont pas des conneries :

• Le porno représente une bien plus grosse part de marché que le rock ou que Hollywood.

• Les Américains dépensent plus dans les clubs de striptease qu'au théâtre, à l'opéra, au ballet, aux concerts (jazz et classique confondus).

• En 1975, la valeur marchande globale de tout le porno hardcore en Amérique était estimé à 5-10 millions de dollars. L'année dernière, les Américains ont dépensé 8 milliards de dollars en sexe monnayé.

Quoi que soit le porno, quoi qu'il fasse, on peut le regretter, mais pas l'éliminer. Pour paraphraser Falstaff : Bannissez le porno, et vous bannirez la Terre entière.

5. Chloe

« J'ai de l'herpès, déclare Chloe en me conduisant dans un bar fumeurs. Quand on a été dans le circuit pendant un certain temps, c'est forcé d'avoir de l'herpès. Tout le monde a de l'herpès. Sur le plateau, quelquefois on demande à un type : "Qu'est-ce que c'est, ça ?" Et il répond : "Qu'est-ce que c'est ça, quoi ? Cette marque ? C'est parce que je baise trop." Et c'est possible, avec tous ces va-et-vient… Mais, plus probablement, c'est de l'herpès, et ce type devrait pas travailler. Mes films sont tout-capote, mais les capotes vous protègent pas de l'herpès. Elles ne couvrent pas la base. Parfois, quand on fait un truc fille-fille, on dit : "Chérie, je crois que tu devrais aller consulter." Ça peut vraiment schlinguer en bas là-dedans. Je l'envoie chez un docteur *porno-friendly* (les autres vous traitent comme de la merde) et elle en sort avec une ordonnance de Flagyl. Renouvelable *ad vitam aeternam.* »

Chloe a vingt-six ans. Enfant et adolescente, elle a fait de la danse classique, pendant dix ans ; à dix-sept ans, elle a commencé à se droguer, elle prenait surtout du speed (« Je baisais pendant genre *soixante-douze heures* ») ; à vingt ans, elle est passée à l'héroïne et travaillait déjà dans la branche, puis elle a arrêté, il y a plus de deux ans. Chloe a de jolis cheveux roux clair et un air chaleureux, intelligent. Elle a un physique de ballerine : de bonnes jambes, un dos musclé et…

« Et pas de poitrine. C'est vrai qu'il y a des boîtes de *Features* qui poussent les filles à se faire faire des implants et proposent de les leur payer. Dans le circuit [dans les boîtes de strip-tease], les filles se vantaient du cubage de leurs faux seins. "Moi je fais du 840S." "Moi du 1220S." Un jour, l'une d'elles m'a dit : "Fais-toi faire des seins ou tu feras que sucer." Je préfère sucer. Vraiment. »

Si l'on veut être une star du porno, de quoi a-t-on besoin ? Ça me semble très clair, maintenant. Il faut être exhibitionniste. Il faut avoir une libido exceptionnelle. Il faut avoir la *nostalgie de la boue** (un goût infantile – et même carrément de nourrisson – pour les fonctions corporelles et les excréments). Sans doute faut-il avoir été cabossé par la vie. Et manquer d'humour. Chloe ne manque pas d'humour. Quand elle me parlait, elle était comme quelqu'un qui aurait regardé par-dessus la barrière marquant la démarcation entre deux mondes, et m'aurait raconté des histoires sur l'autre côté.

« J'*aime* qu'on me pisse dessus. J'aime qu'on me crache dessus : on dirait du sperme sur ma poitrine. J'aime étouffer. J'aime le fist-fucking. Mais ici, la règle, c'est "sans le pouce". On peut avoir trente-six doigts dans le c... Mais pas le pouce. » Elle rit, avant de reprendre : « Pour le vaginal, j'aime bien les queues épaisses. Et il y a des gars qui... (Chloe saisit l'épaisse base d'un verre à eau sur la table)... qui en ont des comme ça. Pour l'anal, je les préfère longues et fines.

— Donc, quand vous faites une DP, vous en prenez une épaisse et une fine...

— Ouais... ou plutôt non. Quand j'y réfléchis, dit-elle gaiement, j'en prends deux épaisses. J'aime me sentir *pleine*. Vous savez... j'ai fait mon premier anal pour 200 dollars... Pas croyable.

— Et, aujourd'hui, quels sont vos tarifs, Chloe ?

— Dans le Gonzo, on n'est pas payée au film, mais à la scène. Donc, fille-fille : 700, plus 100 par jouet anal. Gars-fille : 900. Anal : 1 100. Solo [rare] : 500. DP : 1 500.

Je ne fais pas le fist-fucking anal ou le double anal. Les gens s'étonnent que je puisse garder mon titre de Reine de l'Anal de L.A. sans faire de double anal. Mais, pour de vrai, je n'ai jamais cédé. »

Comme environ 10 % (son estimation) des *porno girls*, Chloe a l'approbation de ses parents (tout comme Tentatrice). En fait, les tuteurs de Chloe sont gonzo. Récemment, elle a tourné un film près de chez eux et son beau-père (qui s'est néanmoins absenté pendant le tournage des scènes de sa belle-fille) « était genre… préposé aux serviettes ». Et, deux fois en deux ans, la mère de Chloe est sortie de la cérémonie des *AVN* Awards en brandissant le trophée Meilleure Anale de sa fille au-dessus des têtes du public.

Après le déjeuner, nous nous sommes rendus chez Chloe : grilles à l'entrée, une atmosphère motel de deux étages, un appartement modeste, confortable, bien rangé, avec une jolie chatte noire qui répond au nom porno de Sirène. Chloe pense que certaines *porno girls* choisissent leur nom de scène en regardant les panneaux par la fenêtre de leur voiture : Laurel Canyon, Chandler, Cherry Mirage.

Chloe m'a longuement entretenu de sa vie amoureuse. En ce moment, elle est partagée entre Chris, musicien de rock (basse) qui la néglige, et le très attentionné Artie, un collègue de boulot. Elle a l'impression que Chris aime sortir avec elle parce que, pour une rock star, ça fait bien, d'avoir une petite amie star du porno. Chris, je crois, connaît l'existence d'Artie. Mais Artie ne connaît pas l'existence de Chris.

« Artie, quand il vient me voir et que j'en ai vraiment envie, souvent il dit : “Non, je ne peux pas. Je fais deux scènes demain.”

— Est-ce que, en ce qui concerne le sexe privé, vous avez l'impression qu'il se produit une sorte de mélange des genres dans votre tête ?

— Oh, ouais. Je me surprends à penser : *Merde. Je devrais être payée pour ça.* Ou : *Merde. Si seulement j'avais une caméra.*

— Je ferais peut-être mieux de ne pas mentionner Chris et Artie.

— Vous gênez pas. Ils seront bientôt de l'histoire ancienne. Chez nous, ça ne dure jamais. »

Chloe était inoubliable. Je n'oublierai pas la façon dont elle a dit (avec une certitude dolente) : « Nous sommes des prostituées… Avec quelques différences. On choisit nos partenaires, et ils ont fait le test du sida… un proxénète ne fera jamais ça pour toi. Mais nous sommes bien des prostituées : nous échangeons du sexe contre de l'argent.

— Vous avez manifestement réfléchi à la question.

— J'ai regardé dans le dictionnaire et c'est ce qui est écrit. »

En termes étymologiques, la *pornographie*, c'est ce que *moi* je fais : j'écris sur des putes.

Je reverrai Chloe sur le plateau demain matin. Quelle scène est au programme ? Fille gonzo – gars – fille anale.

6. Mister Monster

Vers la fin de *Rabbit en paix*, John Updike écrit ceci :

> Rabbit songe à ajouter 5,50 dollars à son forfait pour regarder un film intitulé *Ménagères en chaleur*… Le problème avec ces films softcore d'hôtel, c'est que, au cas

> où un gamin de quatre ans flanqué de parents avocats appuierait sur tous les bons boutons, ils montrent des nénés, des fesses et même un peu de poils pubiens mais pas de vraies foufounes et pas de queues, ni bandées ni au repos. C'est très frustrant. Or il se trouve que nous voulons des queues, on a besoin de les voir. Peut-être sommes-nous tous pédés, et toute sa vie a-t-il été amoureux de Ronnie Harrison.

Ou, comme un ami me présenterait les choses un peu plus tard dans la même semaine : « Ça ne fonctionne pas sans Mister Monster. Il *faut* avoir Mister Monster. »

Vraiment ? Un jour, Gore Vidal a dit que le seul danger de la pornographie, c'est qu'elle vous donne envie d'en regarder davantage ; voire de ne rien faire d'autre que regarder de la pornographie. J'ajouterais qu'il en existe un autre. Visionnant des exemples de quelques films extrêmes sur le magnétoscope de ma chambre d'hôtel, j'avais une inquiétude. J'avais peur de me mettre à aimer ça. Le porno satisfait le pervers polymorphe : le chaos quasi infini du désir. Si vous avez en vous une perversité quelconque, tôt ou tard le porno la dénichera. Mieux vaut espérer que ça n'arrive pas quand vous êtes en train de regarder un film sur un éleveur de porcs coprophage ou sur un croque-mort. Cette semaine-là, à Los Angeles, j'ai découvert ce que je n'aimais pas. Je n'aime pas Mister Monster.

Tout en haut des collines en vrac de Hollywood Hills, je frayais avec Andrew Blake, le Truffaut du porno, et deux filles d'une beauté incroyable, vêtues de sous-vêtements incroyablement onéreux (et des talons de vingt centimètres). À proprement parler, Blake fait du Gonzo : pas de scénario, pas de trame, et les acteurs jouent avec la caméra. Mais Blake se veut avant tout « haut de gamme ». Ses actrices ont l'air de mannequins voluptueuses, il les flatte et les glorifie à l'écran, à l'aide d'huiles, de crèmes, de soieries, de cordelettes, de rubans, d'étoffes.

« J'ai engagé Monica parce qu'elle a de très beaux seins, expliqua-t-il, et c'est sur quoi on va se concentrer. C'est la première fois que je travaille avec Adriana mais elle a l'air d'être… un vrai phénomène. »

Ours mal léché, laconique, direct et, cela va de soi, dépourvu de tout sens de l'humour, Blake vaque à ses occupations.

« Glisse la main dans sa culotte… Et peut-être un téton sort, on montre un téton ? Écrase-les, caresse-les, va jusqu'au bout avec eux… Essaie d'ouvrir les jambes. Genre : taquine la culotte… Souris pas trop. Genre, reste toi-même… Donc, le soutien-gorge est prêt à sauter ? Embrasse le mam… cambre le cul un peu plus… Croise et décroise les jambes. Montre une partie de ton con… Ah, maintenant, la culotte saute… »

Voyez-moi ça. Un pubis platoniquement parfait, vêtu de rien d'autre que la dernière coiffure à la mode, crête iroquoise minimaliste.

« Ça doit être une rude journée pour vous, me dit la maquilleuse gentiment. Mais quelqu'un doit s'y coller, non ? »

Sa remarque m'amena à analyser mon ressenti sur mon échelle plaisir/déplaisir. Je dois admettre que j'étais soumis à une forte quoique furtive sensation d'assimilation esthétique. Cependant, mon instinct sollicité n'était pas sexuel, plutôt protecteur. Adriana était en tenue d'Ève devant moi et elle avait vingt ans. Et la dernière chose que j'avais envie de voir débarquer à ce moment-là, c'était Mister Monster.

Dehors, pendant la pause, Blake dit dans son style plat, déclaratif : « Moi j'aime regarder les femmes. Rien de ces trucs… la pisse dans la bouche, le fist-fucking… Je n'ai jamais eu de problèmes avec la loi. Nous attendons l'élection. La bulle SM va exploser. »

7. Permis de travail

Une « rude » journée pour moi, donc, et l'on pouvait dire la même chose pour Adriana et Monica. Elles n'étaient pas tapées par Khan Tusion et Max Hardcore ne leur pissait pas dessus. Mais n'étaient-elles pas « usées » ?

Quand vous êtes acteur porno, votre dernier test HIV est votre permis de travail. Il y a deux ans, l'acteur Marc Wallice a commencé à cultiver le flou côté documents officiels. Il allait à un centre médical à l'extérieur de la ville et ses résultats paraissaient truqués. Au moment où le pot aux roses fut découvert, sa maladie était déjà fulminante. Il a contaminé six actrices.

« Le test que nous faisons, c'est que pour le sida, déclare Chloe. Nous avons réussi à le contenir dans le métier mais… et toutes les autres maladies ? Vous savez que, maintenant, on en est à l'hépatite G ?

« Il faudrait avoir au moins vingt et un ans avant de commencer dans cette branche. Il faudrait connaître son corps, le comprendre. Mais ça éliminerait la moitié de la San Fernando Valley. Les dix-huit ans font la queue. »

Aucun doute là-dessus : *Apprenties cracras*, *Novices polissonnes*, *Les Dégueubutantes*. Des actrices décrites comme « tout juste majeures » ont en effet tout juste dix-huit ans.

L'une des actrices contaminées par Marc Wallice (aujourd'hui, il est dans un état tel que personne ne songe à lui faire un procès) est Mme John Stagliano. Son mari, le pionnier du Gonzo, est séropositif (il a attrapé le virus pendant son temps libre, dans un bordel de Rio). Stagliano a amassé une fortune moyenne, dans un business où, contrairement à la croyance populaire, pas grand monde ne fait fortune. Mais je pense souvent aux Stagliano, au bord de leur piscine, regardant un océan auquel ils n'ont pas accès.

8. Fille Gonzo – Gars – Fille

Chloe tourne dans une location de Dolorosa Drive : Pain Street (rue de la Douleur).

La maison porno, les poissons pornos dans l'aquarium porno (ils ont des couleurs pornos : jaune, mauve, sanguine), le poste de télé porno (gros comme un double réfrigérateur), la terrasse porno, la piscine porno, avec un canard en plastique qui y flotte. De l'autre côté de la barrière, la maison du voisin ardemment détesté qui monte régulièrement sur le toit, rempli de rage, histoire d'être assez choqué pour appeler la police.

Fille – gars – fille : les filles sont Chloe et Lola (une beauté genre amérindienne fort sympathique) ; le gars, c'est Artie (l'amant de Chloe en ville : tatoué, musclé, un début de calvitie). Ça paraît être un bon gars, sauf qu'il tient à parler avec un faux accent français. Les acteurs de porno adorent les voix décalées, les expressions amusantes. Scientifiques allemands, espions russes, experts français ; dans les *Features*, ils gardent leur accent pendant tout le film.

Il y a une équipe : le DP (pour l'instant, ça signifie Directeur de la photographie) et son ingénieur du son – on dirait de vieux bricoleurs ; un ado grassouillet qui semble être venu faire un stage d'intérêt général ; et la sœur de Chloe, Shannon, cantinière et préposée aux serviettes. Chloe criera bientôt à Shannon, « Utilise pas le phone ! » Shannon : « C'est le tél de la maison ! Il y en a genre *neuf* ! »

Artie nous abreuve de son faux accent français, puis encore un peu plus, alors que Chloe et Lola se déshabillent en vue des photos « affriolantes » qui serviront pour le boîtier. Chloe, avec qui j'ai passé cinq heures la veille, se déplace à côté de moi. Dévêtue. Cela ne la gêne pas, d'être nue. Elle *ne sait pas* qu'elle est nue.

Photos pornos près de la piscine porno. « Tu vois du rose ? Tu veux beaucoup de rose ? » « Bon, on veut de la fesse. » « Ouvertes ? La *totale* ? »

Il est à peine 10 heures du matin et je suis en proie, je m'en aperçois alors, au genre d'angoisse qui d'ordinaire précède une épreuve de catégorie moyenne. On va franchir certaines limites. Je ne devrais pas me trouver ici. Aucun d'entre nous ne devrait se trouver ici. Mais nous avons tous à y faire un boulot.

Au bout d'un quart d'heure, parlant de la récente prouesse de Lola, Chloe lança à mon intention une main en l'air, criant gaiement, d'un air triomphal (rappelez-vous que Chloe était la réalisatrice, et elle était ravie d'avoir ce genre de chose dans la boîte) : « *Ça*, c'est le genre de pompier dont je vous parlais *hier* ! »

Je titubai jusqu'au jardin avec mon carnet, riant et hochant la tête. Sur un plateau de films pornos, les gens se font des blagues, les facéties abondent et en gros on rit à gorge déployée. Mais seule une Chloe, qui est une exception, est vraiment capable d'y injecter de l'humour. On aurait dit Mel Brooks dans les *Producteurs*, quand il dit : « On le tient, notre Hitler ! »

Le genre de pompier dont Chloe me parlait hier était ce genre de pompier. On dirait que la fille souhaite passionnément – désespérément – aller chercher puis consommer à pleines dents les viscères du gars. Mais elle rencontre un obstacle. Elle ne peut le contourner. Elle doit le dévorer. « Voilà, dit Chloe, admirative, il y a des filles qui *vont jusqu'au bout.* Elles bavent, elles salivent, de la salive partout, elles étouffent, elles ont des haut-le-cœur. Moi, j'ai toujours fait de mon mieux, mais je n'y arrive pas, point final. »

Une pause, un bref répit, puis le triolisme va pouvoir commencer. Inquiet, et c'est compréhensible, Artie demande à Lola si ça la gênerait de « recharger » son érection (en y « mettant de la tête »), et Lola, avec un tendre grognement de bonne volonté collégiale, s'exécute presto. Tous trois se lancent dans la danse – avec toutes les apparences d'une passion primitive et allant crescendo.

« Étouffe-la ! » « Crache en moi ! » « Casse-moi ! Tu peux pas me casser ? Essaie ! »

« … *JE JOUIS !!!* »

Chloe poussa cette dernière exclamation comme une mère répond au cri éperdu de son enfant à l'autre extrémité de la maison. Puis, à Lola : « Étouffe-moi ! » Sur quoi, la peau de Chloe, au-dessus de la taille, se mit à rosir, et Chloe parut se pâmer…

Une autre pérambulation du jardin, une autre cigarette. « Je veux dire… le plaisir et la douleur, suggéra d'emblée John Staglione, c'est la même chose, pas vrai ? » Et j'ai pensé : *Non*. La distinction entre les deux a toujours été parfaitement claire, quoi que le « marché » puisse choisir de prétendre. Pour moi, le porno, d'essence et d'origine chauviniste, est désormais si effroyablement misogyne que le seul désir qu'il suscite en moi est celui d'être ailleurs. Où je serai d'ailleurs bientôt ; mais pas encore tout à fait.

De retour dans la chambre, la pause postcoïtale touche à sa fin. « Je veux pisser », annonce Artie.

Un instant, le DP écarquille les yeux, affolé. Il avait cru, à tort, qu'Artie voulait pisser en pleine scène sur Lola, sur Chloe. Artie disparaît. « Pisser, c'est aussi dur que jouir, reconnut le DP d'un air las. Ils sont censés pisser et ça ne vient pas. Ils vont à la douche, et puis ils reviennent en disant qu'ils peuvent. Mais non. C'est aussi dur que jouir. »

Artie revint des toilettes en traînant des pieds. « Merde, je suis vieux », marmonna-t-il en reprenant sa place sur son lieu de travail.

Eh bien, moi aussi, je suis vieux, alors j'ai envoyé un baiser à Chloe et tiré ma révérence – avant la scène anale et la grande scène du II. Shannon m'a gentiment ramené à l'hôtel. Pauvre Shannon : c'était un mauvais jour pour elle. D'abord, en faisant ses courses dans un magasin bio, elle s'était fait tomber un énorme pot de germes de blé sur le pied (elle avait boitillé toute la journée et, en voiture, avait du mal à actionner les pédales). Puis elle avait découvert que son petit ami la trompait, et avait mis un terme à leur relation. Songeant à la suspension de sa vie amoureuse, elle dit d'un air triste : « De toute façon, comparé à *ça* – le trio de Chloe –, le sexe est pas génial. »

Je comprenais ce qu'elle voulait dire, d'une certaine manière. Face à Chloe-Artie-Lola, j'avais l'impression d'être une grande timide, une vierge qu'on n'a jamais embrassée.

9. Les foufounes, c'est des conneries

Plus tard dans la journée, j'ai quitté San Fernando pour Pasadena. On m'attendait à un colloque de cinq jours à la Huntingdon Library sur « Le roman en Grande-Bretagne, 1950-2000 ». Après m'être fait prier, j'ai raconté mes récentes expériences à un aréopage de délégués. « Les foufounes, c'est des conneries », devint la blague standard du colloque.

Pour changer de philosophe, et passer de Buttman à Friedrich Nietzsche, la définition d'une plaisanterie est la suivante : « Une épitaphe sur la mort d'un sentiment. » En d'autres termes, les meilleures plaisanteries nous font toujours tomber de plus en plus bas. Il est caractéristique que l'inventeur de « les foufounes, c'est des conneries » n'ait pas eu la moindre idée qu'il était comique. Dans tous les cas, le porno est jonché – encombré – de morts des sentiments.

Chaque fois qu'une mégastar du porno ouvre un mégastore – fait la pub pour un parfum ou fait de la figuration dans une émission de variété –, les gens du porno disent que le porno est grand public, que le porno est hip, que le porno est cool. La masturbation est-elle *hip* ? Ce n'est pas *l'impression* qu'elle me donne. Et elle n'a pas *l'air* hip non plus, raison pour laquelle on ne voit guère les gens se masturber en public. Le porno ne pourrait jamais être grand public, à cause, en partie, de la nature anticonformiste de la forme. Pour que le porno devienne grand public, il faudrait que celui-ci change et abjure à jamais sa conception du ridicule.

Les gens qui font le porno : *eux* ont changé. Dans la cour de la maison de Dolorosa Drive, au cours de l'une des nombreuses pauses (le tournage d'une scène prend au moins trois heures), Chloe, Artie et Lola, nus au bord de la piscine, discutaient d'une tout récente montagne russe du nom de Desperado. Ils fumaient tous les trois. J'ai rencontré pas mal de fumeurs à Pornoland. Avec les risques qu'on court déjà dans le métier, qui se soucie d'un joint ou deux ? Après quoi : finie la fumette, on retourne au turbin. Et quand je dis turbin, je veux dire turbin. Le porno est aussi une forme *prolétarienne*. Et les gens du porno sont une cohorte besogneuse, mal rémunérée, dont, peu à peu, les membres se syndicalisent et, en gros, se soutiennent les uns les autres, s'entraident. Ils paient leur loyer avec la mort des sentiments.

Non, Chloe, vous n'êtes pas une prostituée, pas tout à fait. La prostitution est la plus vieille profession du monde ; et le porno, soumis à la loi du marché, est sans doute la plus récente. Vous ressemblez davantage à un gladiateur : un gladiateur d'aujourd'hui. Les gladiateurs étaient des esclaves – mais certains ont gagné leur liberté. Et vous, je crois, gagnerez la vôtre.

Talk, 2000

Littérature – I

Don DeLillo : lauréat de la terreur

L'Ange Esmeralda : neuf nouvelles par Don DeLillo

Quand nous disons que nous aimons un auteur – oui, même quand nous le disons la main sur le cœur –, nous mentons toujours un peu. Ce que nous voulons dire, c'est que nous aimons environ la moitié de son œuvre. Parfois un peu plus, parfois un peu moins : mais, disons, oui, environ la moitié. La gigantesque réputation de Joyce repose presque entièrement sur *Ulysse*, avec un petit coup de pouce des *Gens de Dublin*. On pourrait passer par-dessus bord les trois tentatives de Kafka dans le domaine du roman en bonne et due forme (qu'il a laissées inachevées – comme nous en laissons nous-mêmes inachevée la lecture) sans nuire à l'impact de son originalité sismique. George Eliot nous a laissé un roman lisible, qui se trouve être le roman pivot de toute la littérature anglophone. Toutes les pages de Dickens contiennent un paragraphe qui nous enchante et un autre qui nous fait fuir. Coleridge a écrit en tout et pour tout deux grands poèmes (et a collaboré à un troisième). Milton est tout entier dans le *Paradis perdu*. Même mon écrivain fétiche, Shakespeare, qui d'ordinaire échappe à toutes les généralisations, succombe à cette règle-là. Survolez les sommaires et voyez fondre votre désir de relire les comédies

(*Comme il vous plaira* n'est pas comme il nous plaît) ; et qui se pelotonnerait sur son canapé avec *Le Roi Jean* ou *Henry VI, IIIe partie* ?

Les Proustiens prétendront que, de bout en bout, on ne peut en rien améliorer la *Recherche* malgré ses insoutenables longueurs. Et les fans de Jane Austen n'admettront jamais que trois de ses six romans sont comparativement des demi-portions (*Raison et Sentiments*, *Mansfield Park* et *Persuasion*). Sans doute les seules véritables exceptions à la règle des 50 % sont-elles Homère et Harper Lee. Notre sujet, ici, est l'évaluation littéraire, tout ce que je dis n'est donc qu'affaire d'opinion, invérifiable et tout aussi infalsifiable, ce qui rend le terrain encore plus mouvant. Mais je le maintiens : je soupçonne que, hormis le sectateur ou l'universitaire, personne ne saurait ingurgiter un auteur de bout en bout. Les écrivains sont pointilleux, les lecteurs sont tatillons : ils sont ainsi, voilà tout. Désespéré, on en vient à l'observation de Kant sur le bois tordu de l'humanité ou à l'idée de John Updike, pour qui nous sommes tous des « bienfaits relatifs ». À la différence des héros et héroïnes de *L'Abbaye de Northanger*, d'*Orgueil et Préjugés* et d'*Emma*, lecteurs et écrivains ne sont pas expressément conçus pour être parfaitement adaptés les uns aux autres.

J'aime beaucoup Don DeLillo. C'est-à-dire que je vénère *End Zone* (1972), *Chien galeux* (1978), *Bruits de fond* (1985), *Libra* (1988), *Mao II* (1991) et les première et dernière parties d'*Outremonde* (1997). À mon avis, le parcours de ce talent lumineux atteignit son apogée vers la fin du millénaire, avant de se retirer en partie dans l'énigme et l'opacité. Qu'est-il donc arrivé, de ce fait, lorsque j'ai lu *L'Étoile de Ratner* (1976), *Les Noms* (1982) ou *Cosmopolis* (2003) ? On pourrait comparer les romanciers à des guides touristiques omnicompétents – qui embellissent et animent les merveilles de lieux inconnus, marchés, musées, salons de thé, caves, jardins, lieux de culte. Puis, sans crier gare, notre suave cicéron, se muant en chauffeur de taxi bavard et fripon, nous entraîne dans une série de sinistres détours (aux environs de l'aéroport, en pleine nuit). Les grands écrivains peuvent nous emmener partout ; la moitié du temps, ils nous emmènent où nous ne souhaitons pas aller.

L'Ange Esmeralda, étonnamment, est le premier recueil de nouvelles de DeLillo. Au fil de sa carrière, il a publié vingt fictions courtes, si bien qu'il s'est déjà opéré une sorte d'épuration. Le corpus, en fait, a été coupé en deux, bien que le livre, à mon œil et à mon oreille, reflète une fidèle alternance entre œuvres de premier et de second plan – entre DeLillo roman de gare et Delillo roman de salon. Les histoires sont publiées dans l'ordre chronologique, datées, en trois parties, chacune signalée par une illustration discrètement évocatrice (un panorama de la planète depuis l'espace, une fresque lourdement restaurée, un tableau représentant un cadavre spectral). Dans son ensemble, le livre est à la fois éloquent et secret, aéré et hermétique. La présentation paraît être gage d'unité, de force artistique cumulative : la promesse est tenue. Les neuf pièces, qui forment un tout considérable, constituent un ajout substantiel au corpus.

Trois nouvelles traitent de rencontres érotiques ou, du moins, en comportent, deux sont confrontées aux risques supplémentaires liés à cette sphère particulière. À moins que la sexualité soit le thème majeur d'un récit (comme dans *Lolita*, disons, ou *Portnoy et son complexe*), le lecteur aura toujours l'impression d'un écart ou d'une parenthèse. Dans la première nouvelle, *Création* (1979), le protagoniste profite du chaos d'une traversée interîles dans la Caraïbe pour s'offrir une brève liaison avec une passagère également échouée là. Le suspens temporel et géographique (« Nous prendrons le vol de 2 heures ou celui de 5 heures, suivant notre statut à ce moment-là. L'important, pour l'heure, c'est de clarifier notre statut »), la frustration, la charge sensuelle du paysage semblent conspirer pour rendre l'épisode inévitable ; mais la curiosité naïve et sans aucun doute vulgaire du lecteur (pourquoi ? et ensuite ?) est inassouvie. L'histoire est vidée de tout passé et avenir, de contexte et de conséquence.

Il y a longtemps que j'ai accepté le postulat tacite de DeLillo : à savoir que la fiction exagère le pouvoir décroissant du motif dans les affaires humaines. Exactement ; et il existe une raison pour ça. Le motif tend à procurer une certaine cohérence, or la littérature a besoin d'éléments unificateurs. *La Famélique* (l'histoire la plus récente, de 2011) tourne autour d'un retraité du nom de Leo Zhelezniak. Tous les jours, à partir de 9 heures du matin, Leo s'enferme dans les salles obscures de New York. Pourquoi ? aime à se demander son ex-épouse, Flory, avec qui il cohabite :

> Il était un ascète, d'après elle. C'était une théorie. Elle voyait dans son entreprise quelque chose de mystique et fou, un déni de soi, une pénitence…/…
> Ou bien il était un homme fuyant son passé…/…
> Était-il au cinéma pour voir un film, disait-elle, ou plus strictement, plus essentiellement, pour être au cinéma ? Il y réfléchissait.

Le lecteur souhaitera peut-être méditer sur cette question en même temps qu'à une autre (gardant à l'esprit que Leo, autrefois, a suivi un cours de philosophie) : « Si nous ne sommes pas là pour savoir ce qu'est une chose, qu'est-elle ? »

Ensuite, et sans plus de raison, Leo se focalise sur une cinéphile obsessionnelle, autre fantôme (teint pâle, émaciée, anonyme, jeune) des Quad et des Empire. Il la suit de salle en salle, la suit chez elle, la suit finalement dans les toilettes d'un multiplex (chez les DAMES), où il se libère d'un monologue de cinq cents mots, fantasque, flottant – avant qu'elle n'échappe. Dans *La Famélique* (le surnom que Leo donne à sa victime), de son propre aveu DeLillo abjure toute cause et effet (« Il n'y avait rien à savoir » ; « On ne pouvait se fier à rien qu'à l'esprit vide ») : il pénètre dans le néant de l'absence de motif. La plupart des lecteurs, je crois, trouvent ce parti-pris aride et dénué de toute valeur artistique. Tout ce que cela peut nous montrer est une représentation de la démence – la démence étant l'ennemi juré de la cohérence.

Baader-Meinhof (2002), la troisième variation sur le thème sexuel est, par contraste, une réussite faramineuse. Voici la première phrase : « Elle savait qu'il y avait quelqu'un d'autre dans la pièce. » Dans une galerie de Manhattan, la jeune femme est fascinée par « un cycle de quinze toiles » – des tableaux du défunt Andreas, de la défunte Ulrike. Le « quelqu'un d'autre » est un jeune inconnu. Ils engagent la conversation. Ils se rendent dans un snack-bar :

> Elle buvait son jus de pommes et regardait la foule passer, les visages qui paraissaient parfaitement discernables

l'espace d'une ou deux secondes, puis étaient oubliés en beaucoup moins de temps encore.

Tout à coup, on les retrouve dans son appartement, et le vernis de normalité perd vite tout son lustre. « Je sens que vous n'êtes pas prête, dit-il, et je ne veux pas précipiter les choses. Mais, tout de même… puisque nous sommes ici… » À la page suivante, il l'enlace. « [Il] portait sur elle un regard si neutre, comme s'il l'évaluait, que c'est à peine si elle le reconnaissait. » Puis nous nous retrouvons sur la Septième Avenue au milieu des visages illusoirement « discernables » des passants, de retour dans la galerie avec les esprits meurtrièrement libres Baader-Meinhof, et nous nous rappelons que la fille avait dit plus tôt que les tableaux lui faisaient comprendre « combien une personne peut se sentir perdue ».

DeLillo est le poète lauréat de la terreur, de la terreur moderne ou postmoderne, de la façon dont elle plane et miroite dans nos esprits subliminaux. Comme l'a dit Eric Hobsbawm, le terrorisme est une nouvelle sorte de pollution urbaine ; le polluant est une inquiétude insidieuse et chronique. Tel est l'air que respire DeLillo. L'identification est si forte que nous nous sentons comme disloqués lorsque, dans *L'Acrobate d'ivoire* (1988), il affronte une forme de terreur « naturelle », antédiluvienne, virginale : le tremblement de terre. Nous sommes à Athènes pendant une série de secousses racontées, avec une grande intériorité, du point de vue d'une femme (« Quelque chose avait changé fondamentalement. Le monde s'était réduit à un intérieur et à un extérieur »). L'histoire racontée expertement n'est pourtant pas urgemment delillienne. « Maintenant que la terreur s'est installée chez nous, comment vivons-nous ? » demande la vieille religieuse, sœur Edgar, dans *L'Ange Esmeralda* (publié à l'origine en 1994 et plus tard incorporé dans *Outremonde*) : nous avons l'impression d'être retourné dans le bon *barrio*. « Qu'est-ce que la Terreur maintenant ? Un bruit sur le trottoir, très près, un voleur armé d'un couteau de cuisine ou les bégaiements d'une voiture qui rôde par là. »

Le *barrio* est le Bronx (South Bronx), où sœur Edgar et sa jeune collègue, sœur Gracie, vaquent à leurs bonnes œuvres. Elles rendent visite à l'amputé diabétique, à l'épileptique, à la « femme dans un fauteuil roulant qui portait un tee-shirt *Fuck New York* » ; elles évoluaient au milieu de bébés congénitalement dépendants, de drogués qui la nuit vagabondaient en Reebok retirées à des cadavres, de glaneurs, de ramasseurs, de récupérateurs de cannettes, de créatures qui tanguaient dans les voitures de métro, un verre en carton à la main. Chaque fois que mourait un enfant des grands ensembles (ce qui était fréquent), « des graffiteurs peignaient à la bombe un ange du souvenir » sur la façade d'une barre consacrée à ça, rose pour les filles, bleu pour les garçons, précisant l'âge, le nom et la cause de la mort : « Tuberculose, sida, battu... abandonné dans une benne à ordures, oublié dans une voiture, laissé dans un sac à poubelle le soir de Noël. »

« Je préférerais qu'ils arrêtent de peindre ces anges », lâche sœur Gracie, la voix de la raison. (« Il n'y a rien d'irréel ici », hurle-t-elle à l'encontre de l'autocar de touristes avec son annonce *Le South Bronx irréel* au-dessus du pare-brise. « Nous baignons dans la *réalité*. C'est vous qui le rendez irréel en venant ici. C'est votre autocar qui est irréel. C'est vous qui êtes irréels. ») Mais sœur Edgar est plus crédule. Quand Esmeralda, une fillette de douze ans, est violée puis jetée du haut d'un toit, son « image » apparaît « miraculeusement » non loin sur un « panneau qui flotte au milieu des ténèbres » ; sœur Edgar rejoint la foule des badauds pour contempler ce qui en fait n'est rien de plus qu'une publicité pour un jus d'orange. DeLillo surcharge légèrement la nouvelle qui donne son titre à l'ouvrage avec son grand style (« Et de quoi vous souvenez-vous, finalement, quand tout le monde est rentré chez soi et que les rues sont vidées de dévotion et d'espoir, balayées par la brise qui remonte l'Hudson ? »). Nous n'avons pas besoin de ces hauteurs littéraires. Tout ce qu'il nous faut, c'est Gracie qui s'exclame « Les pauvres ont besoin de visions, d'ac ? » et la réplique d'Edgar : « Vous dites "les pauvres" mais à qui d'autre les saints apparaîtraient-ils ? Les anges et les saints apparaîtraient-ils à des présidents de banque ? Ne rêvez pas. »

La nouvelle *Le Coureur* (1988) nous propose un instantané de sept pages sur un autre acte de terreur locale : en plein jour, un petit garçon est enlevé dans un parc, sous les yeux de sa mère médusée. Témoin de l'enlèvement, un jeune homme sorti faire son jogging est interpellé par une femme mûre, tête penchée, de « cet air plein d'espoir qu'ont les touristes qui souhaitent vous demander leur chemin » :

> Avec amabilité, elle demanda : « Vous avez vu ce qui s'est passé ?.../... Là, le père sort et attrape le gamin.../... On voit ça partout autour de nous, non ? Il est au chômage, il se drogue.../... La mère obtient une ordonnance du tribunal. Il n'a plus le droit d'approcher l'enfant.../... Il y a des cas où ils débarquent et se mettent à tirer. »

Sans s'arrêter de jogger sur place, le jeune homme objecte :

> « Mais vous ne pouvez pas en être sûre, non… ?…./… D'accord, nous voyons là une femme en terrible état de choc. Mais je ne vois pas de mari. Je ne vois pas de séparation, et je ne vois pas d'ordonnance de justice. »

Or il se trouve que le coureur a raison (« C'était un inconnu », confirme un policier plus tard). Mais cela ne change en rien l'opinion de la femme effrayée : sa conviction lui permet de s'accrocher à sa fiction consolatrice. « C'était bien le père, lui dit le jeune homme en terminant son jogging. Vous aviez raison de A à Z. »

DeLillo ne peut s'en empêcher : ce besoin d'étoffer et de colmater les vies entr'aperçues des autres. Dans *Dostoïevski à minuit* (2009), deux jeunes pédants très solennels, Todd et Robby, fainéantent dans un campus venteux *upstate*. Au cours de l'une de leurs promenades pâteuses, ils voient une femme d'âge mûr déchargeant des courses dans un landau :

> « Comment s'appelle-t-elle ?
> — Isabel, dis-je.
> — Sois sérieux. Nous sommes des gens sérieux. Comment s'appelle-t-elle ?
> — D'accord, comment s'appelle-t-elle ?
> — Elle s'appelle Mary Frances. Écoute-moi, dit-il tout bas. *Mar-y Fran-ces*. Jamais Mary tout court.
> — Bon, peut-être.
> — Où vas-tu chercher Isabel ? »
> Faisant mine de s'intéresser, il posa la main sur mon épaule.

« Je ne sais pas. Isabel, c'est sa sœur. Elles sont jumelles. Identiques. C'est Isabel, l'alcoolique. Mais tu passes à côté des questions fondamentales.

— Non, pas du tout. Où est le bébé qui va avec la poussette ? De qui est-il ? demanda-t-il. Comment s'appelle le bébé ? »

Leurs élucubrations fébriles en viennent à se fixer sur l'« homme à la capuche », un vieux monsieur en anorak (« Il n'a pas l'allure d'un Russe… Disons plutôt : Roumain, Bulgare. Ou encore mieux : Albanais »), et ses liens supposés avec leur professeur de logique, Ilgauskas (un mystagogue viril, porté sur les formules telles que « le nexus causal » et « le fait atomique »). L'expression « Dostoïevski à minuit », nous dit-on, est tirée d'un poème et est sans doute censée évoquer une épiphanie de désespoir voulu. Néanmoins, l'histoire de DeLillo se termine dans l'un de ses plus beaux registres : triste, chaleureux, robuste.

Le même registre domine l'encore plus enchanteur *Moments humains dans la Troisième Guerre mondiale* (1983). En orbite autour de la Terre, à bord de *Tomahawk II*, un « spécialiste de mission » et son jeune acolyte, Vollmer (l'un des forts en thème aussi comiques qu'intimidants de DeLillo, comme Heinrich dans *Bruit de fond*) réunissent des informations, accoutrés de semelles à ventouses, de clés modales, de fréquenceurs sensoriels et de brûleurs quantiques. Le spécialiste de mission gère des données sur une console lorsqu'il entend une voix, « une voix chargée d'une étrange et inspécifiable intensité ». Il vérifie auprès de ses officiers ès dynamiques aériennes et références conceptuelles à Colorado Command (et nous nous demandons : y a-t-il jamais eu meilleur dialoguiste que Don DeLillo ?) :

> « Nous recevons un deviant, Tomahawk.
> — Confirmons. Il y a une voix.
> — Nous captons des oscillations macro ici.
> — Il y a : une interférence. Je double mais je ne suis pas sûr que ça serve.
> — Nous procédons à un contrôle hors système pour localiser la source.
> — Merci, Colorado.
> — Ce n'est sans doute qu'un bruit de fond. Vous apparaissez rouge négatif sur la carte de fonctions échelonnée.
> — C'était une voix, répétai-je.
> — Nous venons de recevoir un affirmatif pour le bruit de fond…/… Nous allons rectifier, Tomahawk. En attendant, conseillons de rester en doublement parallèle. »

La « voix », à l'opposé du pidgin métallique de Colorado, un mélange de reparties, de rires et de chansons, a l'« étoffe de la tristesse la plus pure, la plus suave » : « Allez savoir comment, nous captons des signaux d'émissions de radio vieilles de quarante, cinquante, soixante ans… » Entre-temps, voici la planète bleue, décrite avec tendresse : ses « panaches de sédiments et forêts de kelp », ses « coulées de lave et courants à noyau froid », ses « spirales haletantes de chaleur, de brumes et de couleurs à la luminosité marine ». « En apesanteur dans le carré des officiers, la tête en bas, Vollmer déguste une barre aux amandes. » De temps à autre, les deux astronautes mettent de côté leur oxymètre de pouls et leurs listes de contrôle, afin de sonder quelque chose de plus intime :

> [Vollmer] évoque le nord du Minnesota en sortant les objets de son kit de préférences personnelles, avant de les poser sur une surface en Velcro.../... Dans mon kit de préférences personnelles, j'ai un dollar en argent de 1901.../... Vollmer a des photos de sa remise de diplôme, des capsules de bouteilles, des cailloux de son jardin. J'ignore s'il les a choisis lui-même ou s'ils lui ont été imposés par des parents qui avaient craint que sa vie dans l'espace manque d'instants humains.

On a beaucoup commenté l'extraordinaire talent démontré par DeLillo dans la reconstitution des jargons (dont le moindre n'est pas celui de la vie courante), mais aussi ses pouvoirs de devin. Pour prendre un exemple graphique, il est clair qu'il n'a jamais considéré le World Trade Center comme deux édifices : à ses yeux, il a toujours été une « cible ». Dans *Joueurs* (1977), Pammy Wynant y travaille dans une entreprise de conseil aux familles des victimes : « Les tours ne paraissaient pas inscrites dans la permanence. Elles demeuraient des concepts, pas moins éphémères, malgré leur masse, qu'une simple distorsion de la lumière. » C'est, bien sûr, étonnant – même si l'on est en droit de se demander si *la prose* de ces phrases brille autant parce que le temps a prouvé leur bien-fondé. DeLillo a déclaré il y a longtemps que l'humeur de l'avenir ne serait pas déterminée par les écrivains mais par les terroristes ; ceux qui se moquaient de cette prédiction durent se sentir encore plus mal que le reste du monde le 11 septembre 2001.

Bien que la nouvelle intitulée *La Faucille et le Marteau* ait été publiée en 2010, alors que l'effilochage des économies occidentales était bien entamé, DeLillo saisit déjà les vagues remuements insurrectionnels qui sont un phénomène plus récent. Je n'en suggérerais pas moins que nous devrions nous arrêter davantage sur sa réceptivité globale aux rythmes et atmosphères des temps à venir, que sur cette affaire un tantinet baraque de foire des faits avérés. De ce point de vue, l'angle de détournement de DeLillo est exceptionnellement aigu. Jerold Bradway est incarcéré dans un établissement correctionnel pour criminels de la finance – autant dire qu'il se trouve dans une prison pleine de gars comme Bernie Madoff. Tous les jours ouvrables, les coupables aux flasques bedaines se réunissent dans les salles communes pour regarder les tendances de la Bourse sur une chaîne du câble. Les présentatrices sont deux petites filles. « Ça paraissait fou. Un bulletin boursier pour gamins ! ? » Absolument – et d'autant plus lorsque nous apprenons que les petites filles sont les propres filles de Jerold : Kate, douze ans, et Laurie, dix :

> « Le mot-clé, c'est Dubai... Dubai, déclare Laurie.
> — Le montant de l'assurance de la dette de Dubai contre le défaut de paiement a augmenté d'une, deux, trois, quatre fois.
> — Est-ce qu'on sait ce que ça veut dire ?
> — Ça veut dire que le Dow Jones est en chute libre.
> — Deutsche Bank.
> — En baisse.
> — Londres... indice FTSE 100.
> — En baisse.
> — Amsterdam, groupe ING.
> — En baisse.
> — Hang Seng à Hongkong.
> — Pétrole brut. Fonds obligatoires islamiques.

— En baisse, en baisse, en baisse.
— Le mot-clé, c'est Dubai.
— Redis-le.
— Dubai », dit Kate.

Nous sommes invités à voir plus loin encore : ce ne sont là, après tout, que les voix réprobatrices de nos enfants floués.

En fin de compte, *La Faucille et le Marteau* pêche par surexcitation (à peu près au moment où les dialogues des filles commencent à rimer) ; mais cette surexcitation, les fidèles de DeLillo s'en délecteront. Sa gaieté créatrice, sa veine ludique ont été trop sévèrement réprimées par l'indécision quasi morbide de ses derniers romans longs ou courts. La littérature tente de divertir et d'instruire : la formule de Dryden, vieille de trois cent cinquante ans, a bien vieilli. Nous n'en reconnaissons pas moins que, si l'instruction ne divertit pas forcément, le divertissement, lui, instruit toujours. *Grosso modo*, nous lisons des romans pour passer un bon moment – ce qui ne signifie pas que nous niions que les dieux aient équipé DeLillo des antennes d'un visionnaire. Il y a le champ gauche et il y a le champ droit. Il vient d'un troisième champ – oblique, par le biais. Et j'aime énormément *L'Ange Esmeralda*.

The New Yorker, 2011

J.G. Ballard, 1930-2009 : de l'espace intersidéral à l'espace intérieur

La première fois que j'ai rencontré Jim Ballard, j'étais adolescent. C'était un ami de mon père ; Kingsley soutint ses premiers livres, l'appela l'« étoile la plus brillante de la SF d'après-guerre » (tous les puristes appellent la science-fiction « SF »). Physiquement, Ballard était un cas rare, un homme singulièrement embelli par son tempérament ; il avait un visage merveilleusement plein, expressif, coloré, et un regard ardent. À l'oral, il adoptait la cadence du sarcasme, fortement accentuée sans être sarcastique pour autant ; il se repaissait simplement des possibilités ironiques. La relation Jim-Kingsley ne survécut pas à l'intérêt croissant de Ballard pour l'expérimentalisme (façon, disait mon père, de « se foutre du lecteur »). Mais, de mon côté, j'étais toujours ravi de revoir Jim. Il était vigoureux et revigorant, en égale mesure. C'était surprenant, mais on ne pouvait qu'aimer cet homme doté d'une empathie tout instinctive, alors que son imagination était au contraire extrêmement asociale.

Celle-ci avait été formée par son expérience pendant la guerre, à Shanghai, où il avait été fait prisonnier par les

Japonais. À l'époque, il avait treize ans et s'était adapté à la vie du camp comme il l'aurait fait « à l'immense famille d'un bidonville ». À vrai dire, il n'avait pas été formé seulement par le camp – mais aussi par le fait que, pendant toute son enfance, il avait pu apprécier le peu de valeur accordé à la vie humaine. Il m'a dit avoir vu des coolies battus à mort à trois pas de lui et, tous les matins quand on le conduisait à l'école dans une voiture américaine, il découvrait toujours de nouveaux cadavres dans les rues. Puis vinrent les Japonais. Il disait : « Les citoyens des démocraties sociales n'ont aucune idée de la brutalité du quotidien dans certaines régions de l'Orient. Non, aucune idée. Et c'est mieux ainsi. »

Il est intéressant de voir que ses deux romans les plus célèbres ont été portés au cinéma par des réalisateurs connus (et intéressants) : *Empire du Soleil* par Steven Spielberg (un artiste fondamentalement optimiste qui régulièrement s'arme dans le but d'affronter des thèmes historiques rigoureux), et *Crash* de David Cronenberg (un artiste beaucoup plus sombre, spécialisé dans la réalisation de films tirés de romans inadaptables). *Crash* est l'œuvre la plus typiquement ballardienne. Le livre est habité par l'obsession de la sensualité de l'accident de la route : le mot *obsession* vient du latin *obsidere*, qui signifie « assiéger ». Ballard est assiégé par ses obsessions. Atmosphère et décor sont, chez lui, équivalents. Il exprime très peu de sentiments à l'égard des êtres humains dans un sens conventionnel (et il n'a aucune oreille pour les dialogues) ; il est implacablement visuel.

Ses admirateurs les plus sectaires ressentirent *Empire du Soleil* – son plus grand succès – comme un drôle de coup de revers. Ce roman, complètement réaliste malgré son exotisme débridé, leur apparut comme une trahison de l'ethos ballardien. Ils trouvèrent que l'*Empire* (comme ils l'appelaient) ne témoignait que trop bien de la torsion qu'avait subie l'imagination de Ballard pour prendre cette forme si étrange. Le roman était une explication naturaliste de la façon dont son imagination avait été métamorphosée. Pour les sectaires encore (et ce n'était guère logique), il était comme un sorcier qui aurait révélé que ses remèdes étaient tous de la poudre de perlimpinpin.

À ses débuts, Ballard était un représentant de la SF pure et dure. Ses toutes premières nouvelles, sur des thèmes familiers, la surpopulation, la dégradation de la société et ainsi de suite, comptent parmi les meilleures du genre. Mais le genre ne pouvait le contenir. Suivirent quatre romans d'une apocalypse glaciale – *Le Vent de nulle part* (1961), *Le Monde englouti* (1962), *Sécheresse* (1964), *La Forêt de cristal* (1966). La planète Terre y est chaque fois détruite par les vents, les eaux, la chaleur torride et la minéralisation. Suivit sa période brutaliste, qui débuta en 1970 avec *La Foire aux atrocités*. Les titres de deux nouvelles donnent le ton du recueil : « Le lifting de la princesse Margaret » et « Pourquoi j'ai envie de baiser Ronald Reagan ». Puis sa « trilogie de béton » se poursuit avec *Crash* (1973), *L'Île de béton* (1974) et *I.G.H.* (1975). La période suivante est symbolisée par un autre titre : *Mythes d'un futur proche* (1982). À sa mort, il était encore dans cette période (malgré ses beaux et émouvants Mémoires, *La Vie, et rien d'autre*, dont l'original parut en 2008). Les derniers romans – dont *La Face cachée du soleil* et *Super-Cannes* – traitaient du violent atavisme des enclaves d'entreprise ultraprivilégiées dans une différente sorte d'avenir proche.

Sur mon bureau est posée une carte postale de Ballard, qui représente l'« avenir » en termes mathématiques : *L'avenir est égal à sexe fois la technologie au carré.* Dans son œuvre, il se demandait constamment : quel effet le contexte moderne a-t-il sur nos psychismes – la sculpture évolutive des autoroutes, l'architecture aéroportuaire, la culture des centres commerciaux, la pornographie, le cyberespace ? La réponse à cette question est une perversité qui prend différentes formes mentales, toutes extrêmes. Quand il s'est éloigné de la SF stricte, Ballard déclara qu'il quittait l'espace intersidéral au bénéfice de l'« espace intérieur ». Cela a toujours été son fief. On se rappellera Ballard comme l'écrivain anglais le plus original du siècle dernier. Il aimait à dire que les écrivains, des « équipes d'un seul homme », avaient besoin des bruyants encouragements de la foule (c'est-à-dire des lecteurs). Mais il restera aussi associé à un genre qui n'appartient qu'à un seul ; personne ne lui ressemble, et de loin. Très peu de ballardiens (quasiment tous des hommes) ont eu la témérité de tenter de l'imiter. Mais son influence tient à sa prose (dont Peter Straub a dit qu'elle était à la fois « onctueuse et précise ») et aux étranges et soudaines expansions de son imagerie.

Ballard était un grand représentant de la ligne flaubertienne : à savoir que les écrivains devraient être posés et prévisibles dans la vie, afin de pouvoir être sauvages et originaux dans leur œuvre. Il habitait une maison mitoyenne dans la banlieue de Shepperton, qu'on pourrait appeler « Dunroamin », et sa Ford Escort rouge tomate était garée à sa place prescrite dans l'allée du jardinet côté rue. Le jour de 1984 où j'ai rédigé un long portrait de lui, je suis arrivé à 11 heures du matin ; ses premiers mots furent « Whisky ! Gin ! Vodka ! » Il me dit que, lorsqu'il recevait la visite de « mordus de *Crash* » qui venaient de, disons… la Sorbonne, ils s'attendaient à trouver chez lui un vortex d'acide lysergique (LSD) et de maltraitance d'enfants. En fait, ils se retrouvaient face à un robuste banlieusard bien enveloppé et extrêmement enjoué : solaire. En 1964, sa femme Mary mourut subitement, pendant des vacances en famille. Ballard éleva ses trois enfants seul. Au début, il ne pouvait y faire face qu'en buvant un verre de scotch toutes les heures, à partir de 9 heures du matin. Il lui fallut longtemps avant de pouvoir repousser le premier verre à 6 heures du soir. Quand je lui demandai si ç'avait été difficile, il répondit : « Difficile ? Pire que la bataille de Stalingrad. » Devenir parent à plein-temps et homme au foyer fut, ajouta-t-il néanmoins, « la meilleure décision de ma vie » ; je crois que ses trois enfants ne le contrediraient pas.

La dernière fois que j'ai vu Ballard, avec sa partenaire de quarante ans, Claire Walsh, il y a trois ou quatre ans, c'était lors d'une soirée avec mon épouse Isabel Fonseca, Will Self et Deborah Orr. Dans le restaurant de Shepherd's Bush où nous dînions, il nous apprit qu'il lui restait « environ deux ans à vivre ». Information qu'il divulgua avec un courage inné et toute la mélancolie d'un homme qui aimait passionnément la vie.

The Guardian, 2009

Le monde englouti

La prescience est-elle une vertu littéraire ? L'œuvre de J.G. Ballard devrait-elle être particulièrement prisée (c'est ce qu'affirment certains critiques) pour la justesse « surnaturelle » de ses prévisions ? La réponse à ces deux questions, à mon avis, est un joyeux *niet*.

Dans *La Foire aux atrocités* (1970), Ballard, c'est resté dans les annales, prédit que Reagan deviendrait président. D'un autre côté, son *Salut l'Amérique !* (1981) prévoyait que les États-Unis seraient entièrement évacués avant 1990. Les cataclysmes météorologiques envisagés par ses quatre premiers romans semblent encore plausibles. Mais la crise sociale supposée dans ses quatre derniers – une violente anomie généralisée, causée par l'appât de l'argent et du plaisir – paraît aujourd'hui de plus en plus improbable.

Je risquerai une prophétie : la divination romanesque restera toujours éperdument aléatoire. Le déroulement d'événements historiques est en soi hasardeux (et donc inesthétique) ; l'avenir est en un sens défini par sa bourbeuse inscrutabilité. D'ailleurs, l'art romanesque prête allégeance à une muse, une déesse aussi pure que ses neuf sœurs, et pas à quelque énergique Madame Sosostris (la « célèbre voyante » de T.S. Eliot, avec son « méchant paquet de cartes »). Il n'en existe pas moins des écrivains dont le pouvoir visionnaire est indifférent à la corroboration de simples conséquences – des écrivains qui paraissent capables de ressentir et de mettre à profit le « bruit du monde » et l'« avenir immédiat ». La première formule est de Don DeLillo, qui se trouve être l'un d'eux ; la seconde est de James Graham Ballard (1930-2009), qui en est un autre.

Ballard a prédit le changement climatique causé par l'homme, non pas dans *Le Monde englouti* (1962), mais dans *Sécheresse* (1964). Dans ce dernier ouvrage (intitulé à l'origine *The Burning World* – « Le Monde qui brûle »), les déchets industriels ont épaissi la surface des océans et anéanti le cycle des précipitations, transformant la planète en un désert de poussière et de feu. Dans *Le Monde englouti*, la catastrophe écologique a une série de causes fort différentes. La température moyenne sur l'équateur, qui atteint les 80 degrés, ne cesse d'augmenter, les calottes polaires et le permafrost ont fondu, l'Europe est un « ensemble d'immenses lagunes », le Midwest américain un « énorme golfe ouvert sur la baie de l'Hudson », et la population sur Terre (réduite à cinq millions) s'est réfugiée dans les cercles arctique et antarctique (où le thermomètre, pour l'instant, se situe à un « agréable » 30 degrés). Or quelle est la cause de tout cela ? L'instabilité, pure et simple, de l'astre du jour sans aucune participation d'*Homo sapiens*. De ce fait, sur la base d'un seul roman, Ballard pourrait ajouter discrètement sa voix au débat actuel chez les Républicains sur le réchauffement climatique – légèrement à la gauche de Rick Perry et de Michele Bachmann, certes, mais légèrement à la droite de Mitt Romney.

Nous ne devons pas craindre cette ironie : elle nous entraîne allègrement vers d'autres questions plus centrales. En tant qu'homme (et que bon Vert), Ballard était tout naturellement du côté des anges ; mais en tant qu'artiste, il est inconditionnellement du parti du diable. Il se repaît des jungles gluantes du *Monde englouti* et des déserts d'amadou de *Sécheresse*, tout comme il aime le superouragan, l'avalanche express du *Vent de nulle part* (1961) ou les multiplicités minéralisées de *La Forêt de cristal* (1966). Son radicalisme créatif se mesure au fait qu'il accueille de tout son être ces contre-utopies désespérées. Il se fond dans ses avenirs de fiction, les internalise en une sorte de martyre imaginé. La fusion d'humour et de contexte, la cartographie d'un paysage de l'esprit troublé – voilà ce qui compte vraiment chez Ballard. Cela confère à ses romans la poigne avec laquelle ils enserrent l'errance et la sédentarité.

« Bientôt, il ferait trop chaud » : telle est la laconique première phrase du *Monde englouti*. Son héros, le biologiste marin Robert Kerans, contemple les environs depuis le balcon de sa suite du Ritz ; il est le seul occupant (mammifère) de l'hôtel ; l'eau monte jusqu'à dix étages en dessous du sien.

> Même à travers les feuillages massifs vert olive, la force implacable du soleil était nettement perceptible. Les rayons réfractés, émoussés, tambourinaient sur ses épaules et son torse nu […] Le disque solaire n'était plus une sphère nettement définie mais une large ellipse dilatée, déployée sur l'horizon à l'est comme une colossale boule de feu dont le reflet transformait la surface plombée et morte de la lagune en un bouclier de cuivre brillant.

Le soleil est épouvantablement ballonné. Il est aussi épouvantablement *bruyant* ; il en parvient des « bruits sourds » et des « grondements » ; nous entendons le « martèlement volcanique » de ses flamboiements.

Les moustiques ont la taille de libellules ; on croise aussi des hypsignathes monstrueux, des araignées-loups, des iguanes, des basilics ; à un moment donné, un gros caïman voit Kerans « plongé jusqu'à la taille dans les feuillages des prêles » et se dirige vers lui, « regard stabilisé » (ce « stabilisé » est diablement bon). De l'eau se dégage une puanteur insoutenable : « les odeurs douceâtres, compactées de la végétation morte et des carcasses d'animaux pourrissant ». Kerans observe les « innombrables reflets du soleil se déplacer sur la surface en immenses feuilles de feu, comme les yeux facettés, embrasés d'insectes gigantesques ». Sous la lagune : une ville, « vide de toute végétation, hormis des touffes mouvantes de sargasse, mais rues et boutiques avaient été préservées, quasiment intactes, tel un reflet sur un lac, qui aurait perdu son original ». La ville, c'est Londres.

En théorie, Kerans collabore avec une équipe de scientifiques sur une station de recherches lacustre mais son travail n'est plus qu'une routine vaine. Faune et flore suivent fidèlement « les lignes émergentes anticipées vingt ans plus tôt », à savoir une contre-évolution accélérée, une rétrogression dans un univers de lézards et de forêts tropicales humides sous un soleil triassique. Les acteurs humains se sont embarqués dans un processus parallèle – dans le diamètre de leur cerveau. Nous apprenons très tôt que le *sommeil* des personnages est devenu problématique, ils pénètrent dans les « jungles temporelles » de cauchemars utérins, s'enfoncent dans leur passé amniotique comme dans le passé de leur espèce, assaillis par les « souvenirs archaïques » (« souvenirs organiques » du danger et de la terreur) inscrits dans leur moelle épinière. Certains redoutent ces cauchemars. Kerans, naturellement, les saisit à bras-le-corps et soumet avec ardeur son esprit éveillé à leur domination :

> Guidé par ses rêves, il remontait dans le passé émergeant, à travers une succession de paysages de plus en plus étranges, axés sur la lagune [...] Par moments, le cercle d'eau était spectral et vibrant, à d'autres étale et glauque, le rivage apparemment formé de schiste, comme la peau mate et métallique d'un reptile. Pourtant, sous le ciel chaud et limpide, les plages molles luisaient, aguichantes, d'un éclat carmin, néant de longues étendues de sable total et absolu qui l'emplissaient d'une angoisse exquise et tendre.

Ballard confère au *Monde englouti* tous les signes extérieurs d'un roman conventionnel (héros, héroïne, figure de l'autorité, méchant), il lui confère une trame (danger, apogée, résolution, coda) ; mais tout cela paraît consciencieux et de pure forme, comme si le conventionnalisme l'ennuyait. Donc, le décor du roman est intrépidement futuriste mais son fonctionnement paraît antique (avec quelque chose de l'innocence des vieux magazines pour garçons adolescents, que nous retrouvons chez John Buchan et C.S. Forester). En outre, les dialogues spectaculairement banals de Ballard demeurent une sérieuse lacune. Ici comme ailleurs, ses personnages – supposément décharnés, spectraux – parlent comme un aréopage d'instituteurs anglais tout droit sortis des années 30 : « Quelle déveine, ce vieux Bodkin ! », « Capital ! », « Touché, Alan ». (Alors que, chez DeLillo, les dialogues sont toujours fluidement éthérés.) Nous en concluons que Ballard ne s'intéresse pas aux interactions humaines – à moins qu'elles prennent la forme de quelque chose d'intrinsèquement abracadabrant, comme l'atavisme de la foule ou l'hystérie de masse. Ce qui l'excite, c'est la solitude.

L'« étrangeté » de Ballard – son glacis hypnotique – est toujours attribuée aux deux années pendant lesquelles il fut interné dans un camp japonais à Shanghai (1943-1945). Cette expérience, je crois, est à lier ou à placer en synergie avec les deux années qu'il a passées, lorsqu'il était étudiant en médecine à Cambridge (1949-1951), à disséquer des cadavres. À nouveau, la dichotomie : en tant qu'homme, il était d'une sociabilité pétulante (et il était bourré d'humour) mais, comme artiste, il est férocement solitaire (et dépourvu d'humour). En tout cas, le résultat a le génie du pervers et de l'obsessionnel, et est présenté dans une prose de voyelles hypnotiquement variées (une diction enrichie par un large éventail de vocabulaires techniques). En fin de compte, la force élastique du *Monde englouti* dérive non pas de l'action mais de la poésie du texte.

« Bientôt, il ferait trop chaud. » Certes, et bientôt il sera temps d'abandonner la lagune et la cité engloutie ; les humains l'évacueront et se dirigeront vers le nord, vers l'un des ultimes refuges, Camp Byrd, au Groenland. Il y a, après tout, urgence : les moustiques mutants et la malaria mutante, les nouveaux cancers de la peau causés par l'évaporation de la couverture nuageuse, les intrusions de plus en plus éhontées des reptiles, l'élargissement de la ceinture pluvieuse tropicale et de la chaleur équatoriale. Inévitablement, Kerans est le dernier à partir. Ce qu'il fait à pied (au singulier, avec une plaie infectée à la jambe et une béquille). Et dans quelle direction part-il, alors qu'approche la fin du roman ? Même un lecteur novice de Ballard comprendra à ce moment-là la logique de la chose. « Il n'y a pas d'autre direction. » Il se dirige vers le sud.

The Guardian, 2011

Le choc du nouveau : *L'Orange mécanique* a cinquante ans[1]

Notre tâche quotidienne quand on élabore un roman semble souvent ne consister en rien d'autre que des décisions : des décisions, encore des décisions et toujours des décisions. Ce paragraphe devrait-il aller ici ? Ou là ? Ce passage d'exposition doit-il être diversifié par un dialogue ? Est-il vraiment nécessaire de fournir cette information-là ? Devrais-je employer un adjectif et aussi un adverbe différent dans cette phrase ? À moins de supprimer carrément adverbe et adjectif ? Virgule ou point virgule ? Deux points ou tiret ? Ainsi de suite.

Bien sûr, ces décisions sont mineures et l'esprit consciencieux les traite plus ou moins rationnellement. Toutes les décisions majeures ont été prises *avant* qu'on ne s'assoie au bureau ; et elles ne font intervenir aucune pensée. Elles sont inhérentes au frisson de départ – à la palpitation habilitante, au murmure, un murmure qui dit : *Voici un roman que*

1. Ceci est mon introduction à l'édition anniversaire « restaurée » du livre, dans la version d'origine de Burgess (Heinemann, 2012).

tu seras peut-être capable d'écrire. Fort mystérieusement, c'est l'inconscient qui fait le plus gros du boulot. Personne ne sait comment cela se passe. C'est pourquoi Norman Mailer a appelé son (excellente) analyse sur le roman *The Spooky Art* (« L'Art qui fait peur »).

Quand, en 1960, Anthony Burgess se mit à l'écriture de *L'Orange mécanique*, nous pouvons être à peu près certains qu'il avait une bonne idée de ce qui l'attendait. Il savait que le roman se déroulerait dans l'avenir proche (et qu'il prendrait l'habituel chemin de la science-fiction, développant, et exagérant férocement, les tendances du moment). Il savait que son méchant antihéros, Alex, serait le narrateur et qu'il s'exécuterait dans un argot ou idiolecte que le monde n'avait jamais entendu jusque-là (il opta en fin de compte pour un mélange de russe, de roumain et d'argot rimé). Il savait que le roman traiterait du Bien et du Mal, ainsi que du libre arbitre. Il savait, et c'est primordial, qu'Alex aurait une passion hautement improbable : un amour extatique de la musique classique.

Nous comprenons le génie délibéré de ce dernier choix quand, un demi-siècle plus tard, nous reprenons contact avec le jeune sociopathe ricaneur, renifleur, boudeur et lorgneur (personnage inimitablement saisi par Malcolm McDowell dans le film inégal mais célébré à juste titre de Stanley Kubrick). « C'était pas moi, frère, répond Alex à son répondant (qui s'est précipité à la prison locale) : Défends-moi, m'sieur : je suis pas si mauvais. » Or, précisément, Alex *est* si mauvais ; et il le sait. Les premiers chapitres de *L'Orange mécanique* sont encore aujourd'hui un électrochoc, l'électrochoc du nouveau : ils forment une marque carmin de mal jubilatoire.

Pendant leur première nuit en ville, Alex et ses *drougs* (ses « acolytes ») arrêtent un prof, déchirent ses bouquins, lui arrachent ses vêtements et lui font « le vieux coup de l'écrase-merde » avec son dentier ; ils volent et rossent un « vendeur de bonbons et de cancerettes », avant de s'en prendre à sa bonne femme (« il a fallu la toltchocker proprement avec un des poids de la balance ») ; ils tabassent un soûlot (« on y est allés de la castagne en beauté ») ; et se paient une bande rivale, à coups de couteau, de chaîne et de rasoir : « Ça serait du vrai, du sérieux, au nodz, à l'oudzy, au britva, pas seulement à la châtaigne et ni à la botte... et voilà que je dansais avec mon britva comme j'aurais pu être un barbier sur un bateau par mer très agitée. »

Ensuite, ils volent une bagnole (« zigzaguant après des chats et autres »), mettent deux ou trois toltchockes à un couple niqueuniqueuniquant sous un arbre, pénètrent par effraction dans un joli malenki pavillon, propriété d'un écrivain, « encore le genre savant, ce veck, comme celui avec lequel on avait tâtonné quelques heures plus tôt », détruisent le tapuscript du livre qu'il est en train d'écrire, et violent sa femme :

> Après, il y a eu comme une accalmie et on était plein d'une espèce de haine, alors on a cassé tout ce qui restait – machine à écrire, lampe, sièges – et Momo, c'était bien de lui, ça, a éteint le feu en pissant dessus et il allait même crotter sur le tapis, vu l'abondance de papier, mais j'ai dit non. « Allez, dehors, out, out, out », j'ai gueulé. Le veck écrivain et sa zhina n'étaient vraiment plus dans le coup, ils étaient en pièces et en sang et ils faisaient des bruits. Mais ils n'en mourraient pas.

Et tout cela avant que nous n'atteignions la page 20.

Trente-cinq pages plus tard, avant la fin de la première partie, Alex se trouve dans une « rozz-shop qui sent le vomi, les chiottes, l'haleine biéreuse et le désinfectant » ; « Votre Très Humble Narrateur » y drogue et enlève deux fillettes de dix ans, tranche Momo avec son britva, avant de dépouiller et assassiner une vieille à chats :

> … ce qui a fait que la babouchka […] m'a plus ou moins griffé le litso, si bien que j'ai critché : « Vieille dégueulasse, vieux soomka à patates. » Et levant en l'air la petite malenky statue en argent je lui en ai bogné une bonne toltchocke pas volée sur le gulliver, ce qui lui a fermé le clapet vraiment tzarrible et en beauté.

Dans le bref hiatus entre ces deux ouragans d'« ultraviolence » (les jours 1 et 2 du roman), Alex rentre chez lui – HLM Municipal 18A. Pour changer, il ne fait rien de pire qu'empêcher ses parents de dormir en faisant hurler sa stéréo multibaffles. Il écoute d'abord un nouveau concerto de violon, avant de passer à Mozart et Bach. Burgess évoque les sensations d'Alex dans un morceau de bravoure qui doit moins au *nadsat*, ou pidgin d'ados, qu'aux modulations d'*Ulysse* :

> Les trombones broyaient de l'or rouge sous le lit et derrière mon gulliver les trompettes triplaient leur flamme argentée, et là-bas près de la porte, les timbales me roulaient à travers les tripes et ressortaient pulvérisées comme un tonnerre de sucre. Ô merveille des merveilles. Puis, pareil à un oiseau comme tissé dans le métal céleste le plus rare ou à un vin argenté coulant dans un vaisseau spatial, dans une pesanteur devenue absurde, est descendu le solo de violon dominant toutes

> les autres cordes, lesquelles faisaient genre cage de soie autour de mon lit.

Nous ressentons ici le pouvoir de la palpitation habilitante, du murmure – l'assurance, par l'auteur, que la Bête est sensible à la Beauté. D'un coup, et sans aucune sentimentalité, Alex est catégoriquement réaligné. Il est doté d'une âme, voire d'un soupçon d'innocence – ce qui est confirmé par une habile révélation dans les dernières phrases de la première partie : « La fin de tout, oui. Cette fois, j'avais gagné. Et je n'avais pas encore passé quinze ans. »

À la fin des années 50, quand *L'Orange mécanique* n'avait pas encore germé dans l'esprit de son auteur, les quotidiens ne cessaient de se lamenter de l'augmentation de la délinquance, à une époque où les Teddy Boys de l'après-guerre se séparaient et se démultipliaient en mods et rockers (qui, à leur tour, passèrent la main aux skinheads). Pendant ce temps, les hebdomadaires littéraires se souciaient des nombreuses secousses de la Seconde Guerre mondiale – en particulier la coexistence supposément étonnante, sous le Troisième Reich, de la barbarité industrielle et de la haute culture. Ce débat, *L'Orange mécanique* le fait sien, hardiment.

Allongé nu sur son lit, dégustant Mozart et Bach, Alex se remémore avec affection ses prouesses, plus tôt ce soir-là, chez l'écrivain mutilé et sa jeune femme ravagée :

> … et je me suis dit, tout en sloushant toutes ouïes les splendeurs brunes du viokcho maître allemand, que je regrettais de ne pas avoir toltchocké plus fort ces deux-là et de ne pas en avoir fait de la charpie sur leur foutu plancher.

C'est ainsi que Burgess avance l'idée sinistre mais pas invraisemblable que Beethoven et Birkenau n'avaient pas fait que coexister. Ils s'étaient combinés et avaient pactisé, inspirant des rêves fous de suprématie et de toute-puissance.

Dans la deuxième partie du roman, la violence vient non plus d'en bas mais d'en haut : c'est la violence « propre » et ciblée de l'État. Après deux années passées en prison, le totalement incorrigible Alex est sélectionné pour un « Traitement de récupération » (méthode Ludovico). Il s'agit d'une thérapie intensive par l'aversion. Tous les matins, on lui injecte un vomitif puissant et on le roule jusqu'à une salle de projection où on lui sangle « le gulliver à un genre appuie-tête » et lui « colle comme une calotte dessus ». On lui remonte les paupières en lui pinçant la peau du front, de sorte qu'il ne peut plus fermer « les glazes ». « Là-dessus, les lumières se sont éteintes. »

D'abord, Alex est obligé de regarder des scènes familières de bazar récréatif (maltchicks qui toltchockent un vieux, devotchkas critchant très gromky dans les haut-parleurs, et ainsi de suite). Ensuite, nous passons à des taillades et autres mutilations, tortures japonaises (« même qu'on en reluchait un à qui on tranchait le gulliver avec un sabre »), et finalement des actualités avec aigles allemands et la croix genre tordu, pelotons d'exécution et cadavres nus. La bande-son du dernier clip est la *Cinquième Symphonie* de Beethoven. « C'est un crime, j'vous dis, une saloperie de crime impardonnable, bande de bratchnis ! » susurre Alex quand la messe est dite :

> « Se servir comme ça de Ludwig van. Il a fait de mal à personne. Il a rien fait qu'écrire de la musique. » Là-dessus j'ai été malade pour de vrai et ils ont dû m'apporter

> une cuvette en forme de rognon. « On n'y peut rien, a répondu le Dr Branom. Nous tuons tous la chose que nous aimons, comme a dit le poète-prisonnier. Peut-être tenons-nous là l'instrument du châtiment. »

À partir de quoi, Alex ressentira une nausée intense, non seulement quand il sera contraint de regarder des scènes de violence, mais aussi quand il entendra Beethoven et les autres maîtres constellés d'étoiles. Son âme, quelle qu'elle ait été, a été excisée.

Nous embarquons ensuite dans l'étrange repentance de la troisième partie. « Rien de bizarre ne dure longtemps », déclarait le Dr Johnson, à savoir : l'appétit du lecteur pour la bizarrerie est très vite rassasié. Burgess (à la différence de, disons, Franz Kafka) est sensible à cette loi quasiment infaillible ; mais on pourrait défendre le point de vue selon lequel *L'Orange mécanique* devrait être encore plus bref que ses 141 pages. En fait, le livre a été publié avec deux fins différentes. L'édition américaine omet le dernier chapitre (c'est la version utilisée par Kubrick) : elle s'achève sur la scène où Alex se remet de ce qui se révèle être une tentative de suicide cathartique. Il écoute la *Neuvième* :

> Et quand c'est arrivé au Scherzo je me suis reluché aussi net cavalant et cavalant sur des nogas [pieds] genre tout ce qu'il y a de léger et de mystérieux, et en même temps je taillais et tailladais à grands coups de mon britva coupe-choux dans tout le litso du monde, qui critchait. Et il y avait encore à venir le mouvement lent et le ravissant dernier mouvement avec les voix qui chantent. Pour ce qui est d'être guéri, je l'étais.

C'est la version sombre. Dans la version officielle, Alex se voit gratifié d'une totale rédemption. Il finit tout bonnement – et piteusement – coincé, à l'étroit dans les atavismes de sa jeunesse et se met à vouloir absolument se marier, s'installer ; ses goûts musicaux se tournent vers « des petits airs minouches, genre romantiques, des *Lieder*, comme on dit, juste une golosse [voix] et un piano, très calmos et nostalgicos » ; il a toujours sur lui une photo « découpée dans la gazetta » d'un bébé joufflu « qui gazouillait gou gou gou ». Il nous est donc demandé d'accepter qu'Alex est devenu la crème des hommes en mal d'enfant – à dix-huit ans.

Le lecteur est témoin d'un extraordinaire dégonflage de la part de Burgess, ou de la recrudescence (rappelons-nous qu'il était partisan de l'augustinisme) chez lui d'une culpabilité religieuse autoflagellatoire. Horrifié par son énergie transgressive, le roman se soumet lui-même à un traitement de récupération sévèrement fourni par son auteur. Burgess savait que quelque chose clochait : « Trop didactique pour être artistique, concéda-t-il à demi-mot, l'art pur ramené dans l'arène de la moralité. » Il n'aurait pas dû s'inquiéter : certes, Alex est un adolescent mais les lecteurs sont adultes et parfaitement capables de refuser toute régénération. D'ailleurs, *L'Orange mécanique*, c'est fondamentalement de l'humour noir. Confrontée au mal, la comédie ne ressent pas le besoin de punir ou de convertir. Sa réaction, c'est un rire corrosif.

Dans son ouvrage sur Joyce, *Joysprick* (1973), Burgess faisait une distinction provocatrice entre ce qu'il appelle un romancier de catégorie « A » et un romancier de catégorie « B » : le romancier de catégorie A s'intéresse à la trame, aux personnages, à la profondeur psychologique, alors que le romancier de série B s'intéresse, par-dessus tout, au tourbillon des mots. Le plus connu des romans de catégorie B est *Finnegans Wake*, que Nabokov décrivait à juste titre comme un « plat réchauffé, un ronflement dans la pièce d'à côté » ; on pourrait en dire autant de *Ada : A Family Chronicle*, celui des dix-neuf romans de Nabokov qui penche le plus vers la tendance B. Quoi qu'il en soit, le roman B, en tant que genre, est aujourd'hui défunt ; *L'Orange mécanique* est peut-être son unique survivant à long terme. C'est un livre qu'on peut encore lire avec un plaisir constant et, par moments, une admiration incrédule. Anthony Burgess n'est pas un « romancier mineur de catégorie B », comme il s'est décrit lui-même ; il est *simplement* un romancier catégorie B. Je crois qu'il devrait accepter ce jugement.

The New York Times Book Review, 2012

Les sports

Trois coups de raquette

I. Les personnalités du court

Le mot « personnalité » et son pluriel me posent problème – ils me gênent –, notamment dans des formules telles que « de nos jours, le tennis manque de personnalités » ou « le tennis a besoin d'une nouvelle star qui soit une vraie personnalité ». Cela dit, si, à l'avenir, on me permet d'utiliser ce terme entre guillemets et de l'employer comme exact synonyme d'une expression composée de trois syllabes, de neuf lettres, commençant par un *t* (et comprenant, dans cet ordre, les lettres intermédiaires suivantes : *r*, *o*, *u*, espace, *d*, *u*, encore une espace, un *c*, un *u* et un *l*, alors, dans ce cas, *personnalité* et moi allons bien nous entendre.

Comment se fait-il que ce soient toujours les « personnalités » d'hier qui se plaignent de l'absence supposée de nouvelles « personnalités » aujourd'hui ? Parce que seule une « personnalité » serait capable de reconnaître une autre « personnalité » ? Non. Parce que seule une « personnalité » est capable d'*aimer* une autre « personnalité ».

Ilie Nastase avait une sacrée « personnalité » – il était sans doute la « personnalité » la plus percutante dont l'histoire du tennis puisse se vanter. Tout en reconnaissant que c'était une « personnalité inoubliable », Arthur Ashe confie dans ses mémoires, *Jours de grâce*, que Nastase, un jour, l'a traité droit dans les yeux de « *negroni* » et, une autre fois, de « nègre » dans son dos. Ilie, bien sûr, jouissait d'une réputation de « clown » et d'« amuseur public » – bref, il était d'un insupportable narcissisme. Il y a quelques mois, ses incessantes pitreries lui ont valu d'être suspendu de son poste de capitaine de l'équipe de Roumanie pour la Coupe Davis (pour « obscénités audibles » et « insultes et intimidations répétées »). Ilie a quarante-sept ans. Les « personnalités » grand teint se rient des ans. Leur « personnalité » ne fait qu'amplifier au fil des ans.

Autre « personnalité » plus grande que nature : Jimmy Connors. Imaginez la haine purulente, impuissante, qu'il dut inspirer à ses adversaires pendant les grands matches de l'US Open. Ne voilà-t-il pas qu'il organise (quelle « personnalité » !) des séances de sexe de groupe avec le Grandstand Court. Pour le suave Suédois ou Suisse face à lui, c'est radical : il commet une double faute et New York exulte. Jimmy était une « personnalité » si entière qu'il réussit même à se faire traîner en justice par le président de son fan-club. Rappelez-vous comment, si on le tançait, glissant sa raquette entre ses cuisses, manche en saillie, il faisait mine de se masturber ? *Ça*, c'était une « personnalité », non ?

Il y a une vingtaine d'années, j'ai croisé Connors et Nastase lors d'une conférence de presse cauchemardesque à Londres, dans un hôtel renommé de Park Lane. Quelqu'un demanda à ces deux « personnalités » bronzées et en tenue Seersucker à quoi elles avaient occupé leur temps dans la capitale britannique. « On s'est montés dessus », répondit Nastase en se jetant dans les bras de Connors. Cet incident m'est revenu à la mémoire quand, l'automne dernier, j'ai vu le compte rendu d'une tournée éclair entreprise par John McEnroe et Andre Agassi. Interrogé sur leur relation, ce dernier répondit : « Entre nous, c'est purement sexuel. » Les plaisanteries de ce type naissent-elles inévitablement de la confrontation de deux égocentrismes et d'une admiration réciproque ? Ou sont-elles indissociables d'une relation rituelle entre deux « personnalités » de même niveau ?

Un jour, montant dangereusement le son de ma télévision, j'entendis McEnroe dire tout bas à un juge de ligne (il ne s'agissait pas d'un match de Grand Chelem mais d'une de ces rencontres juteuses dont les Allemands sont friands et dont le premier prix est, par exemple, un hélicoptère en or) : « Sors ta putain de tête de ta putain de ["personnalité"]. » Arthur Ashe raconte également qu'un jour, McEnroe a appelé *boy* un juge de ligne noir d'une cinquantaine d'années. McEnroe étant à la retraite, il revient à Agassi de reprendre la bannière des « personnalités » grand teint : Agassi, le feu rouge de Las Vegas, le « maître Zen » (Barbra Streisand) qu'on a connu cassant quarante raquettes par an. Bizarrement, je ne pense pas qu'il en ait l'étoffe. Nastase, Connors, McEnroe et Agassi, dans cet ordre, sont des « personnalités » de magnitude et d'énergie décroissantes. Au tréfonds de lui-même, McEnroe était plus timide qu'agressif ; chez Agassi, plusieurs signes révélateurs témoignent d'une certaine générosité, voire d'un certain *fair-play*.

Les gens recherchent des « personnalités » : c'est l'époque qui veut ça. Laver, Rosewall, Ashe : c'étaient des figures dynamiques et exemplaires ; ils n'avaient pas besoin d'avoir de la « personnalité » parce qu'ils avaient du caractère. De façon intéressante, il n'y a jamais eu de « personnalités » chez les femmes. Qu'est-ce que cela indique ? Qu'être une « personnalité », c'est un boulot d'homme ? Ou d'ado ?

Nous voulons que nos champions bouillonnent de vie. Mais qu'en est-il de Pete Sampras, alors – à qui l'on reproche si souvent de manquer de « personnalité » ? À en croire l'ordinateur, Sampras est presque deux fois meilleur que toutes les autres grandes figures du tennis. Quelle forme sa « personnalité » prendrait-elle ? Plastronnerait-il, les poings fermés, remuant les reins ? Tous les grands bouillonnent de vie, si le grand tennis est ce qui vous intéresse (plutôt que quelque chose de plus sordidement généralisé). Medvedev au regard effrayé, Courier à l'œil de serpent, le drôle et fougueux Ivanisevic, l'innocent Bruguera, le wagnérien (et machiavellien) Becker, le fanatique Michael Chang. Tous ces joueurs montrent qu'il est parfaitement possible d'avoir, ou de contenir, une personnalité – *sans* être un trou-du-cul.

The New Yorker, 1994

2. Ma pub

Tous les deux ans, j'améliore et mets à jour le Monstrueux Tennisman. Le Monstrueux Tennisman est le joueur parfait que le baron Frankenstein pourrait assembler s'il travaillait en étroite collaboration avec un gourou floridien comme Nick Bollettieri. En voici une description :

Tête : Muster. Jambes : Chang. (C'est un bon début.) Mains : Stitch. Aisselles : Courier (à jamais le transpirant *numero uno*). Torse : Becker. Pour brancher les coups eux-mêmes, on cannibaliserait tout simplement les deux meilleurs Américains. Premier service, second service, smash : Sampras. Coup droit, revers, relance : Agassi. Et, enfin, Edberg pour les volées.

À Wimbledon, cette année, je me suis d'abord dit que le baron Bollettieri avait passé des nuits blanches dans son labo et concocté la surpuissance de Mark Philippoussis. On voyait quasiment les verrous sortir de sa nuque. Puis le baron s'est calmé et nous a donné Richard Krajicek. *Voilà* ce qui explique la mystérieuse absence, dans les derniers stades, de toutes les grandes stars : elles étaient en pièces détachées sur la table d'opération du baron.

Krajicek, toutefois, n'est pas le Monstrueux Tennisman. Non, Richard Krajicek n'est pas ce joueur-là. Martin Amis est ce joueur-là ; *je* suis ce joueur-là. Krajicek est fort, mais je suis plus fort – dans au moins deux domaines. *Primo*, ma confiance en moi (*tellement* importante en sport) est d'un tout autre ordre. Krajicek a été *étonné* de gagner à Wimbledon ! Quand mon tour viendra, j'accepterai mon triomphe dans la foulée et sans la moindre trace d'humour. *Secundo*, Krajicek n'arrête pas de se blesser. Moi pas.

Certes, le mal de dos quasi paralysant dont je suis atteint vient sans doute d'avoir trop joué au tennis. Quelque forme de tennis que ce soit. Je souffre des genoux en permanence. Mais je ne me blesse *jamais*. Bien sûr, j'entends déjà les saint Thomas de ce monde me dire que j'ai trop attendu pour espérer prétendre à la première place au niveau mondial. Il est parfaitement possible, prétendent-ils, que je ne puisse même pas atteindre les quarts de finale, voire figurer parmi les dix premiers. Je n'ai aucune réponse à leur opposer. Je préfère laisser parler ma raquette.

Pour me préparer, je fais l'effort de compléter mon entrée dans le classement ATP de tennis. Voici ce que ça donne :

Date de naissance : 25 août 49. Taille : 1,67 m. Poids : 68 kg. Joue : droitier. Prix remportés : une croisière autour des îles Britanniques. Pertes : dans les 200 livres (un pari sur Martin Amis).

Sommet de ma carrière : 1989 – lors d'une partie au Maroc, ai remporté un jeu contre le pro de l'hôtel, Kabir, qui avait fait un jour un échauffement avec Yannick Noah. 1991 – grâce à une victoire contre un sexagénaire, ai réalisé le meilleur second tour de ma carrière au Trophée du Paddington Sports Club pour les plus de trente-cinq ans. 1993 – ai battu Zach, David et Andy deux dimanches consécutifs au PSC. 1995 – en double avec Peter Fleming, ai donné la crampe de l'éditeur à un vénérable éditeur à la balle de match, remportant le premier tournoi pros/amateurs (et la croisière autour des îles Britanniques, à laquelle j'ai finalement renoncé). 1996 – ai remporté un set face à Chris, encore au PSC ; Chris, de rage, en a cassé deux autres raquettes. Ai battu Ray, toujours au PSC.

	GRAND SLAM		
	94	95	96
AUS. OPEN	–	–	–
ROLAND-GARROS	–	–	–
WIMBLEDON	–	–	–
US OPEN	–	–	?

Le lecteur remarquera l'étonnant point d'interrogation, qui dit tout bas : « Amis à l'US Open – en 96 ? » Il faut expliquer que j'ai décidé de ne pas participer aux jeux Olympiques, et je viens de me retirer de l'Open. Ma tactique, c'est de me préserver pour Wimbledon 97. J'ai encore un point faible, que j'ai bien l'intention d'éliminer.

Franchement, c'est ma relance, qui n'est pas aussi bonne que celle d'Agassi. Il m'arrive de penser que, dans ce domaine, je ne vaux guère mieux que Jimmy Connors. Par définition, un service est une balle courte, mais ma réaction a tout de même tendance à être précipitée. Je le remarque notamment quand je suis face à des joueurs plus grands que moi (ou insuffisamment ratatinés par l'âge). La plupart du temps, je me contente d'une sorte de revers chopé.

Il reste tout de même un serveur qui m'inquiète vraiment. Pas Sampras. Sampras ne mesure que 1,86 m. Je sais qu'il saute plus haut qu'Air Jordan et n'a pas manqué un seul smash en dix ans. Mais je ferai un lob, ou amortirai mes balles pour qu'elles retombent à ses pieds, ce qui fera vraiment sortir Pete de ses gonds. Courier peut s'attendre au même traitement de ma part.

À Wimbledon, je ne serai sans doute pas classé et devrai donc sans doute affronter des joueurs tout à fait raisonnables dans les premières poules. J'imagine la scène : vers la tombée de la nuit le premier jour, sur le court 13, la lumière est mauvaise… Nous avons atteint l'inévitable jeu décisif du premier set. Regard porté au-delà du filet, je fais la mise au point. Mon adversaire est meilleur sur l'herbe et il donne tout. Goran Ivanisevic se prépare à servir *avec de nouvelles balles…*

Ou bien Goran craquera-t-il, comme toujours. Ma confiance en moi reprendra alors du poil de la bête. Je ne prévois pas de problème avant la poule 16, et il est possible qu'avec des joueurs comme Stitch ou Kafelnikov, je ne gagne pas avant le quatrième set. Ensuite, Edberg en quart de finale ; puis Pete ou Andre – peu importe – aux demi-finales. Le baron Bollettieri sera déjà allé renifler dans mon vestiaire. Il sera à l'affût de mon service-canon – mon lob offensif, et la petite tape que je donne à la balle de rechange à la fin d'un service où je servirai. Il espérera remettre du monstre dans Krajicek pour la finale. Eh bien, qu'il le rafistole tout son soûl. Je ne veux pas d'un néo-Boris Becker là-bas dehors, pour le rendez-vous sur le court central. Je veux Boris Karloff. Personne d'autre ne fera l'affaire.

The New Yorker, 1996

3. Les Tim

Au cours des douze derniers mois, Tim Henman a récolté une flopée de lauriers : pour son service-volée et son long revers coupé de matador ; pour sa beauté « juvénile » et son choix avisé de petite amie ; et pour la manière dont il fait face à son lourd fardeau : focaliser tous les espoirs d'une nation. Mais ce ne sont là, à mon avis, que des détails. Le vrai titre de gloire de Tim n'a pas encore été correctement évalué – ou ne serait-ce que nommé. Sa réussite transcende le sport et devient à proprement parler historique. Cela a à voir avec son *nom*.

Non, pas son nom, pas « Henman », qui fait sans doute référence à un intérêt qu'auront porté à la volaille ses ancêtres les plus reculés (*Hen-man* ; *hen* = poule). Quoique « Henman » ne soit pas un patronyme particulièrement charmant ou mélodieux, il ne constitue pas un handicap congénital. Contrairement à « Tim ». Et c'est ce qui confère à Henman sa véritable primauté. C'est le premier humain prénommé Tim à faire quoi que ce soit de bien.

Déjà, devant mon clavier, j'entends certains glousser face à ce dénigrement. Une indignation toute particulière viendra forcément des Tim eux-mêmes. À qui il semblerait que j'ajoute un problème. Les Tim n'ont pas besoin de ça ! Comme je les comprends. Mais voyons les choses autrement : avec Henman à la barre, nous entrons dans une période d'*espoir* pour les Tim. Peut-être les Tim sont-ils en train d'opérer un revirement. Il y a une contre-attaque, plutôt crasse, à laquelle je suis prêt : on va m'opposer que les Martin n'ont pas grand-chose à envier aux Tim. Erreur. Je n'ai pas à réfléchir longtemps pour que me viennent à l'esprit Luther, Heidegger, Ryle, Scorsese et *Martin* Luther King. À quels Tim les Tim pourraient-ils les comparer ? Tim Calvin ? Tim Schopenhauer ? Tim Hubble ? Tim Ford Coppola ? Tim X ?

« Tim », je le crains, n'a pas un joli son, voilà tout. Comme prénom, Tim manque de sérieux. Il est aisé de comprendre d'où vient leur complexe : les Tim de ce monde voient leurs ambitions réduites à néant, et leurs aspirations de même, de s'être tellement entendu appeler, enfants, « Timmy ». Le rapprochement avec « timide » et « timoré » (du latin *timere* : « redouter ») est bien trop puissant. « Salut, Timmy ! » – imaginez ce que ça fait, au bout de plusieurs milliers de fois. En réalité, il est miraculeux de voir combien de Tim s'en sortent : nombre d'entre eux mènent en effet des existences raisonnablement actives, s'accrochent à leur boulot, réussissent à rencontrer des filles et à avoir des enfants.

Est-ce que je m'attends à ce qu'ils acceptent mes remarques sans broncher, là-bas au QG des Tim ? Non.

À Londres, dans les années 70, on assista à une vogue éphémère de concerts de rock antirouquins. De temps à autre, des voiturées de roux patrouillaient dans ces concerts, assouvissant leur vengeance quand et là où ils le pouvaient. (« Je venais de quitter la salle quand ces quatre vieux débris de poils-de-carotte me sont tombés dessus. ») Mais le Tim n'est pas proactif, et on n'en imagine guère organisés en bandes d'autodéfense faisant des rondes la nuit. En feuilletant le dictionnaire, à la recherche d'autres calomnies sur les Tim, je suis tombé sur le terme *timocratie*. Qui ne signifie ni « gouvernement des Tim » ni « gouvernement par un Tim ». Mais plutôt : gouvernement par des gens « motivés par le sens de l'honneur ». C'est sans doute la voie la plus douce, la plus « Tim », l'unique façon d'avancer pour les Tim.

Dans ma propre sphère, celle de l'écriture, j'ai déjà noté une certaine consolidation du talent des Tim. Quatre Tim anglais parviennent à vivre de leur plume : MM. Binding, Jeal, Garton Ash et Mo. C'est un début. La prochaine étape consisterait à internationaliser le redressement et à l'étendre aux États-Unis, où Tim O'Brien garde difficilement la boutique. L'un des problèmes est que les écrivains américains ont tendance à avoir des patronymes formidablement audacieux et percutants ; les Tim ressortiraient encore affaiblis d'une association aussi inégale. Tim Mailer ? Tim Updike ? Tim Heller ? Tim Bellow ? Il y a bien un Tim Roth, mais c'est un acteur (et exceptionnellement petit, même pour une star de cinéma). Néanmoins, je crois qu'il existe une solution. Elle m'a été suggérée par l'exemple de Thomas Pynchon.

Au moins pour l'instant, les Tim devraient tous changer leur prénom en Tom. M'entendez-vous, M. Henman ? Et, pendant qu'on y est, changeons aussi le mot « tennis ».

« Tennis » (« appar. du vieux français *tenez*, “prenez, recevez” – ainsi que le serveur disait à son adversaire –, impér. de *tenir*, “prendre” ») me semble effroyablement efféminé et décadent. Je n'ai plus envie de regarder, ou jouer à, un jeu qui s'appelle : le « tennis ». J'exige un nom plus macho et actuel. Le volley s'est approprié « volley-ball » ; « powerball » a du potentiel ; mais que diriez-vous de « crackball », qui a l'avantage de rappeler une drogue susceptible d'améliorer les prestations ? Je demanderais bien aux Tim d'envoyer quelques suggestions, mais je ne pense pas qu'ils excellent dans ce domaine plus que dans les autres.

Henman doit faire vite, parce que Wimbledon, c'est pour bientôt. Il ferait bien de sauter dans un taxi et se faire conduire à l'état civil pour remplir les formulaires.

Il ne me reste plus qu'à demander : « Alors, Tom ? D'accord pour une partie de smackball ? »

Evening Standard et *The New Yorker*, 1997

Post-scriptum. J'ai continué à m'interroger de-ci de-là sur la place des Tim en littérature – les Tim, pas les Tom. Qui aurait cru qu'une seule voyelle pût faire une telle différence ? Imaginez combien seraient improbables *Tim Sawyer*, *La Case de l'Oncle Tim*, *Tim Brown's Schooldays* ou l'épopée novatrice de 1749, *Tim Jones*, de Fielding ? Sans parler de Tim Paine, Tim Wolfe, Tim McGuane, Tim Clancy, Sir Tim Stoppard ? Et il serait de mauvais goût, honnêtement, de citer à ce point tous les Thomas – Moore, Wyatt, Gray, Hobbes, Hardy, Mann, Thomas Stearns Eliot… Non, dans ce domaine, les Tim ont un énorme retard à rattraper. Mais dans d'autres, soudain ils pullulent. Dans le monde du spectacle, Tim Roth peut désormais fréquenter des Tim sur un grand pied : Burton, Spall, Robbins… Les Tim comptent dans leurs rangs un boxeur (Witherspoon), un historien (Snyder) et jusqu'à un vice-présidentiable, excusez du peu : Tim Kaine… Néanmoins, des doutes demeurent. Il m'arrive de penser (je dois être très vieux jeu) que tout le monde était plus décontracté – plus satisfait, plus réconcilié – autrefois, quand les Tim savaient se tenir à leur place.

Finale de la Ligue des champions 1999

BAYERN MUNICH	1 – 2	MANCHESTER UNITED
Basler (6)		Sheringham (90+1)
		Solskjaer (90+3)
Camp Nou, Barcelone		Public : 92 000

Nous sommes tous conscients de la férocité de la populace réunie à l'occasion des matches de football, et l'on a beaucoup écrit sur ses causes. Qu'est-ce qui pousse la multitude avec ses écharpes et ses bonnets à pompon à foncer en écumant, écrasant tout sur son passage : l'aliénation, le tribalisme et (au Royaume-Uni) la perte de l'empire colonial ? J'ai une explication plus simple. Les racines du hooliganisme résident dans les matches de football eux-mêmes, dans la réalité de cette expérience particulière.

Oui, j'y étais – le soir de gloire, le soir féerique, sur le terrain magique des rêves impossibles. À l'exception de quelques molles échauffourées occasionnées par le trafic de faux billets d'entrée, ce fut un événement explosif, exempt de violence (parce qu'on a gagné), et les tabloïds purent prendre tranquillement leurs photos de rosbifs à sombreros s'ébattant sur Las Ramblas. Pour moi, la soirée a consisté en quatre-vingt-dix secondes d'euphorie incrédule, prise en sandwich entre trente heures de tourments. Encore quelques expériences de ce type et moi aussi je prendrai d'assaut les commerces de la grand-rue, ferai chauffer les vitrines, jetterai des briques sur les supporteurs ennemis, attaquerai mes compatriotes à peau brune et surferai sur Internet (la nouvelle salle de jeu de la horde) pour en apprendre davantage sur le National Front et Combat 18.

Permettez-moi une petite feinte : la raison pour laquelle les gens qui détestent Manchester United détestent Manchester United est que Manchester United représente l'avenir du foot, et cela depuis un bon bout de temps. Avant, on disait que ses joueurs n'étaient qu'une troupe de mercenaires itinérants, qui ignoraient tout de l'identité et des traditions locales (pas assez prompts à acquérir la bonne dose de mépris pour Manchester City et la bonne dose de haine à l'endroit de Liverpool).

Les *Reds* inventent toujours de nouveaux moyens d'être à la pointe. Ils sont devenus une *marque* – informatisée, digitalisée, corporatisée. Ils peuvent s'offrir les grandes stars (Cantona, Ince, Mark Hughes), mais leur aisance financière leur permet plus, ils peuvent désormais boucler la boucle : ils produisent leurs propres joueurs, avec leur machine efficace et tenace de formation des jeunes (Ryan Giggs, Gary Neville, Paul Scholes, David Beckham). Le parking du camp d'entraînement est déjà infesté de Ferrari, mais les zonards footballeux de douze ans auront bientôt leurs penthouses, leurs chevaux de course et sortiront avec des mannequins.

Voilà pour l'équipe. Mais qu'en est-il des fans ? Eux-mêmes grands voyageurs et cosmopolites (originaires d'Afrique du Sud, du Japon, de l'Équateur), ont-ils suivi la même évolution ? En me rendant à l'aéroport mercredi matin, je m'attendais, plus ou moins, à frayer avec une nouvelle élite, une fraternité ambulante de connaisseurs qui auraient depuis longtemps transcendé les pressions prolétariennes de la horde.

Le match Manchester United/Bayern Munich était, en outre, Angleterre contre Allemagne. Il y avait des blessures à panser et des comptes à régler (l'Euro 96, l'Italia 90, les deux Guerres mondiales…). Mais il représentait aussi une chance d'assister à une démonstration de technique fignolée et de goûter à la sobre délectation du beau jeu.

Alors que les léopards des neiges et les lions des montagnes de l'équipe d'United avaient pris le Concorde à Heathrow, cap vers le sud, un réveil à l'aurore me vit rejoindre dans le hall des départs de l'aéroport de Stansted les autres passagers du charter affrété par le Sports Mondial à destination de la Catalogne. J'ai bien noté la présence de un ou deux fans qui auraient pu passer inaperçus au XXIe siècle : la trentaine bronzée, index sur le portable collé à l'oreille, adeptes des salles de gym, tenue impeccable, veste de survet en Nylon satiné, pantalon de jogging blanc scintillant, avec, à la taille, l'une de ces ceintures-portefeuilles qui ressemblent à une bedaine de buveur de bière détachable. Mais pas plus d'une poignée. Tout le reste semblait être soit a) d'un âge mûr pépère et mal sapé, soit b) revêtu de pied en cap, tel un clone, de produits après-vente du club. Sur beaucoup de polos rouges figurait, entre les omoplates, le nom d'un joueur fétiche : au bar (à 10 heures du matin), un SHERINGHAM était avachi pensivement devant une pinte de bière ; au McDonald's un KEANES se repaissait d'une succession de big macs.

Au début, l'atmosphère pré-embarquement était celle de n'importe quel départ de groupe de touristes à destination de la Costa Brava : anticipation et excitation légèrement tapageuses. Puis s'enchaîna une série de retards – ce dont le Sports Mondial s'excusa – qui mystérieusement s'allongea en une attente de six heures. La brochure précisait (à tort) que l'alcool était interdit pendant le vol, mais à chaque instant un individu ou un autre sifflait le dernier pour la route par le biais duquel le parfait Britannique s'arme de courage pour affronter un déplacement à l'étranger. Plusieurs impatients trouvèrent qu'on dépassait les bornes quand le steel band des Caraïbes (et qu'est-ce qu'ils fichaient là, ceux-là ?) entonna *Viva Espana*. « C'est du foutage de gueule ou quoi, merde ? » s'enquit le pire spécimen de notre groupe auprès de son *bro* ou de son *cuzz*, qui cuvait dans son sillage. « Z'ont de l'chans qu'y a pas une p'tain d'f'nêtre pas cassée dans c'p'tain d'trou. *Viva Espana*. Va pas chier ! » Le pire spécimen et son dauphin constituaient un terreau d'étude fascinant : des skinheads vieillissant mal, rondouillards mais musclés, bandés d'une énergie incontenable.

À 14 h 30, les bus bas sur roues nous emmenaient aux avions. Alors que, dans la salle d'attente, les fans avaient été dispersés, ils se compactèrent soudain en meute. « *Ryan Giggs, Ryan Giggs, coming down the wing* » (craint par les Bleus, adoré par les Rouges – le tout entonné sur l'air de *Robin des Bois*). « On nous, on nous bougera pas d'un pouce… On va gagner c'te p'tain de coupe. » Ou, selon, « c'te merd' d'gros lot ». Manchester United était en passe de remporter un triplé unique dans les annales (l'équipe avait déjà remporté la FA Cup et la Ligue des champions).

« On *bougera pas* ! *Re-Darmy, Re-Darmy, Re-Darmy…* [comprendre : *Red Army*] » Chanter, psalmodier ou brailler est censé être l'un des charmes folkloriques du foot ; mais une haine immodérée de la musicalité, de la tonalité et du rythme semble aussi faire partie de la fibre des gradins. Quand nous fûmes coincés sur la piste, s'éleva une minable tentative d'applaudissements lents, qui retomba comme une pauvre vaguelette sans tonus.

Inutile de préciser qu'une fois dans les airs, l'esprit de meute redoubla – que dis-je, quadrupla. Les répliques beuglées se succédèrent (la plupart du temps tout droit sorties de la télé mais assorties d'un bon gros *fucking* pour la bonne mesure). La robuste clameur s'intensifia lorsqu'on annonça que, pour compenser le temps perdu, nous atterririons non pas à Gérone, comme il avait été annoncé, mais à Barcelone même ; les autocars censés nous attendre fusaient au moment même vers l'aéroport ; nos billets étaient à bord. C'est alors que des rumeurs avinées se mirent à tanguer dans la carlingue. On atteignit le nadir lorsque fut entonné un chœur (« Les billets à Stansted ») sur l'air de Manchester United (ou était-ce, alors, *Guantanamera…* mais moins reconnaissable… ?). À l'arrivée, on nous annonça que nos autocars étaient en retard, ou perdus : une trentaine de taxis nous emmenèrent au rendez-vous près du centre-ville.

Devant l'hôtel Juan Carlos éclata une altercation entre un représentant assiégé de Sports Mondial et le dauphin du pire d'entre nous. Celui-ci donnait sempiternellement l'impression d'être sur le point d'ôter sa chemise ; eh bien, là, il l'ôta. (À quoi tient cette orgie de torses nus aux matches de foot ? Plus de *moi* ? Plus de *sport* ?) « Je sais, entonna le représentant, que vous êtes tous nazes mais… – Comme tu dis, merde, t'as raison, on est nazes ! Parce que tout est naze… Où qu'ils sont, ces putains de billets ? Ces nazes de billets. Qu'on nous les donne, merde. Les putains de *billets*, merde. »

Il restait une heure avant le coup d'envoi. La bousculade sur le parvis avait vite justifié une présence policière, et la police espagnole se mit à nous bousculer à son tour. J'allai m'asseoir sur l'herbe ; la police espagnole m'ordonna de ne pas m'asseoir sur l'herbe ; puis la police espagnole demanda à tout le monde de s'asseoir sur l'herbe ; puis la police espagnole demanda à tout le monde de ne pas s'asseoir sur l'herbe… Enfin, les billets arrivèrent et il fut décidé de les distribuer par ordre alphabétique. « Amis ! » Éprouvant de la pitié pour les fans, s'il y en avait, qui s'appelaient Zygmunt, je me précipitai vers le stade, où j'arrivai en nage, à temps pour assister à dix minutes de pom-pom girls remueuses de poussière, d'une diva sur une voiturette de golf et de Freddie Mercury sur les écrans doubles, tel un fantôme de l'opéra, lointain chantonnement au milieu des braillements enroués de 92 000 âmes.

Chaque fois, ça me frappe, avec toute la fraîcheur d'une révélation : assister à un match de foot dans un stade est la pire façon imaginable de voir un match de foot. Même sans compter le voyage jusqu'au terrain (aller et retour), les quarante-huit heures perdues et hors de prix, le fait d'être écrasé et parqué avec toute la civilité qu'on accorde généralement à un agrégat rebelle de voyous et de sociopathes, quand on trouve enfin un siège tout là-haut au sommet de la falaise de gradins, tout en soignant son saignement de nez et son hypothermie, on plonge le regard sur un cirque de puces dans un abîme embrumé ; et quand il se passe quelque chose, tout le monde se lève, si bien qu'on est forcé de se tordre le cou à travers un collage mouvant de frisottis et de boucles d'oreilles. Oui, la télé, sans compter qu'elle est à portée de télécommande et gratuite, c'est bien mieux – sous tous les rapports, sauf un. *La foule.*

La foule est le moteur de cette expérience particulière. Elle est exigeante : on doit lui abandonner son identité. Et il serait vain d'essayer de s'y opposer. C'est un mille-pattes qui vous enrobe de pied en cap, électrisant et combustible. Soulagé, humilié, terrorisé, on se perd dans la chaleur corporelle d'innombrables aisselles enflammées, dans les rugissements stridents et les sifflements endiablés : cris d'un milliard de bébés fondus en un seul hurlement désespéré. Ce jour-là, tout ce qui nous manquait, c'était la perspective de la victoire. Et le sable du temps s'écoulait irrémédiablement.

À la quatre-vingt-cinquième minute, une chemise rouge bedonnante passa devant nous en se dandinant, en faisant le geste du branleur et, au cas où ledit geste n'aurait pas été suffisamment clair, en hurlant : « Putains de *branleurs* ! » Personne ne le suivit. Et puis survint l'inoubliable, dans les derniers instants. Être pris dans la fabuleuse embardée d'émotion, lorsque la haine et le désespoir deviennent leur opposé. Lorsqu'un inconnu se tourne vers un inconnu avec amour et d'un air triomphal. Tous étaient englobés dans le vaste océan rouge de Manchester United.

Avant de pénétrer dans le Camp Nou, j'avais demandé à un représentant du Sports Mondial où se trouverait notre autocar à la fin du match. Il m'avait assuré qu'il attendrait « à l'extérieur » du stade. (Imaginez qu'après le carnaval de Notting Hill, on vous dise : l'autocar « attendra à l'extérieur » de Notting Hill !) Après le match, après une longue et vaine marche, je reconnus deux compères passagers, un père en chemise rouge et son fils en chemise rouge. « Allons voir par là-bas », dit gaiement le père en chemise rouge. Ainsi débuta une randonnée de plus d'une heure dans les émanations des pots d'échappement du parking d'autocars. Trois heures plus tard arriva le représentant du Sports Mondial lessivé et, hébétés nous-mêmes, nous montions à bord.

Sports Mondial nous soumit alors à deux caprices relativement insignifiants : un tour, à faible allure, de Barcelone avant que le chauffeur ne tombe par hasard sur la route de Gérone ; et un arrêt-pipi polémique sur l'autoroute afin de soulager les vessies en ébullition d'un YORKE et d'un STAM. Enfin, l'autocar nous livra à la catastrophe globale, mélange de cynisme, de dédain et de paranoïa ibérique, qu'est l'aéroport de Gérone. Environ deux mille fans furent contraints de passer plusieurs heures sur le parking, où ils dormirent les uns sur les autres. Un vieillard, voyant un enfant frissonner, n'arrêtait pas de psalmodier, avec grand sérieux et en toute justice : « Putain, y nous trait'… com' d'la purée de merd'! » Il avait raison. Troupeau de charter par troupeau de charter, on nous enjoignit enfin de fendre le cordon de police – pour aller dormir, encore en tas, dans le hall des départs (un homme dormit tête en bas sur le toboggan miniature de la salle de jeux des gamins). Enfin retentit l'annonce : « RN240. Destinationuh Esstanstsqseduh. » Notre avion atterrit à Stansted avec six heures de retard.

Quand on parle à un membre d'une foule, il devient instantanément un individu. Mais pas dans le cas du pire spécimen et de son dauphin, qui refusèrent de se dévoiler d'un iota, ne desserrèrent pas les dents et ne se départirent pas de leur regard noir ; c'étaient des irrécupérables, membres de l'« infime minorité » qui fait la une des journaux ; il y aurait eu du grabuge si Manchester United n'avait pas gagné. Tout le monde autour de moi se soumit au sort du troupeau avec résignation et un humour renfrogné. « Et si nous avions perdu ? » avais-je demandé à un fan, tandis que nous contemplions la désolation du parking. « Vaut mieux pas y penser, avait-il répondu. Pas vrai ? »

Tout le monde reconnut gaiement que le match avait été « pourri », hormis la prolongation et son immortel coup de théâtre. « Match merdique. Résultat fantastique. » Comme prévu, Manchester United avait souffert de l'absence de sa chaîne d'airain en milieu de terrain, Keane et Scholes ; la possession du ballon avait été intermittente, et l'entre-jeu n'avait jamais été fluide. Mais l'équipe croyait dur comme fer qu'elle pouvait tout faire. Et la foule le croyait aussi ; le Bayern (après la substitution de Matthaus) avait senti cette concentration d'unanimité fondre sur lui, et avait été perturbé.

Les supporteurs ne peuvent guère prêter main-forte à l'équipe sur le plan physique (dextérité ou athlétisme), mais ils peuvent joindre leur volonté à la sienne. J'ai éprouvé les envies ataviques du fan de foot, les passions exacerbées de la religion et de la guerre. Le nationalisme ne suffit pas à les expliquer, même si j'ai pris un méchant plaisir à voir les Allemands nez dans la boue (après le deuxième but, l'arbitre dut en aider plusieurs à se relever ; ils étaient foutus, morts). En donnant son identité au Saturne de la foule, le quidam sans pouvoir a participé au massacre. Bientôt, il devra réintégrer les confins de son individualité. Mais, pendant quatre-vingt-dix minutes – quatre-vingt-dix secondes –, il a fait l'expérience de la toute-puissance.

Observer Magazine, 1999

Post-scriptum. Le « je » de cet article devrait être un « nous » : je suis allé à Barcelone avec mes deux fils, quand ils avaient quatorze et douze ans (je ne l'avais pas crié sur les toits car ils avaient tous deux manqué l'école). Leur loyauté tribale, comme la mienne, se trouvait ailleurs – du côté de Newcastle, Liverpool et Tottenham Hotspur – mais j'admirais le style et le personnel de Manchester United (Yorke, Sheringham, Scholes, Schmeichel), et je voulais que l'équipe gagne. Cette préférence plutôt abstraite devint terriblement urgente au fil du match. À la fin du temps de jeu officiel, j'étais hormonalement prêt à un grand déferlement tentaculaire de violence injurieuse – avec mes fils, là, au milieu ! Nous le savons aujourd'hui, la soirée se déroula sans l'élément-clé du chambard : la défaite… Notre avion, qui, étant parti six heures en retard, maintenant la symétrie, revint six heures en retard, et me laissa de ce fait moins de vingt-quatre heures pour écrire un article de 2 000 mots. Mes fils cataloguèrent l'arrêt-retour à Barcelone comme un calvaire fascinant par intermittence. Je dois reconnaître que, de mon côté, je ressentis une exaltation qui, bizarrement, se prolongea. George Best, célébrité de Manchester United tellement totémique qu'on a donné son nom à l'aéroport de Belfast, quitta le terrain cinq minutes avant la fin et, à son grand (et durable) désespoir, manqua la remontée *in extremis* tout à fait implausible. Le fan voyageur endurci est adepte de l'autosacrifice ; qui reste jusqu'à la fin remporte la fierté du martyr (c'est-à-dire du témoin) et l'honneur tenace d'une indéfectible persévérance : il a été là, de bout en bout, au cœur de la foule déchaînée.

En quête de Dieguito Maradona

Il circule une photo terrifiante de Diego Armando Maradona, datant de l'année 2000. C'est celle de son premier infarctus. Il porte : une casquette de base-ball, visière à l'arrière, d'où dépasse une giclure de cheveux teints couleur caca de bébé ; lunettes noires ; tee-shirt, sans manches, de batteur mettant en valeur le tatouage Che Guevara sur son épaule droite ; et un rictus bouche relâchée, rebelle. Puis on arrive à l'énorme protubérance de sa bedaine.

Il serait difficile d'exagérer l'universalité du diminutif (*-ito*, *-ita*) en espagnol latino-américain, qui vient de l'extrême révérence et indulgence accordées aux jeunes. On croise sans cesse des hommes adultes au nom qu'il serait plus approprié d'entendre dans une crèche – des Sergito bien charpentés, des Hugito balaises (j'ai un ami sexagénaire qu'on appelle simplement « Ito »). Aujourd'hui, toutefois, on s'étoufferait s'il fallait appeler Maradona « Dieguito ». La silhouette qu'on voit encore souvent à la télévision, bringuebalant dans les halls d'aéroport ou juchée sur une voiturette de golf, a retrouvé sa couleur de cheveux naturelle et ne donne plus autant dans les outrances vestimentaires ; mais sa masse demeure prodigieuse et incontournable.

Visiblement, elle le torture. Et l'on devine encore Dieg*uito*, caparaçonné dans sa nouvelle carapace, souffrant, languissant – mais consentant. Au fin fond de tout obèse, dit-on, réside un maigre qui tente de sortir. Dans le cas de Maradona, il semblerait que ce soit un obèse encore plus gros qui tente d'entrer.

La publication de l'autobiographie de Maradona, *El Diego*, était imminente et, d'après la rumeur là-bas, il allait donner une interview à Buenos Aires (il se trouvait que je vivais alors tout près : en Uruguay). Lorsque, brusquement, il décampa à Cuba, son autre chez-lui (son sana) depuis 2002, je lui emboîtai allègrement le pas. Certes, Maradona avait déjà eu en avril un infarctus causé par la drogue ; mais ce voyage-là, fut-il annoncé, c'était de la routine, rien d'autre : désintox, décoke. Un homme qui se présentait comme son agent, un jeune en forme de Dieguito, du nom de Gonzalo, me reçut à son hôtel. Nous marchâmes sur des œufs. J'eus la réponse à mes interrogations le lendemain soir, aux infos. L'annonce des médecins – les médecins de Fidel – au Centro de Salud Mental, fut sans appel : le patient, appareillé comme un astronaute, ne recevrait personne. Maradona prit sa retraite en 1997. En 2001, il jouait (déjà plutôt rondelettement, faut-il reconnaître) dans un match télévisé. Maintenant, en 2004, il doit avoir la permission de ses médecins pour *regarder* un match à la télévision. Il a quarante-trois ans. Oh, Dieg*uito* – où te caches-tu ?

En Amérique du Sud, on dit, ou prétend, que la clé du caractère des Argentins se trouve dans leur évaluation des deux buts de Maradona au Mondial de 1986. Pour le premier, Maradona lévita telle une apparition, centra en avant et projeta le ballon vers le but avec une main gauche astucieusement dissimulée, fautive mais baptisée « Main de Dieu » par son marqueur. Or, c'est le second but, quelques minutes plus tard, que Bobby Robson [entraîneur de l'équipe d'Angleterre] qualifia de « putain de miracle » : partant de son camp pour se lancer dans une action de cinquante mètres, Maradona, comme en expiation, baissa la tête et slaloma entre toute l'équipe anglaise qu'il passa en revue et effaça, avant de tromper Shilton et marquer. Eh bien, en Argentine, c'est le premier but, pas le second, qu'on affectionne tout particulièrement.

Pour le macho *argie* (du moins selon une généralisation médisante), les coups tordus sont incomparablement plus satisfaisants que les coups francs. « C'est pareil en politique et dans les affaires. Ils ne tolèrent pas la corruption, oh non : ils la *vénèrent.* » Ce penchant s'applique aussi dans l'arène sexuelle : dans les milieux machos, où l'on fait grand cas de la sodomie hétérosexuelle – ce que remarquèrent V.S. Naipaul lors de ses voyages et, de façon plus surprenante (dans les années 20), Borges, qui y vit l'essence même du culte voué à la pratique qui consiste à « profiter d'autrui ». Dans le lexique personnel de Maradona, le même mot sert à la fois pour « buter » et « forniquer » : il s'agit de « vacciner », choix pertinent pour un Diego souvent victime avant les matches d'une longue aiguille analgésique, enfoncée dans sa rotule enflammée ou son gros orteil suppurant. C'est cette logique qui veut que le second but contre l'Angleterre ait été une épiphanie languide, érotique ; le premier était un coup vite fait dans une ruelle obscure. Chacun avait ses qualités. Plus largement, dans cette culture, le respect des règles est synonyme d'humiliation et d'abjection.

Le temps que nous atteignions le match contre l'Angleterre dans *El Diego*, le lecteur est en tout cas complètement séduit par l'histoire et la turbulente naïveté avec laquelle Maradona la raconte. D'abord, les passions exacerbées par le match Argentine-Angleterre n'étaient pas seulement ludiques : « Dans l'interview d'avant-match, on avait tous dit qu'il ne fallait pas confondre football et politique, mais on mentait. On ne pensait à rien d'autre. Un match parmi d'autres ? N'importe quoi ! » Et ce n'était pas non plus seulement à cause des Malouines : ça devait être la *revancha* historique d'une population soumise et appauvrie. Donc, après s'être longuement extasié sur le second but (« J'avais envie de mettre des photos de tout le développement de l'action, super agrandies, au-dessus de mon lit »), Maradona tourne son attention sur le premier : « J'ai retiré beaucoup de plaisir aussi de l'autre but. Parfois, je pense qu'il m'a encore plus plu. » Et le lecteur ne peut qu'approuver alors la sophistication comblée de sa conclusion : « Chacun [des deux buts] avait son charme. »

En d'autres mots, tout est beau – tout est bon – dans l'amour et la guerre. Et, pour une raison ou une autre, le foot, c'est précisément cela, telles sont les énergies qu'il nécessite : les énergies de l'amour et de la guerre.

Dieguito eut une enfance dépourvue d'isolation, dans tous les sens du terme. La société avait ses failles, et rien ne se dressait entre elles et lui. « Tout le monde se gargarise des modèles à suivre. Modèles mon cul ! En Argentine, on n'a pas un seul modèle en vie, alors arrêtez de me les briser avec ça. » Le beau jeu était une façon de s'extraire du bidonville, mais ce n'était guère un flambeau de probité pour l'adolescent. Le football était aussi corrompu et requin que le reste. Dans cette ligue (c'était bien connu), les joueurs devaient soudoyer l'entraîneur pour que leur nom figure sur la liste – où Patrick Vieira, disons, devait refiler une liasse à Arsène Wenger s'il ne voulait pas rester sur la touche toute sa vie.

Le *barrio* de Maradona à Buenos Aires, c'était Villa Fiorita (« Petite fleur »), une jungle purulente dans les années 60 et, de nos jours, une Saddam City de crime armé. « Mes parents étaient d'humbles travailleurs », écrit-il, mais l'expression consacrée n'est guère adaptée. Les dix Maradona occupaient un appentis de trois pièces où la seule eau courante était le torrent qui passait par le toit (« on était plus mouillés dedans que dehors »). L'obsession du football semble totalement innée ; aucun souvenir ne la précède, aucun autre centre d'intérêt ne dispute son hégémonie. Dès qu'on se mit à envoyer le gamin Diego faire des courses, il s'en acquitta en jonglant avec une orange. Pour son troisième anniversaire, un cousin lui offrit son premier ballon en cuir (« Je dormais avec, je le gardais dans mes bras »). Quand, à l'âge de neuf ans, il se présenta à sa première sélection, il était déjà d'un niveau tel que l'entraîneur le prit pour un nain. Il passa chez les seniors à quinze ans et, avec sa première paie, s'acheta un deuxième pantalon, en complément du côtelé turquoise avec les gros revers.

À partir de là, son ascension semble conçue pour l'éloigner de la réalité – qui, à l'époque, comprenait la *Guerra Sucia*, la terreur, 30 000 *desaparecidos* [disparus]. À l'âge où la majorité des enfants écoutent des histoires et ne savent lire que les gros titres, il était bercé par les ovations. Trois mois après ses débuts, il s'entraînait avec l'équipe nationale, entre Daniel Passarella et Mario Kempes. Il avait dix-huit ans lorsque, après une victoire contre l'US Cosmos, lui et le Kaiser, Franz Beckenbauer, échangeaient leurs maillots ; à dix-neuf ans, il marquait son centième but. Il était déjà le visage de Coca-Cola, Puma, Agfa…

Marginales et relativement pauvres, les ligues sud-américaines servent de terreau d'entraînement et de recrutement pour les clubs européens. En 1982, Maradona fut transféré à Barcelone pour 8 millions de dollars. Acheté par Naples deux ans plus tard, il en était à 7 millions de dollars par an, plus 3 millions de la télévision italienne (sans compter 5 millions de Hitachi). Un sondage de l'International Management Group le sacra « personnalité la plus célèbre du monde », et on lui fit une offre de 100 millions de dollars pour ses « droits à l'image » ; qu'il refusa, par patriotisme (IMG voulait qu'il prenne la double nationalité). 1986 lui apporta son apothéose nationaliste : il fut capitaine de l'Argentine lors de la Coupe du monde, que son équipe remporta. Il avait vingt-cinq ans.

El Diego est un récit transparent ; le lecteur ne cesse de voir dans ses interstices un étonnant chaos intérieur – des défauts de caractère et de jugement aigus et chroniques, sans compter, par-dessus tout, une connaissance de soi en permanence aux abonnés absents. À quatorze ans, il tomba sous la coupe de son premier entraîneur, un vieux mentor au nom guère encourageant de Jorge Cyterszpiler. On imagine aisément la suite lorsque, très tôt, Maradona se vante qu'ils ont « tout réglé sur la base de l'amitié, sans signer un seul bout de papier ». Comme de bien entendu, quand il arrive à Naples dix ans plus tard, il révèle avec candeur que « Cyterszpiler n'avait tellement pas eu de chance avec les chiffres que je n'avais plus rien ». Ou moins que zéro. La « malchance » de Cyterszpiler avec les chiffres, ses investissements dans les salles de bingo au Paraguay et autres, dévorèrent en plus le pourcentage de Maradona sur son transfert ainsi que sa villa de dix chambres à Barcelone. « Ce qui est fait est fait », déclare Diego en haussant les épaules, précisant que tous les investissements (dans les salles de bingo), il les avait voulus lui-même. Beaucoup plus tard, quand Maradona décide qu'il a besoin d'une sérieuse remise en forme, il loue les services d'un entraîneur : Ben Johnson. « Oui, Ben Johnson ! L'homme le plus rapide du monde, quoi qu'en dise tout le monde. »

Même histoire du côté de la Camorra napolitaine. « Ils m'ont offert des choses mais je ne voulais pas les accepter : à cause du vieux dicton qui dit que, d'abord, ils donnent et qu'après, ils demandent… Quand j'allais dans les clubs, ils me donnaient des Rolex en or, des voitures. » Il « ne voulait pas » les accepter ; mais il les acceptait. Idem avec les fautes, et les arbitres. Quand Maradona juge une situation, on croit le voir slalomer sur le terrain :

> Ce salaud de Luigi Agnolin, l'arbitre italien, il n'a pas validé un de mes buts. Je n'ai jamais tapé Bossio, c'est faux. Je lui ai fait mal parce que je lui ai sauté dessus. Ce n'était pas voulu […] cet Agnolin, quel con. On a essayé de faire pression sur lui dès le début mais l'Italien n'était pas du genre à se laisser intimider […] Il a poussé Francescoli, il l'a poussé ! Il a même donné un coup de coude à Giusti. J'aimais Agnolin […]

La veine anarchisante de Maradona transparaît également dans son mépris ou, plutôt, son dégoût de la loi.

Quand il attire l'attention de la police, c'est à peine s'il réussit à dire pourquoi. « J'ai été arrêté, arrêté ! » explique-t-il, avant de décrire brièvement la « farce » qui s'ensuit ; entre-temps, avec un toussotement poli, une note de bas de page s'immisce dans le discours pour divulguer le chef d'accusation (possession de cocaïne). Plus tard, de retour en Argentine, après avoir été continuellement harcelé par les journalistes : « J'ai réagi… j'ai réagi comme n'importe qui pourrait le faire. C'est l'épisode avec la carabine à air comprimé, ouais, correct. » À nouveau, une note en bas de page signale, de façon un peu floue, qu'il s'agit de l'« affaire » au cours de laquelle Maradona avait tiré sur un groupe de journalistes, sans aller jusqu'à préciser, toutefois, qu'en ayant touché quatre, il avait écopé d'une sentence de trois ans avec sursis.

Et puis il y a de fréquentes références à ce que l'on pourrait appeler son exceptionnalisme ou : mégalomanie de bas étage. Le plus souvent, Maradona parle de lui-même à la troisième personne. (« Nous l'avons fait plus grand que Maradona », « C'est la chose la plus importante que Maradona puisse avoir » et, le plus amusant : « Le commerce de la drogue est bien trop gros pour que Maradona puisse l'arrêter. ») Mais il fait aussi référence à lui-même sous le nom d'El Diego : « Parce que je suis El Diego. Moi aussi je m'appelle comme ça : El Diego » ; « Voyons si on peut vous faire comprendre ça une bonne fois pour toutes : je suis El Diego » ; « Je suis le même que toujours. Je suis moi, Maradona. Je suis El Diego. » Au bout d'un moment, ce n'est plus de l'autoglorification, c'est de l'autohypnose.

Passarella était un « bon capitaine, concède El Diego, mais le grand capitaine, le vrai grand capitaine, c'était, c'est et ce sera toujours moi ». Ce genre de langage se retrouve plus tard, quand, en 1996, Maradona lança une campagne nationale antidrogue en déclarant : « J'ai été, je suis et serai toujours un drogué. » Le mantra du désintoxiqué, d'ordinaire une vantardise embuée de fausse humilité, de continence acquise à la dure, semble dans ce cas être davantage une déclaration d'une vérité irréductible. Il y a vingt ans que Maradona se drogue : d'où une suspension de quinze mois (en Italie), une éjection de la Coupe du monde en 1994 (« On m'avait donné [sic] de l'éphédrine, alors que l'éphédrine est légale, ou devrait l'être »), et un scandale qui brisa sa carrière lors de son retour chant-du-cygne au Club Atlético Boca Juniors en 1997. Impossible de prétendre, dans ces conditions, que la drogue n'est qu'un passe-temps. Voilà un homme qui régulièrement sniffe au point d'en faire un infarctus. Seule une débauche mortelle semble à même de recréer l'intensité de sa pompe perdue : les zéniths à faire exploser le cœur, les nadirs abyssaux.

Récit empreint d'une émotion très grandiloquente, *El Diego* est aussi exceptionnellement vivant. Les exotismes de l'idiolecte de Maradona sont équilibrés par des clichés footballistiques bourrés de jurons, qui semblent être universels (« la foule fut prise de délire », « ce connard », « je gère » ; et le joliment improbable « N'exagère pas, Diego » de l'entraîneur Carlos Bilardo). Mais il y a également des traces d'un niveau de perception plus élevé. Cafard de prématch dans les vestiaires : « Je sentis un silence, trop profond, trop froid. J'examinai plusieurs visages, que je vis très pâles, comme s'ils étaient déjà fatigués. » D'une mauvaise blessure : « J'ai couru après un ballon perdu et j'ai entendu le bruit reconnaissable d'un muscle qui se déchire, comme une fermeture à glissière qu'on aurait ouverte dans ma jambe. » Quant à l'émotion, Maradona en déverse des torrents toutes les deux pages. Les poèmes en prose adressés à sa femme et à sa famille sont d'autant plus émouvants qu'on sait qu'il a divorcé depuis, est fâché avec ses deux frères – et que tous les liens d'amour ont échoué à le maintenir dans son orbite.

Des tas de sportifs prétendent être les défenseurs du peuple mais le populisme de Maradona est garanti par son itinéraire : les bastions prolétaires de Buenos Aires, de Naples, et maintenant de La Havane ; le seul club français avec lequel il a flirté, c'est significatif, c'est l'OM. Si on pose la question à Buenos Aires, la réaction à son égard est toujours réfléchie, toujours positive ; et les Havanais, qui n'ont jamais connu un Maradona non décadent, semblent le vénérer sans réserve. (« Je suis un fanatique de Maradona. ») Cuba est parfait pour lui ; il peut être un homme du peuple et un homme du président, frayant avec cet autre vaurien de réputation mondiale, Fidel Castro.

Le grand joueur Jorge Valdano a fait un bon commentaire sur Maradona, dans le grand style latino : « Pauvre vieux Diego. Depuis tant d'années on lui répète “Tu es un dieu”, “Tu es une star”… On a oublié de lui dire le plus important : “Tu es un homme.” » Néanmoins, nous n'en sommes pas tout à fait là. En Italie, on lui disait : *« Ti amo piu che i miei figli »* – Je t'aime plus que mes propres enfants. Ce qui n'est pas aussi blasphématoire que ça en a l'air. Avec ses accès de colère, ses automutilations et sa gourmandise inassouvissable, Maradona est resté *El Pibe d'Oro*, le gamin en or. Il est encore Dieguito.

The Guardian, 2004

Tennis, mon beau revers

J'ai commencé le tennis, de zéro, adolescent, avec une série de leçons. D'abord en salle, avec Harry, le genre d'épave sur le retour qui sifflait une bouteille de porto au petit déjeuner ; et ensuite avec le vieux Syd, un professeur freelance qui enseignait sur un court dans un parc public : il avait des jambes étonnamment arquées, dont les genoux refusaient de se plier. Harry et Syd étaient, vu leur âge, de déplorables spécimens physiques, mais ils avaient en commun la qualité qui distingue les bons joueurs : ils savaient précisément où irait la balle de l'adversaire, et s'y rendaient à l'économie, paisiblement. Au filet, tous deux avaient les « mains fluides » – tavelées et tachetées dans le cas de Harry, noueuses et crochues dans celui de Syd, mais indéniablement fluides, réactives au caractère et à la vitesse de la balle. Ils contraient avec la tête de leur raquette votre coup droit le plus vif, presque en silence, et votre balle retombait et roulait lentement pour aller mourir à mi-distance de la ligne de service.

Harry, du moins, me donna quelques conseils plutôt judicieux. « Quand tu sers, imagine que tu lances toute ta raquette de l'autre côté du filet vers la cible ; pour une balle au rebond, exécute un tour circulaire complet au moment où elle entame sa trajectoire vers toi. » Les enseignements de

Syd, je le sais aujourd'hui, étaient effroyablement désuets. « Au filet, tiens-toi bien droit. Même si la balle est très basse, contemple-la d'en haut. » (En fait, la tête doit être à la hauteur du point d'impact.) Il était traditionaliste sur d'autres plans aussi. « *Allons*, dit-il un jour en grognant dans sa barbe, tandis qu'il m'observait en mauvaise posture contre Linda, une ex à moi bien entraînée. Elles *ne veulent pas* gagner. Et tu ne devrais pas les *laisser* gagner. » Plus tard, je me rappellerai ses paroles quand je serai massacré régulièrement et tambour battant par mon amie Kate.

À trente ans, j'ai arrêté de louer les services de professeurs et les ai remplacés par des « frappeurs » (qui reviennent bien moins cher et n'ouvrent quasiment jamais la bouche). De cette façon, en une heure, on fait dans les 600 coups. Mais je m'aperçus peu à peu que frapper avait un défaut fondamental. Rangées dans une sorte de chariot, les balles qui vous sont lancées varient en qualité : certaines sont quasiment neuves, d'autres râpées, sinon flasques et spongieuses (comme si on les avait arrachées à la gueule d'un chien six mois avant). Elles rebondissent toutes à des hauteurs différentes ; ainsi, le but supposé, se faire la main, acquérir la « mémoire des muscles », est complètement illusoire. J'ai arrêté d'apprendre, j'ai arrêté de frapper, me contentant de continuer de jouer, parfois jusqu'à six fois par semaine.

Mon premier service était forcément plat (je mesure 1,68 m), mon second un kick faible mais fiable. Mes volées étaient toujours tendues alors que, la plupart du temps, mon smash fonctionnait. Mon coup droit lifté était « bien chargé », comme on dit ; mon revers était coupé avec une grande précision et, avec le temps, j'ai fini par maîtriser la boucle (uniquement déployée contre un adversaire qui joue long au milieu du court). De loin mon arme la plus efficace, mon lob défensif se développa semblablement. Une fois, j'ai fait un lob lifté face à un très bon, très sportif et très grand adversaire sur la ligne de service. Il n'a pas sauté, il ne s'est même pas tourné ; il a simplement tapé sa raquette du plat de la main. En fin de compte, c'est à ça que la carrière de l'amateur se résume : chérir dans son souvenir… combien… ? Une dizaine de coups. La fameuse reprise en demi-volée croisée, le fameux topspin de revers près du filet, le fameux coup droit à contre-pied qui a rétamé l'adversaire…

J'ai atteint mon zénith à quarante ans. Pendant un été légendaire, je me suis comporté sur le court tel un poète guerrier, ichor fusant dans mes veines, éclat visionnaire dans mon regard concentré : j'ai trimballé ma Wilson cinq mois consécutifs sans perdre un set. À la fin de cette année-là, j'ai remporté ce qui fut sans doute ma plus belle victoire, contre Chris, l'un des gars les plus baraqués et les plus spirituels de la première équipe du Club sportif de Paddington. Un seul set et j'avais mon plan : je l'accablerais de balles parachutes sous le regard de ses pairs qui se fendaient la poire. Chris resta là, tête baissée, mains sur les hanches, à attendre (et il jurait, aussi), pendant que ma balle prenait son temps pour redescendre de la troposphère. Quand nous nous sommes serré la main au filet (7-5), Chris a dit : « Bien joué, Mart. Tu es nul et si je te bats pas *six-love*, *six-love* la prochaine fois, j'abandonne le tennis. » La fois suivante, il l'emporta par 6-0, 6-1. Chris n'a pas abandonné le tennis.

Moi oui – progressivement. Vers quarante-cinq ans, j'ai remarqué que je commençais à perdre contre mes égaux de la veille ; puis je me suis mis à perdre contre des gens qui ne m'avaient jamais battu avant ; puis je me suis mis à perdre tous mes matchs. Chaque match devint une bataille rageuse de plus en plus laborieuse contre le vieillissement. On ralentit, bien sûr, et on devient de plus en plus maladroit, la ceinture pelvienne fait très mal, tout le temps, et on n'a plus envie d'un second set, et encore moins d'un troisième. Mais le symptôme le plus effroyable, c'est la lenteur des réflexes. La balle passe par-dessus le filet par surprise : on reste planté là à regarder jusqu'à ce que, avec un spasme sénescent, on s'active pour aller à sa rencontre. Cette tendance se manifestait ailleurs aussi. Un après-midi, je regardais un match de foot tendu avec mes fils ; à la moitié de la seconde mi-temps, mon aîné s'exclama : « À la soixante-troisième minute, Paul Scholes a marqué pour l'Angleterre. Et à la soixante-cinquième, papa a fait un bond sur le canapé. »

Il y a environ un an, j'en suis venu à la conclusion que le jour n'était pas assez long (et la vie non plus) pour que je continue le tennis : se changer, prendre la voiture, se garer, faire ses étirements, jouer, perdre, faire ses étirements, reprendre le volant, puis une douche et se rechanger – sans parler des heures passées aux mains de physiothérapeutes sadiques. Peut-être, un jour, je retournerai clopin-clopant entre les lignes des courts de tennis. Mais pour l'instant, je me contente de faire l'impasse. Le tennis : la plus parfaite combinaison d'athlétisme, de beauté du geste, de puissance, de style et d'esprit. Un beau sport, mais implacablement transformé en simulacre par le passage du temps.

The Guardian, 2009

Plus personnel – 2

En écrivant
La Flèche du temps

« Pourquoi avez-vous décidé d'écrire un roman sur l'Holocauste ? » Quand on me met ainsi au défi, ce qui arrive encore parfois, je ne peux répondre que de la façon suivante : « Mais… je n'ai jamais écrit de livre sur l'Holocauste ! » Je n'ai d'ailleurs jamais décidé non plus d'écrire un roman sur la sexualité adolescente, l'Angleterre de Thatcher, le Londres du millénaire ou le goulag (que je n'ai pas moins terminé en 2006). Avec son verbe totalement inapproprié et sa préposition présomptueuse, la question révèle une grande quoique compréhensible naïveté concernant la façon dont on fabrique les romans. Car le roman, dit Norman Mailer, est l'« art qui fait peur ».

Décider d'écrire un roman sur un sujet particulier – par opposition à *se retrouver à* écrire un roman sur un sujet particulier – me semble être une bonne définition du syndrome de la page blanche. Quelle que soit sa longueur (vignette, court roman ou épopée), une œuvre de fiction débute avec une vague idée : une idée qui est aussi une sensation physique. Il est difficile de dire mieux que Nabokov, qui a parlé de « frisson » et de « pulsation ». Celle-ci peut avoir diverses origines : un article dans un journal (c'est très commun), les bribes d'un rêve, une citation mi-oubliée. La fermentation cruciale, l'élément déclencheur se trouvent dans ceci : le frisson doit être lié à quelque chose qui est déjà présent dans le subconscient.

La Flèche du temps dut tout à une coïncidence, ou plutôt une confluence. Vers le milieu des années 80, j'ai commencé à passer les étés au cap Cod, Massachusetts, où je me suis lié d'amitié avec le distingué psychohistorien Robert Jay Lifton. Bob était et reste l'auteur d'une série de livres sur les horreurs politiques du XXe siècle : la révolution culturelle en Chine, Hiroshima, le Vietnam. En 1987, il m'a donné un exemplaire de son dernier livre (sans doute le plus connu), *Les Médecins nazis : le meurtre médical et la psychologie du génocide*.

La mission historiographique de Lifton consiste à définir le nazisme comme une idéologie en premier lieu *biomédicale*. Cela se trouve dans *Mein Kampf* : « Quiconque veut guérir cette époque, qui est malade et pourrie de l'intérieur, doit d'abord avoir le courage de clarifier les causes de ce mal. » Le Juif était l'agent de « pollution » et de « tuberculose » « raciales » : l'« éternelle sangsue », le « porteur de microbes », le « ver dans le cadavre pourrissant ». En conséquence, le médecin devait devenir un « soldat biologique » ; le guérisseur devait se faire tueur. Dans les camps, tous les meurtres non arbitraires étaient supervisés par des médecins (ainsi que dans les crématoriums). Comme l'a exprimé l'un d'eux, « par respect pour la vie humaine, je retirais un appendice gangrené d'un corps malade. Le Juif est l'appendice gangrené dans le corps de l'humanité ».

Cette année-là, j'avais déjà, parallèlement, l'envie de m'attaquer à une nouvelle sur une vie vécue à rebours. Cette idée ténue me plaisait en tant que possibilité poétique mais elle paraissait fatalement dénuée d'aspérités. Je ne trouvais pas à l'appliquer à une vie vécue ainsi. Quelle vie ? Or, en entamant la lecture des *Médecins nazis*, je me suis mis à penser, et c'était déconcertant : *cette vie-là*. La vie d'un médecin nazi. « Né » vieillard en Nouvelle-Angleterre ; « mort » bébé en Autriche, dans les années 20…

Après plus d'un an de lectures et de combats quotidiens avec l'impression panique que je profanais quelque chose (quel droit avais-je de m'attaquer à ce sujet sépulcral, qui plus est d'un point de vue apparemment « ludique » ?), je me mis à écrire. Instantanément, je fis une découverte qui m'enhardit : l'aiguille du temps se trouve être la flèche de la raison ou de la logique, ce à quoi on pouvait s'attendre, mais c'est aussi la flèche de la moralité. Passez le cinéma de la vie à l'envers et (par exemple) la ville d'Hiroshima est bâtie en un instant ; la violence devient bénigne ; tuer devient guérir, guérir tuer ; l'hôpital est une salle de torture, le camp de la mort une fontaine de vie. Inversez la flèche du temps, et le projet nazi devient ce que Hitler a dit qu'il était : le moyen de redonner son unité à l'Allemagne – ce qui m'apparaît encore comme une jauge de cette atrocité terminale et diamétralement opposée : elle exigeait de la flèche du temps qu'elle pointe dans l'autre direction.

Nous nous posons souvent la question : qui était pire, la petite moustache ou la grosse, Hitler ou Staline ? Quinze ans après, j'ai écrit un roman sur l'holocauste russe (*La Maison des rencontres*) ; il fut, dois-je d'ailleurs préciser, le plus difficile à écrire, parce qu'il se concentrait sur les victimes et pas sur les bourreaux. Mais la question n'a guère lieu d'être. Dans notre hiérarchie du mal, nous plaçons instinctivement Hitler en premier. Et nous avons raison.

Le goulag – ce n'est pas assez reconnu – était avant tout un système d'esclavage d'État. Le but, jamais atteint, était de faire de l'argent. C'est un motif que nous pouvons comprendre. Le concept nazi, avec ses « rêves de toute-puissance et de sadisme » (Lifton), était totalement inhumain, ou « contre-humain », pour reprendre Primo Levi : tel un monde qui avancerait à rebours. Les nazis avaient le niveau intellectuel des tabloïds de supermarché. Nous ne serions pas surpris d'apprendre qu'avait été créé à Berlin un bureau d'État destiné à prouver que les Aryens ne descendaient pas des singes mais venaient du continent perdu de l'Atlantide, dans les Cieux, où ils étaient préservés dans la glace depuis le début des temps.

The Guardian, 2010

Marty et Nick Jr font voile vers l'Amérique

Je suis allé en Amérique pour la première fois en 1958, à l'âge de neuf ans ; je m'y suis tellement plu que j'y suis resté près d'un an. Avant d'embarquer sur le *Queen Elizabeth*, mon frère Philip (dix ans) et moi avions pris la sage précaution de changer de prénom. Pour moi, ce fut assez simple : aux États-Unis, je répondrais au nom de Marty. Plus imaginatif, adaptant l'un de ses prénoms, Philip trouva Nick Junior, se moquant éperdument qu'il n'existât pas de Nick Senior. Mon deuxième prénom, je m'en aperçus plus tard, aurait été parfait tel quel : Louis (mes parents admiraient Louis Armstrong). Quoi qu'il en soit, quand le majestueux paquebot approcha la scintillante immensité de New York, Nick Jr et Marty étaient fin prêts.

Nous venions de Swansea, en Galles du Sud. L'homogénéité ethnique y était telle que je fauchais déjà de l'argent et fumais de temps en temps une cigarette avant d'avoir pu rencontrer – ou même voir – une personne à la peau noire. Mon baptême du feu eut lieu en 1956, quand mon père m'emmena chez un universitaire de ce qui était alors la Rhodésie (aujourd'hui le Zimbabwe). En chemin, dans le bus à impériale rouge, il me gratifia d'un cours, fort patient mais trop répétitif à mon goût, sur ce qui m'attendait. « Il a le visage noir, dit-il. Il est noir. » Et ainsi de suite. Quand je pénétrai dans le minuscule appartement, je fondis en larmes. Et ne mâchai pas mes mots : « Vous avez le visage noir ! – Bien sûr, répondit le professeur invité quand il eut fini de rire. Je *suis* noir ! »

En 1958, mon père était également professeur invité, à Princeton, New Jersey, où il enseigna la création littéraire. Avant de commencer l'école à Valley Road, Nick Jr avait demandé à notre mère de lui acheter son premier pantalon long ; Marty se retrouva le seul être humain de tout l'établissement à être encore en culottes courtes (plus des sandales Clark's et des socquettes grises en accordéon). À Valley Road, il y avait quantité d'élèves noirs – mais, dans mon souvenir, en tout cas, aucun enseignant de couleur ; à la maison, je fus vite en d'excellents termes avec notre dame de ménage, May, qui venait de Trenton deux ou trois fois par semaine au volant de sa sensationnelle Cadillac rose.

En cours moyen, je me liai d'amitié d'abord avec Connie, puis avec Marshal, puis avec Dickie. Au bout d'un certain temps, je m'entichai d'un garçon noir – qui s'appelait Marty. Il portait son prénom avec panache (alors que, de mon côté, Marty avait été rétrogradé en Mart, tout comme Nick Jr était revenu à Phil). Un jour, recourant à l'accroche préférée des enfants britanniques, je demandai à Marty :

« Est-ce que tu aimerais venir prendre le thé à la maison ?

— Mm. Je préfère le café.

— Je voulais dire : prendre le quatre-heures. Avec des gâteaux et des petits pains. Tu pourras avoir du café.

— Nooon. Ta mère n'aimerait pas ça.

— Pourquoi pas ?

— Parce que je suis noir.

— … Ma mère ne remarquera même pas que tu es noir. »

Marty vint donc prendre le thé à la maison et, à mon avis, ce fut un grand succès. Et puis je suis allé chez Marty. Il habitait dans le quartier noir de Princeton (dont on me dit qu'il est aujourd'hui principalement hispanique). Au cours du dîner avec la famille nombreuse de Marty, en jouant au basket dans la ruelle avec ses frères et ses amis, je pris conscience, ô combien, que j'étais blanc, avec une intensité physique que je n'oublierai jamais. *J'étais le seul garçon de l'école à être en short* – eh bien, prenez cet isolement cramoisi de confusion et multipliez-le par mille : car ici, il était question de ma *peau*. Pendant trois heures, je fus la proie d'un accès de gêne si débilitant que j'eus peur de m'évanouir. Plus tard, je me demandai : c'est ça que Marty a éprouvé chez nous ? Comme ça qu'il s'est senti à Main Street ?

En 1967, mon père accepta un autre poste d'enseignant aux États-Unis. À en croire ses mémoires, Vanderbilt University, Nashville, Tennessee, était une « institution connue, et pour certains sans ironie aucune, comme l'Athènes du Sud ». Princeton commença à accepter des étudiants noirs au milieu des années 40. Deux décennies plus tard, mon père demanda s'il y avait des étudiants « de couleur » à Vanderbilt. « Bien sûr, lui fut-il rétorqué sans l'ombre d'un sourire. Il s'appelle M. Moore. » Et la salle des professeurs, dans la section des lettres humaines, ne procurait pas davantage de contrepoint aux valeurs de la société du cru : à savoir les préjugés bruts de la bauge et du caniveau. Le coupable, dans l'anecdote suivante, le *professor* Walter Sullivan, un romancier, enseignait la littérature.

> Chaque fois que je raconte cette histoire, et je le fais souvent, je lui prête un accent *dixie* péquenaud pour qu'il paraisse encore plus horrible, mais en fait il parlait un anglais américain ordinaire, aux intonations sudistes plutôt séduisantes. Quoi qu'il en soit, voici ce qu'il disait (*verbatim*), « Je ne trouve pas la force au fond de moi de donner un A à un négro [prononcer *nigra*] ou à un Juif ».

Le fait qu'il y eût toutes les chances pour que de tels sentiments restent incontestés et soient même largement applaudis lors de réunions mondaines à Nashville poussa mon père à écrire qu'après son service militaire, son séjour à Nashville était le moment de sa vie qu'il aurait le moins voulu revivre.

Tout cela se passait il y a longtemps, mais je peux le prouver. Au cours de l'année passée à Princeton, la famille Amis – ses six membres – partit en excursion à New York. Ce fut une parenthèse joyeuse, émerveillée et si onéreuse que nous en parlâmes, avec toujours la même incrédulité, pendant des semaines, des mois, des années. Entre les billets de train et de ferry, les taxis, le déjeuner plantureux, le dîner qui ne le fut pas moins, les innombrables en-cas et gâteries, les Amis avaient réussi à dépenser pas moins de *100 dollars*.

À son retour au Royaume-Uni en 1967, mon père écrivit un poème longuet sur Nashville, qui se termine ainsi : « Mais dans le Sud, rien aujourd'hui ou jamais./Pour les Noirs et les Blancs, aucun avenir./Aucun. Pas ici. » Il s'avéra que son désespoir était prématuré. L'une des tendances démographiques les plus marquées de l'Amérique contemporaine est l'exode des familles noires des États du

Nord vers ceux du Sud. Ce qui n'empêche pas que ceux d'entre nous qui croient à l'égalité des droits pour tous ont soudain besoin d'être rassurés. Je me reporte bien sûr au cas de Trayvon Martin. Oubliez pour l'instant le chef-d'œuvre de jurisprudence qu'est *Stand Your Ground* (la parole d'un assassin vaut celle de sa victime à jamais bâillonnée), et répondez à la question suivante : est-il possible, en 2012, d'avouer avoir poursuivi puis tué un jeune Blanc de dix-sept ans non armé, et d'être relâché sans aucune charge ? Soulagez mon âme troublée, et dites-moi que oui.

The New York Times, 2012

À vous de poser les questions – 2

Êtes-vous islamophobe ?

Alisdair Gray, Édimbourg

Non, bien sûr que non. Je suis islamismophobe. Ou, mieux, anti-islamiste, parce qu'une « phobie » est une peur irrationnelle, or il n'y a rien d'irrationnel dans le fait de craindre des gens qui déclarent vouloir vous tuer. La forme que prend désormais, par exemple, la xénophobie de type groupes d'autodéfense : le harcèlement et pire de musulmanes dans la rue me dégoûte. Il est mortifiant d'appartenir à une société dans laquelle une catégorie de la population se sent menacée. D'un autre côté, aucune société sur cette terre, aucune société imaginable, ne pourrait absorber sans faire de vagues une journée comme le 7 juillet 2005. L'anti-islamisme n'est pas comme l'antisémitisme. Et il y a une raison empirique à ça.

Plus généralement, la difficulté a trait à la différence de points de vue sur ce qu'est l'identité nationale ; le modèle américain est celui que nous (et le monde entier) devrions essayer d'imiter. À Boston, un immigrant pakistanais peut déclarer « Je suis américain » : il ne fait que dire l'évidence.

Son équivalent, à Bradford, peut-il dire une chose équivalente d'une manière équivalente ? La Grande-Bretagne a besoin de devenir ce que l'Amérique a toujours été : une société d'immigration. Dans tous les cas, c'est notre avenir.

L'expression « horreurisme », que vous avez inventée pour décrire le 11-Septembre, est malencontreusement désopilante. Vous en avez d'autres comme ça ?

Jonathan Brooks, par courriel

Oui, Jonathan, j'en ai une autre pour vous (quoique je ne puisse guère la revendiquer) : allez vous faire voir. Au fait, « horreurisme » est un mot, pas une expression.

Je ne décrivais pas le 11-Septembre. Je décrivais les attentats-suicides, les suicides-tueries. Et la distinction entre terrorisme et horreurisme est suffisamment réelle.

Si pour une raison ou une autre vous deviez traverser la Sibérie en traîneau, vous seriez inquiet, voire angoissé ; en démarrant, en entendant le premier hurlement des loups, votre angoisse se muerait en peur ; à l'approche de la meute, qui se mettrait à vous poursuivre, votre peur se métamorphoserait en terreur. « L'horreur », c'est quand les loups sont là. Certains actes de terrorisme sont tout bonnement horribles. Un suicide-tuerie, un acte éclaboussant au cours duquel le sang, les os et les organes de l'assaillant s'invitent dans le débat politique, est toujours horrible.

En gros, les quatre cinquièmes des attentats-suicides de l'Histoire se sont déroulés après le 11-Septembre. Les attentats-suicides sont un phénomène nouveau ; et je dois dire que je ne peux imaginer pire profanation de l'image de l'être humain.

Qu'est-ce que vous croyez qui devrait être fait face à la confrontation nucléaire qui se profile entre Israël et l'Iran ? Soutiendriez-vous une frappe nucléaire israélienne préventive ?

Clive Marr, Cambridge

Après le rodéo des demeurés à Téhéran (où se réunissaient des érudits islamistes afin de remettre en cause la véracité historique de l'Holocauste) et ses récents revers électoraux, Mahmoud Ahmadinejad est probablement sur la voie de la sortie ; mais même Rafsanjani, le principal « pragmatiste » (et non moins corrompu) iranien, a déclaré qu'une frappe nucléaire sur Israël oblitérerait l'identité juive, alors que toute frappe en représailles, quelque dévastatrice qu'elle fût, serait « absorbée » par l'Islam.

Il est compréhensible qu'Israël soit moins qu'enthousiaste d'assister à l'émergence d'une bombe suicide qu'on mesure en mégatonnes. La seule issue, je crois, passe par la diplomatie, laquelle doit être menée par l'Amérique, qui, à son tour, doit reconnaître que la position nucléaire occidentale, à deux vitesses, représente une impasse morale et philosophique. L'Occident doit prendre le problème à bras-le-corps (comprend-on à quel point c'est crucial ?), et commencer à réduire ses arsenaux en vue de la perspective, certes utopique, de l'option zéro au niveau mondial.

Peut-on remporter la guerre contre la terreur ?

Amber Alwan, par courriel

Quand les historiens analyseront notre époque (je le vois en imagination), ils commenceront par dire que, au départ, l'Occident a paniqué et surréagi follement ; puis ils diront que la stratégie visant à vaincre ou contenir le terrorisme fut lente à venir et à se cristalliser. La stratégie n'a pas encore émergé, mais elle se précise peu à peu. Rappelez-vous l'axiome : le plus grand danger du terrorisme réside moins dans ce qu'il inflige que dans ce qu'il provoque. On a subi le 11-Septembre, et on y a survécu ; les ramifications de la guerre en Irak sont encore imprévisibles, mais déjà elles sont nombreuses et multiples. L'islamisme a beaucoup profité de son rejet de la raison et de son accolade avec la mort, qui sont tous deux énergisants, ainsi que Lénine et Hitler l'ont bien compris.

L'islamisme, le jihadisme, dont les guerriers obéissent à un manuel connu, intitulé *Gestion de la barbarie*, est trop toxique pour survivre longtemps. Ce qui s'est passé au sein de l'Islam n'était pas une guerre civile (entre les modérés et les radicaux) : c'était plutôt une révolution d'Octobre (une révolution qui commence déjà à dévorer ses enfants). Nous ne gagnerons jamais, à proprement parler. Mais l'époque de la normalité disparue deviendra peu à peu une chose du passé.

Vous êtes-vous rabiboché avec votre vieil ami Christopher Hitchens après que vous avez craché sur Staline ?

Marlijn Evans, Londres

Nous n'avons jamais dû nous rabibocher. Nous avons eu un échange adulte de points de vue, surtout par presse interposée, il n'y a rien eu de plus (plus exactement : il continue de ne rien y avoir de plus). C'est une amitié sans nuages. Un amour parfait de mai.

Quel est celui de vos romans que vous préférez et pourquoi ?

Richard Long, par courriel

Nos romans sont comme nos enfants, on n'a pas de préféré. Mais on a tendance à avoir un faible pour celui qui nous a donné le plus de fil à retordre. Je dirais *Chien jaune*. Mon collègue romancier Tibor Fischer l'a massacré à la tronçonneuse ; après une telle descente en flammes, quiconque savait tenir un stylo ne pouvait que se sentir enhardi. Pour les écrivains, charrier une rancune, c'est un poids trop lourd (ce qui ne m'empêchera pas de répéter ici que Fischer est un pauvre type et un traîne-misère – et, ah oui, un gros cul). N'a-t-il pas prétendu quelque part qu'il avait écrit cette critique juste pour faire sensation et faire parler de lui ? Eh bien, c'est fugacement rassurant de savoir qu'il y a de grandes chances qu'il ne reste dans les mémoires pour rien d'autre. Mais on devrait évacuer les rancœurs vaines : comme Robert De Niro le dit dans *Les Affranchis* : « Ne leur donnez pas cette *satisfaction.* » Je doute que quiconque puisse y trouver la moindre satisfaction, en effet.

Même si j'ai toujours aimé *Chien jaune*, dès le départ, ce n'était pas mon préféré – pas jusqu'à ce qu'il soit la cible de moqueries et se fasse quasiment tordre le cou dans la cour d'école.

Dans quelle carrière pensez-vous que vous vous seriez engagé si votre père n'avait pas été un écrivain célèbre ?

John Gordon, Eastleigh

Eh bien, John, cela dépend entièrement, cela semble évident, de ce que Kingsley aurait choisi comme carrière lui-même. S'il avait été marchand de journaux, il m'aurait imposé de faire la même tournée que lui. S'il avait été agent immobilier, j'aurais eu un poste chez, disons, Stickley & Kent. S'il avait été philosophe de la thermodynamique subatomique, je serais devenu… Vous me suivez ?

Non. Vraiment. C'est en et par nous-mêmes que nous sommes ceci ou cela.

Maintenant que Saul Bellow nous a quittés, qui considérez-vous comme le plus grand romancier vivant ?

Philip East, par courriel

John Updike, puis votre homonyme, M. Roth. Et Don DeLillo venant sur leurs flancs. Mais ce n'est que mon opinion personnelle. Le temps tranchera. La prééminence de Bellow, tant qu'il était parmi nous, me paraissait irréfutable, l'évidence même. Comme Matthew Arnold a dit de Shakespeare : « Les autres se soumettent à notre jugement. Toi tu es libre. »

Pourquoi êtes-vous si snob ?

Beatrice Franks, par courriel

En URSS, on accordait un statut très élevé aux « prolétaires héréditaires ». Je ne peux aspirer à une telle distinction, mais j'ai certaines références. Enfant, mon père était un élève boursier issu de la petite-bourgeoisie : ne croyez-vous pas qu'il serait déplacé que je me donne des airs ?

Un snob « professe un respect exagéré pour la fortune ou les positions sociales élevées et méprise ceux qu'il juge socialement inférieurs ». Dans *Chien jaune*, j'ai écrit de la monarchie que c'était « de la branlette » : une désignation exempte, je crois, de respect exagéré. Quand aux supposés « socialement inférieurs », je leur ai consacré des centaines et des centaines de pages de fiction ; seul un romancier manqué peut écrire en arborant un rictus de mépris. Si vous voulez en découvrir plus sur le désastre humain que représente le snobisme, lisez Trollope. Sans parler de tout le reste, le snobisme est un emploi à temps plein : il n'autorise aucun repos. Avec lui, jamais un moment tranquille.

D'un autre côté, je crois que le snobisme est sur le point d'effectuer un come-back. Mais pas cette vieille merde liée à la classe sociale. « Il existe une propension universelle à être noble », disait Bellow avec feu. Il existe manifestement une propension universelle à être rationnel et à s'éduquer. Parfois, le snobisme nous est imposé. Ayons donc une période de respect exagéré pour la raison et méprisons ceux qui utilisent la langue sans la respecter. Les menteurs, les hypocrites, les démagogues, cela va de soi, mais aussi leurs compagnons de voyage dans le cynisme verbal, l'inertie et la paresse. La position sociale ne confère aucune immunité. La princesse Diana était aussi la princesse – non : l'impératrice – du discours de seconde main, des nouveautés déjà décomposées, des grossièretés répétées bêtement, de ce qu'on pourrait appeler le discours de la meute, les expressions de la meute. Je suis venu, j'ai vu, j'ai acheté le tee-shirt. Du vide. Du tout vu. Donc, je ne crois pas, non.

Quelle est la pire chose qui vous soit arrivée ?

Nesa Gardezi, par courriel

Un jour, rentrant en Angleterre d'une tournée de promotion aux États-Unis, j'ai remarqué que l'extrémité du rouleau de papier toilettes dans la salle de bains, chez moi, n'était pas pliée en forme de V, cette attention si attrayante, répandue dans tous les hôtels américains.

Pas seulement ça. J'ai dû passer cinq fastidieuses minutes à dicter des directives concernant de nouvelles dispositions par rapport à mon divorce.

Est-il vrai que le personnage de Lorne Guyland dans Money, Money *est inspiré de Kirk Douglas et, si c'est le cas, le vieux Kirk s'est-il vraiment présenté à vous dans la tenue d'Adam en vous demandant : « Est-ce que c'est le corps d'un homme de soixante-cinq ans ? »*

John Niven, par courriel

Disons que Lorne Guyland a été *rendu possible* par Kirk Douglas. Kirk ne s'est pas déshabillé pour moi personnellement mais, sur le plateau, il se mettait constamment à poil. Les stars de cinéma ont ce genre de lubie (ou les avaient, du moins). Au cours du même tournage, j'ai dîné avec Harvey Keitel dans sa chambre au Claridge, et il est resté torse nu tout le temps. Il faisait très chaud, je le reconnais. Kirk était très intelligent et très gentil, à sa manière. Comme il le dit au metteur en scène (qui allait bientôt être viré), « Ce qu'il faut que tu saches, John, c'est que je manque totalement de confiance en moi. » À poil, là encore.

Craignez-vous parfois d'avoir hérité un brin de la misogynie de votre père ? Julie Burchill n'avait-elle pas raison de dire que Nicola Six, dans London Fields, *est l'idéal féminin rêvé par un assassin ?*

Jenny Donovan, Cardiff

Essayez de dire à ma femme, qui est très politisée, que je suis misogyne – vous m'en direz des nouvelles.

Pour mettre les points sur les *i* : je ne suis pas seulement féministe, je suis gynocrate ; à savoir que je crois à la gouvernance des femmes. Le féminisme est d'ailleurs le sujet de mon prochain roman, *La Veuve enceinte*. Pourquoi ce titre ? Le penseur russe Alexander Herzen disait qu'après une révolution, nous devrions, dans l'ensemble, nous sentir renforcés par le fait qu'un nouvel ordre s'est substitué à un autre ; mais ce qui nous reste, ajoutait-il, n'est pas une naissance, ce n'est pas un nouveau-né, c'est une veuve enceinte : à savoir énormément de souffrance et de tribulations avant que nous n'entendions les cris du bébé. En d'autres mots, on ne révolutionne pas les consciences d'un simple claquement de doigts. Et le féminisme, à mon avis, est environ à mi-chemin de son deuxième trimestre.

Si vous pensez que Nicola Six est une création misogyne, lisez *La Place du conducteur* de Muriel Spark. J'adore ce truc sur les « créatures de rêve ». Ici et là, on a également vu dans l'héroïne de *La Maison des rencontres* un fantasme masculin. Tout ce que ça signifie, c'est qu'elle est jolie. Je crains qu'inconsciemment certains critiques se soient persuadés que les romanciers hommes sont par définition laids, ne s'associent, bon gré mal gré, qu'avec les laides et que, s'ils sont seuls, ils en sont réduits à avoir des fantasmes masculins sur les fantasmes masculins.

Comment votre motivation pour écrire a-t-elle évolué au fil de votre carrière ?

Bob Swankie, Dundee

Je ne pense pas que « motivation » soit le mot. Écrire un roman est un exercice moins mental et plus physiologique qu'on ne l'imagine souvent – une fois qu'on commence, il n'est plus guère question de décisions, de calculs, de logique. J'ai mis des années à comprendre cette vérité. Quand j'étais plus jeune et que je rencontrais un obstacle dans le récit, je me triturais les méninges pendant des heures, des jours, parfois. Maintenant, j'ai plutôt envie de quitter mon bureau et de lire un livre ; et je ne retourne pas à mon clavier avant que mes jambes ne m'y portent. Quand elles le font, je découvre que la difficulté a été surmontée. Par l'inconscient. L'inconscient qui fait tout le travail.

Comment vous y êtes-vous pris pour les recherches sur votre dernier roman, La Maison des rencontres *? Vous n'êtes jamais allé, je crois, en Russie ?*

Oksana Everts, Londres

Non. Je m'y suis pris avec des lectures (et avec mon imagination). L'école de critique du *Daily Mail* prétend que tous les écrivains sont des aigrefins, des siphonneux : qu'ils sont les maquereaux de la littérature non romanesque. Mais la lecture est l'autre moitié du travail d'écriture, ou l'autre tiers : on écrit, on lit, on vit. Sans compter, Oksana, qu'à un moment donné, je me suis mis à penser qu'aller en Russie (quelque désirable soit la chose en soi) ne ferait que m'embrouiller et me gêner.

Qu'est-ce qui est le plus déprimant, dans ce que vous avez trouvé en Grande-Bretagne depuis votre retour ? Et le plus enthousiasmant ?

Grant Mullin, Surrey

J'ai vécu en Uruguay pendant près de trois ans. Depuis mon retour, la chose la plus déprimante a été le spectacle de manifestants blancs de la classe moyenne qui, à la fin août, se dandinaient en brandissant des pancartes qui proclamaient : « Nous sommes tous au Hezbollah maintenant. » Ha, qu'ils soient au Hezbollah tout leur soûl tant qu'ils le peuvent ! Comme son secrétaire général, Hasan Nasrallah, l'a proclamé de son côté en s'adressant à l'Occident : « Nous ne voulons rien de vous. Nous voulons simplement vous éliminer. » Quand j'ai été invité à *Question Time* jeudi dernier, une femme du public, sa jeune voix tremblant d'indignation, a avancé l'argument suivant : dans la mesure où l'Amérique a soutenu Oussama Ben Laden quand il s'opposait ou plutôt mitraillait les Russes, les forces armées américaines, en réaction au 11-Septembre, « devraient se jeter des bombes sur elles-mêmes ! » Et le public a applaudi. Quel tour de force. Des gens qui professent des sympathies libérales, hébétés par le relativisme et un complexe de Blanc, font désormais l'apologie d'une tendance religio-politique, raciste, misogyne, homophobe, totalitaire, impérialiste, inquisitoriale et génocidaire. Pour le dire autrement, ils lèchent le cul de ceux qui veulent leur mort.

Ça, c'était la chose la plus déprimante. La plus enthousiasmante a été de me retrouver à vivre dans ce qui, malgré toutes ses fautes (et un million de maux), est une société multiraciale extraordinairement réussie. C'est une belle idée, qui a aussi de bonnes chances de devenir une belle réalité.

Politique – 2

Le terrorisme est-il affaire de religion ?

L'Histoire s'accélère, de sorte qu'à chaque jour qui passe, l'horizon est de plus en plus incertain. Un seul pressentiment est partagé par nos plus grands penseurs : une sinistre variation sur l'idée de « convergence ». Pas la convergence des nations et des politiques, par laquelle les régimes autocratiques s'aligneraient peu à peu sur le courant dominant démocratique et béatement mondialisé. Cette attente-là, reconnaissent désormais même les néo-conservateurs, était un fantasme triomphaliste des années 90, un étrange congé de ce que Philip Roth a appelé l'« implacable imprévu ».

La convergence que nous devons anticiper désormais est celle du terrorisme international, de l'informatique et des armes de destruction massive. Même des droites strictement parallèles, m'a-t-on appris, se rejoignent et se coupent à l'infini. Or, tels les côtés de la flèche d'une église, les courbes de l'informatique et des armes de destruction massive ont visiblement tendance à se rejoindre. Leur convergence à venir est garantie par la plus basique des forces du marché. Les coûts marginaux baisseront ; la demande augmentera.

Même aujourd'hui, on n'a pas bien assimilé le fait que l'Amérique a déjà été victime d'un déploiement terroriste des armes de destruction massive – comme vient de nous le rappeler la mission suicide à Frederick, Maryland (29 juillet 2008), d'un spécialiste des armes biologiques, un esprit perturbé, Bruce E. Ivins. L'offensive a débuté le 18 septembre 2001. Son bilan en litres de sang a été de cinq morts et dix-sept blessés graves. Son coût financier a dépassé le milliard de dollars (alors que le coût pour le responsable, en une lumineuse asymétrie, fut estimé à l'époque aux environs de 2 500 dollars). Et il y a eu un troisième impact : le bilan en terme d'anxiété. L'anthrax n'est pas contagieux, la peur, oui. L'échelle de l'offensive était infime, or, pendant un temps, la terreur qu'elle a provoquée a obscurci le ciel de la planète.

À la différence du poète, le romancier (voir le brillant sonnet d'Auden, *Le Romancier*) prend pour acquis que ses réactions aux événements majeurs (de la vie, de l'histoire) sont entièrement moyennes, médiocres, inévitablement et invariablement humaines. Je suis certain que ma réaction au 11-Septembre était des plus banales : une incrédulité plombée, amèrement minérale. Je divulgue ma réaction au 18-Septembre avec une plus grande réserve : j'imite, en effet, le volumineux volatile d'Afrique incapable de voler qui, face à une menace, choisit de s'enfouir la tête dans le sable. Plutôt que de garder les yeux ouverts, j'ai accepté d'avaler une bouchée de poussière.

Ci-suit le genre d'information à laquelle j'étais incapable de faire face (à partir d'une reconstitution officielle) :

> Un avion larguant 1 000 kg de spores d'anthrax. Par nuit calme et claire. Étendue couverte (en km^2) :

300. Nombre de morts pour une fourchette de 3 000-10 000 habitants au km^2 : entre 1 et 3 millions.

Le contenu affectif du 18-Septembre était le suivant : abandonnez à jamais l'idée de pouvoir protéger les êtres qui vous sont chers. Sidérante, de même, la perception de l'amplification de la puissance de l'ennemi. Al Qaïda enfla comme le plomb noir ; ils semblaient être partout, les murmureurs, les messagers nocturnes d'Oussama. Le 18-Septembre fut très bon marché, très effrayant et durablement insaisissable. Il suscita plus de 9 000 interrogatoires et 6 000 citations à comparaître devant le *grand-jury* et l'affaire n'est pas encore close.

Les lettres piégées à l'anthrax contenaient deux notes de présentation quasi identiques. La première :

09-11-01
VOICI CE QUI VA SUIVRE
PRENEZ DE LA PÉNACILLINE MAINTENANT
MORT À L'AMÉRIQUE
MORT À ISRAËL
ALLAH EST GRAND

Après la résorption de la panique (l'« hystérie subclinique » qui a fait tant de bruit), personne ne prit plus la note au sérieux et encore moins de façon littérale. « Prenez de la pénicilline maintenant » : c'était un bon conseil médical (l'anthrax est une bactérie, pas un virus), mais la coquille était manifestement tactique : une fausse piste, un leurre. Le coupable n'était sans doute pas un fanatique ; ce devait être un pisse-vinaigre en blouse de labo, un Unabomber (le génie devenu ermite terroriste), un Timothy McVeigh diplômé. La suite l'a confirmé, semble-t-il.

Nous en sommes venus à la conclusion que le 18-Septembre n'était pas affaire de religion (la mention « Allah est grand » était un leurre). Le 11-Septembre l'était-il ? La controverse fait encore rage. George Bush et Tony Blair, tous deux croyants, affirmèrent très vite que le 11-Septembre n'était pas une affaire de religion (« religion », dans les circonstances, servant d'euphémisme pour : islam). Puis se dégagea un concensus selon lequel le 11-Septembre était bel et bien une affaire de religion ou, du moins, n'était pas *pas une affaire de religion*. Mais depuis environ un an, de toute évidence, on a recommencé à dire que le 11-Septembre, le 11-Mars (Madrid, 2004), le 7-Juillet (Londres, 2005) et tout le reste, ce n'était pas une « affaire de religion ».

À ma connaissance, les deux observateurs les plus intéressants du terrorisme international sont John Gray et Philip Bobbitt. Quoique très différents, le professeur Gray (*Straw Dogs*, *Al Qaeda and What It Means to Be Modern*, *Black Mass*) et le professeur Bobbitt (*The Shield of Achilles* et le magistral *Terror and Consent*) ont en commun l'intelligence et le panache littéraire. Bobbitt est un atlantiste interventionniste et musclé, alors que Gray a le scepticisme et la lumineuse passivité d'un taoïste. Bobbitt est croyant, Gray au moins philo-religieux (séculier, mais parfaitement réconcilié avec l'idée de l'inexorabilité de la foi) ; néanmoins, aucun des deux n'est un défenseur de la politesse relativiste. Or ils affirment, respectivement, que « l'islam n'est pas la considération première du terrorisme international » et que le cyberterrorisme n'entretient pas de « liens étroits avec la religion ».

À leurs yeux, l'al-qaïdisme est un épiphénomène, un effet secondaire. C'est le rejeton sombre de la globalisation mais, tout autant, il singe la modernité : délégation, décentralisation, privatisation, externalisation et connexion. D'après Bobbitt (plutôt plus dubitativement), non seulement Al Qaïda reflète l'état du marché mais c'est ce que certains appellent un État-marché (un « État-marché virtuel »). La globalisation a créé d'immenses richesses et, en même temps, d'infinies vulnérabilités ; elle a créé un nouvel espace, une nouvelle dimension. L'épiphénomène n'a donc pas trait à la religion, avancent-ils ; mais à l'opportunisme et à la volonté de pouvoir.

Mais alors, vous demanderez-vous, *quid* de toutes ces histoires de jihad, d'infidèles, d'Allahou Akbar, de Croisés, de médersas, de charia, de jurisprudence islamique, de takfirisme, de prophéties, de califat des purs et de paradis des martyrs ? Pourquoi écrit-on des livres entiers avec des titres tels que *A Fury for God* (Malise Ruthven) et *The Age of Sacred Terror* (Dan Benjamin et Steven Simon) ? Il existe plusieurs raisons d'*espérer* que le terrorisme international ne soit pas affaire de religion – dont la principale est la très grande pénibilité, la quasi-impossibilité, à notre époque, de tenir un quelconque discours qui implique des convictions doctrinales et (je vais dire cela simplement) *des généralisations moins que révérencieuses sur les étrangers non blancs*. L'alqaïdisme pourrait évoluer vers quelque chose qui ne soit pas affaire de religion, d'islam. Mais notre intelligence nous suggère que, pour le moins, ce n'est *pas encore* une affaire non liée à la religion.

Qu'on me permette de consacrer un paragraphe au point de vue britannique. Au Royaume-Uni, en 2007, on a pratiqué 203 arrestations pour accusation de terrorisme, dont la quasi-totalité liée à l'islamisme radical. Il n'est pas rare d'ouvrir un journal (*The Independent*) et d'apprendre l'existence de trois attentats jihadistes ratés ou déjoués en un seul jour (24 mai 2008). Le but principal de la Quilliam Foundation, établie récemment, est de déradicaliser les jeunes musulmans britanniques ; et d'analyser la motivation extraordinairement diluée des quatre hommes responsables du 7-juillet. Expérience de conflits ou d'occupation étrangère ? Non. Série d'exigences ou perspective de bénéfices ? Non. Soutien à la communauté ? Non. Héroïsation familiale *post mortem* ? Au contraire.

L'augmentation d'attentats-suicides *visant directement des civils* est ahurissante et il l'est tout aussi d'entendre à quel point nous nous disons blasés face au phénomène. De nombreux commentateurs aiment à nous rappeler que cette tactique n'a a) rien de nouveau, b) rien de théologique ; pour se lancer ensuite dans une comparaison désinvolte avec les Tigres tamouls, les séparatistes sans foi ni loi du Sri Lanka qui se font exploser depuis 1987. Dans un essai pertinent paru dans *Making Sense of Suicide Missions* (sous la direction de Diego Gambetta, édition revue en 2006), on lit ceci à propos des Tigres : « Il n'existe aucun exemple avéré de ciblage direct de civils. » En outre, une base de données (citée dans le *Times Literary Supplement*) indique que « plus de 80 % des attentats-suicides de l'histoire se sont déroulés depuis 2001 ». Les attentats-suicides font l'objet d'un culte. Gambetta souligne, et c'est troublant, qu'à la différence de toutes les autres, cette arme est réapprovisionnable à l'envi. Le poseur de bombe sacrifie un martyr mais en crée quantité d'autres ; et « nous savons que le nombre de volontaires augmente considérablement immédiatement après le ramadan [...] ».

Nous pourrions nous apercevoir que la religion n'aura été qu'un simple outil de mobilisation. Elle est destinée à la valetaille, pas aux cerveaux. Il est possible que, plus tard, nous nous apercevions qu'elle aura : construit l'escalier dialectique menant à la mort, à une destruction aveugle ; imposé l'idée, par exemple, que la démocratie (fondamentalement impure) implique la responsabilité du moindre citoyen dans la politique de sa nation ; ou promu le concept (et ci-devant hérésie) du takfirisme, selon lequel le jihadiste s'absout à l'avance de tuer des coreligionnaires. Il est intéressant de voir en ce moment Ayman al-Zawahiri se contorsionner dans le cadre d'un débat théologique avec le vénérable homme de dieu Sayyid Imam al-Sharif, tandis qu'Al Qaïda doit défendre sa légitimité religieuse. Oussama Ben Laden se retrouve fréquemment empêtré dans le même genre de débat. Jusqu'à Abu Musab al-Zarqawi, le récidiviste jordanien fièrement connu sous le sobriquet de « cheik des abatteurs », qui ne soit constamment en quête de lest doctrinal. Tous ces cerveaux sont-ils persuadés que la terreur n'est pas une « affaire de religion » ?

Nous pouvons nous attendre à ce que les motivations du terrorisme international se diluent de plus en plus, reflétant les changements de la personnalité de l'homme contemporain. John Gray a identifié une veine de ce qu'il appelle de manière éloquente : le terrorisme anomique. Les carnages seraient inspirés par l'aliénation, le désespoir autodiffusionnel évident dans les attaques à l'arme blanche dans les villes japonaises, dans les massacres sur les campus américains – ou les menaces du docteur Ivins pendant les semaines précédant sa mort. L'historien Eric Hobsbawm attribue l'effondrement pandémique de l'inhibition morale au durcissement général, à la désensibilisation face à la violence favorisée par les médias de masse (et, cela va de soi, par Internet). D'où découlent plusieurs autres points.

La thèse de Bobbitt (que Gray, au fait, tend à balayer d'un revers de la main), c'est que les conflits actuels sont liés à notre temps, liés à une évolution de la teneur des politiques de l'Occident. Tandis que l'État-providence évolue vers l'État-marché, il abandonne une grande part de ses responsabilités envers les citoyens, pour se concentrer sur les chances à offrir à l'individu. Cela a, je crois, des conséquences tangibles sur le moi, qui est soumis à une pression plus forte. Dans *La Planète de M. Sammler*, paru à la fin de la grande envolée d'excentricité narcissique que furent les années 60, Saul Bellow fait dire à son héros vieillissant (avec une délicieuse retenue) que l'individualisme de masse est relativement neuf et, peut-être, « n'a pas été une grande réussite ».

L'Agent secret (1907) de Conrad, avec son génial aréopage d'anarchistes moralisateurs, est effroyablement annonciateur. On y apprend, entre autres, que le simple fait de construire un bâtiment crée une nouvelle vulnérabilité ; un révolutionnaire observe que le pouvoir de la vie est bien, bien plus faible que celui de la mort. Dans sa lecture de la psyché terroriste, Conrad insiste constamment sur la prégnance de la vanité et de la paresse : la recherche d'une distinction maximum pour un minimum d'effort. En d'autres mots, le besoin de faire impression est irrésistible, or on fait beaucoup plus facilement une impression négative qu'une impression positive. À notre époque, cela se traduit par une soif incontrôlable de célébrité. Sans doute personne en dessous de trente ans ne peut saisir le phénomène pleinement, mais la célébrité est devenue une sorte de religion : l'opium ou, désormais, la phéncyclidine de l'individualité de masse.

Certains avancent qu'il fallut à l'ayatollah Khomeini plusieurs nauséeuses années de guerre avec l'Irak pour appréhender la viabilité théologique de la fission de l'atome (les bases avaient déjà été jetées). Oussama Ben Laden ne s'est jamais caché de son admiration pour les armes de destruction massive : « Il revient à tout musulman de rassembler autant de forces possibles pour terroriser les ennemis de Dieu » (dans une déclaration intitulée « La bombe nucléaire de l'islam », 1998). Tous ces outils sont maintenant en vente ; il est ô combien remarquable que la première mère maquerelle de la mégamort du monde, le métallurgiste A.Q. Khan, soit un « héros national » au Pakistan.

Il existe une autre bonne raison de vouloir que le terrorisme international cesse d'être une « affaire de religion ». On peut imaginer différents scénarios – extorsion, contrainte et rançon –, mais seul un cauchemar eschatologique pourrait justifier la nuit calme et claire, et les trois millions de morts. D'un autre côté, les acteurs feraient sans nul doute grosse impression – à une échelle supragéohistorique.

Pour l'heure, le terrorisme international représente une apocalypse malingre. Philip Bobbitt s'en amuse : depuis le 11-Septembre, « le nombre total de personnes tuées dans le monde entier par des terroristes est équivalent au nombre de celles qui se sont noyées dans leur baignoire aux États-Unis ». Mais, à n'importe quel moment, il – le terrorisme international – pourrait passer de l'infime à tout. Après une frappe de destruction massive à la provenance indétectable sur l'une de ses villes, quel système politique s'y retrouverait-il ? Et tous les autres États-nations seraient méconnaissables aussi, comme leurs relations entre eux.

The Wall Street Journal, 2008

En mémoire de Neda Soltan, 1983-2009 : Iran

L'écrivain Jason Elliot a intitulé son récent et retentissant journal de voyage en Iran *Miroirs de l'invisible.* Je suis conscient des dangers qu'il y a à écrire sur l'avenir. Mais il semble que ce que nous voyons se produire en Iran soit les premiers spasmes de l'agonie de la République islamique. Dans ce processus, qui sera fort long et fort laid, Mir Hossein Mousavi (le modéré récemment vaincu) jouera probablement un moindre rôle que Neda Agha-Soltan.

D'après le magazine *Time*, c'était « probablement la mort à laquelle a assisté le plus grand nombre de témoins dans toute l'histoire de l'humanité ». La voilà, sur la vidéo amateur, joyeuse, à la périphérie d'une manifestation (que la police dispersait) ; puis vient la secousse de la blessure par balle à la poitrine. *« NeDA ! »* hurle son compagnon avunculaire (son professeur de musique). La balle a été tirée par un membre d'une force paramilitaire. La jeune femme met deux minutes à mourir. « Je brûle, je brûle », dit-elle.

Sa métamorphose (jeunesse, espoir, beauté puis, brutalement, la fin atroce) a cristallisé à jamais l'essence même de la tragédie et de la passion chiite au cœur de l'âme iranienne : le martyre face à l'injustice barbare. Voyageuse, linguiste, musicienne, divorcée, apolitique mais citoyenne, individualiste provocatrice (par sa vêture et ses mœurs), curieuse, Neda Soltan incarnait aussi autre chose : elle était la face douce de la modernité. Nous devons à nouveau nous rappeler le titre de Jason Elliot lorsque nous analysons les événements de juin 2009, qui sont susceptibles d'être interprétés de deux manières différentes.

Il est possible que les choses soient plus ou moins comme elles semblent être. Les résultats d'élections plus ou moins truquées furent présentés au peuple avec une hâte et une désinvolture indécentes (pour le dire autrement : avec un grand mépris pour les participants démocrates) ; à l'agitation sociale a répondu la violence d'État. Maintenant, réfléchissons. Si, après l'intervalle de rigueur, le guide suprême Ali Khamenei avait annoncé d'un ton grave une victoire de 51 % pour le président Ahmadinejad, l'Iran et le monde se seraient sans doute inclinés et seraient passés à autre chose. Il est tout aussi possible (la République islamique étant ce qu'elle est) que la victoire écrasante ait été truquée et qu'on ait organisé un grand battage autour d'elle afin, précisément, de susciter troubles, terreur et répression (laquelle se poursuit).

En 1997, le régime se sentait suffisamment fort pour sanctionner la victoire surprise de Muhammad Khatami, qui l'avait emporté largement, aussi, 69 %, lors d'une élection bon enfant contestée par personne. Quoique religieux, Khatami était bien plus libéral que le technocrate Mousavi (qui, au cours de la guerre Iran-Irak, s'était montré très à droite de Khamenei). Surnommé affectueusement l'« ayatollah Gorbachev », Khatami parla bientôt du « dialogue attentionné » qu'il espérait entamer avec l'Amérique. Il semblait possible que l'isolement international, qui asséchait et raréfiait tant l'air iranien depuis si longtemps, fût sur le point d'être atténué.

Chacun comprenait bien que ce processus prendrait du temps. En juin 2001, Khatami fut réélu avec une majorité de 78 %. Sept mois plus tard arrivait le discours de George W. Bush sur l'« axe du mal » (l'un des plus destructeurs de toute l'histoire des États-Unis) : le printemps de Téhéran avait vécu. Bush fut du pain béni pour la droite iranienne ; à son corps défendant, il accrut énormément le pouvoir de l'Iran dans la région (avec l'aventureuse, l'expérimentale guerre contre l'Irak), et il était assez « arrogant » (l'attribut le plus honni dans le sensorium chiite) pour entretenir la haine populaire.

Aujourd'hui, les mollahs sont conscients que, pour plusieurs raisons, le nouveau président est bien plus redoutable. Si Mousavi l'avait emporté, Obama aurait récompensé l'Iran, d'une façon qui aurait été palpable pour chaque Iranien. Un tel lien (libéralisation = bénéfices) aurait eu des conséquences fatales pour le régime. La terre tremble déjà sous leurs pieds, avec l'élection libanaise pro-Occident, anti-Syrie et anti-Iran. D'autres forces historiques conspirent pour ébranler le clergé armé d'Iran.

Car les mollahs savent maintenant qu'ils flottent sur un océan d'illégitimité. Les grandes aussières de la révolution de 1978-1979 ont soit craqué soit pourrissent en silence. Des quatre récits fondateurs, trois sont des mythes : la « Révolution islamique » n'était pas une révolution islamique ; la guerre Iran-Irak (1980-1988), qui détruisit toute une génération, n'était pas la « Guerre imposée », comme on l'appelle encore ; et l'ayatollah Ruhollah Khomeini n'était pas l'infaillible, l'infaillible « Divine Autorité » (Khomeini, comme tout Iranien pensant l'a compris depuis longtemps, fut l'un des grands monstres de l'Histoire). Mais le plus important, pour l'heure : le quatrième récit, ou trame (anti-américanisme, anti-« occidentoxication » et « Mort à l'Amérique ! », vieux cri de bataille encore psalmodié par les écoliers), a été interrompu par Barack Obama.

Au cours de l'été et de l'automne 2008, avant les élections du 8 novembre, les sondages au Moyen-Orient montraient de façon quasi unanime que les gens pensaient qu'en Amérique, « ils » ne laisseraient jamais un Noir devenir pensionnaire de la Maison-Blanche. Or voilà qu'il s'y trouvait, auréolé de toute sa supralégitimité démocratique, et voilà qu'il parlait à l'Islam d'une voix nouvelle, une voix empreinte de conscience historique et de respect. Quand, en juillet 2008, le président Sarkozy accueillit Obama à Paris, il dit dans son allocution : « Voici l'Amérique que nous aimons. » Ce sentiment devait trouver un large écho dans la jeunesse des villes du Moyen-Orient.

Ce qui nous amène à deux autres éléments susceptibles de précipiter la chute des théocrates : la modernité globalisée (les communications instantanées) et l'avenir imposé par la démographie. Car l'Iran, l'une des plus anciennes nations sur Terre, rajeunit perpétuellement.

« Au cours de l'histoire du plateau iranien, écrit Sandra Mackey dans son livre, élégant et magistral, devenu un classique, *The Iranians : Persia, Islam, and the Soul of a Nation*, le soleil s'est levé et s'est couché sur près d'un million de jours. » Or, un million de jours, c'est plus d'années que nous l'imaginons : 2 739. Si nous faisons remonter la naissance du pays à son unification en 625 av J.-C., la millionième aube viendra en 2114. Qu'est-ce que le soleil verra alors en patrouillant au-dessus du plateau iranien ?

Examinons les trois principaux mensonges qui soutiennent la République islamique.

La révolution de 1979 ne devint une révolution islamique qu'à son terme. À l'origine, c'était un mouvement de masse couvrant tout le spectre de la société, une avalanche de manifestations et de rébellions, de grèves tellement incessantes qu'elles plongèrent dans le noir jusqu'au palais du Paon ; en outre, l'armée devait faire face à mille défections par jour. Les événements de juin 2009 constituent un simple murmure de mécontentement quand on les compare avec le crescendo réfractaire de 1978. La clameur ne réclamait pas un gouvernement de religieux ; la clameur s'opposait à une monarchie décadente qui avait perdu ce qu'on appelle le *farr* : l'aura de la royauté.

Il est intéressant de comparer la révolution iranienne aux deux révolutions russes de 1917 : la révolution de février, révolte populaire, et celle d'octobre, coup d'État léniniste ; un gouvernement provisoire impuissant sépare les deux. Trotski disait que les bolcheviques avaient trouvé le pouvoir à terre et l'avaient « ramassé comme une plume ». Ensuite avait commencé la vraie besogne : contre les Blancs, les Verts (la paysannerie), les syndicats, l'Église et ainsi de suite, jusqu'à ce que tous les centres alternatifs de pouvoir (et d'opinion) soient éradiqués, jusqu'à et y compris tout rassemblement de trois personnes. La révolution populaire céda le pas à une clique ; en Iran, elle céda le pas à une hiérarchie, une hiérarchie entraînée par l'une des grandes figures charismatiques du XXe siècle.

Le 16 janvier 1979, Muhammad Reza Shah quitta Téhéran pour son exil au Caire. Le 14 février, l'ayatollah

Khomeini arriva à Téhéran – après un long exil à Paris (où l'une de ses plus regrettables voisines, ne puis-je m'empêcher de signaler, était Brigitte Bardot). La révolution politique était terminée ; la révolution culturelle pouvait commencer. Le gouvernement provisoire fut liquidé successivement par les *komitehs* (milices issues des mosquées, plus tard : le Basij), par les gardes révolutionnaires (plus tard Pasdaran ou armée iranienne) et par les tribunaux révolutionnaires (qui jugèrent hâtivement les survivants de l'ancien régime et tous les indésirables). Le 4 novembre, un groupe d'étudiants pieux infiltrèrent spontanément l'ambassade américaine où ils firent cinquante-trois otages. Khomeini manipula si bien le signe de victoire dirigé contre le Grand Satan qu'au cours du référendum sur la nouvelle Constitution, avec une participation de 17 millions d'électeurs, 99,5 % de ceux-ci donnèrent leur bénédiction à l'autocratie islamique.

Restaient les 0,5 %. Khomeini rencontra une vigoureuse opposition de presque tous les bords et notamment des moudjahidines du peuple iranien. Établis quinze ans plus tôt en opposition au Shah, les moudjahidines (marxistes, islamiques de gauche et militants des droits des femmes) comptaient un demi-million d'adhérents et étaient en mesure de lever une armée de guérilla forte de 100 000 combattants expérimentés. Lorsque Khomeini, qui les jugeait « non islamiques », les exclut du nouvel ordre politique, ils entrèrent en rébellion.

Vous vous souviendrez peut-être qu'en 1981, les moudjahidines faisaient sauter les mollahs treize à la douzaine (soixante-quatorze lors d'une seule frappe à Téhéran) ; ils assassinèrent plus de mille fonctionnaires vers la fin de la même année. S'ensuivirent des désordres civils de type terroriste. En septembre, les Gardes révolutionnaires de

Khomeini exécutaient cinquante personnes par jour censées avoir « pris les armes contre Dieu » (le même crime et le même châtiment invoqués par les religieux aujourd'hui en 2009). Enflammés par un zèle révolutionnaire et religieux, les mollahs l'emportèrent dans des mares de sang.

Presque par définition, les révolutions sont férocement anticléricales. Dans la seule année 1922 (pour prendre l'exemple le plus violent), Lénine fit exécuter 4 500 prêtres et moines, et 3 500 religieuses. Mais l'Iran anticonformiste nagea à contre-courant. En décembre 1982, Khomeini maîtrisait plus ou moins le monopole de la violence, et le peuple iranien se retrouva à vivre sous la seule théocratie révolutionnaire du monde. La République islamique était bel et bien devenue islamique mais ce n'était plus une république. En 1982, les esprits durent affronter une urgence. Au début de la guerre de huit ans, les Iraniens défendaient leur territoire ; entre-temps, ils étaient devenus les envahisseurs. De l'Irak.

Si la guerre Iran-Irak est la fameuse « Guerre imposée », c'est seulement dans le sens où elle le fut par Khomeini. Nous avons du mal à envisager le désarroi et l'horreur engendrés, dans toute la région, par l'avènement des ayatollahs pris de folie. Après un temps, Staline se contenta de l'idée du « socialisme dans un pays ». Khomeini criait sur tous les toits qu'il voulait que la théocratie chiite s'étende à toute la planète. Pendant la guerre, il s'agita donc ailleurs, lâchant des bombes, pilotant des tentatives d'assassinat, essayant de l'emporter par les armes à Bahreïn, au Koweït, au Liban, en Arabie saoudite. À La Mecque, depuis des années, le *hajj* devint la scène de troubles ; en 1987, un affrontement entre des membres d'une milice iranienne et la police saoudienne des émeutes fit plus de 400 morts.

Et l'Irak ? En 1979, Saddam Hussein tendit une main tremblante au nouvel Iran : de toute évidence, il espérait poursuivre la détente entamée avec le Shah. L'Iran réagit en renouvelant son soutien aux séparatistes kurdes (il avait été suspendu en 1975) et au chiisme clandestin ; au cours du seul mois d'avril 1980, le vice-Premier ministre et le ministre de l'Information irakien furent victimes de tentatives d'assassinat, et vingt hauts fonctionnaires furent tués. Khomeini retira son ambassadeur à Bagdad ; en septembre, l'Iran bombarda les villes frontalières de Khanaqin et Mandali.

Dans *The Iran-Iraq War, 1980-1988*, Efraïm Karsh donne sa chronologie de huit propositions irakiennes de cessez-le-feu, la première le 5 octobre 1980, douze jours après le début de la guerre, la dernière le 13 juillet 1988, cinq semaines avant le cessez-le-feu. En menant cette guerre, Khomeini voulait promouvoir la théocratisation, ou dé-satanisation de l'Irak ; le conflit devint ainsi un test (manqué) de l'Islam et, pour reprendre l'expression de Sandra Mackey, une « mise en pratique quotidienne des thèmes chiites du sacrifice, de la dépossession et du deuil ». Donc : des gamins de douze ans attaquaient à bicyclette des bastions irakiens, 750 000 Iraniens emplirent des cimetières à perte de vue et deux fois ce nombre, sans doute, furent estropiés de corps ou d'esprit. Onze mois plus tard, Khomeini rejoignait ses victimes au royaume des défunts.

Que reste-t-il, donc, se demandent les visiteurs qui, après avoir débarqué à l'aéroport international Imam Khomeini de Téhéran, pénètrent dans une ville où les taxis ne s'arrêtent pas pour un religieux... Que reste-t-il du legs du Père de la Révolution, ou (autre formulation) de *that fucking asshole*, comme l'appelle instinctivement, tout fort, la jeunesse citadine d'Iran ? Sa notion du Velayat-e Faqih, règne du vice-régent de Dieu (à savoir le mollah en chef, à savoir : Khomeini), était tellement anhistorique que nombre de ses pires opposants étaient issus des rangs du clergé. Dans la théologie chiite, la participation à toute forme de gouvernement est jugée polluante. Avec raison : le pouvoir corrompt et le pouvoir absolu (la corruption absolue), combiné à un pharisianisme sans borne, définit l'insensé cauchemar que fut le règne de Khomeini.

Ses inanités moralisantes constituent un riche terrain d'étude. Je me contenterai de deux exemples. Après le « fiasco dans le désert » du président Carter, le raid raté sur Entebbe en avril 1980, Khomeini déclara que Dieu en personne avait jeté du sable dans les moteurs des hélicoptères pour protéger la grande nation de l'islam. Entendre ce genre d'ineptie dans la bouche d'un gamin de huit ans, c'est une chose ; c'en est une autre que de l'entendre de la bouche d'un chef d'État belliqueux, sur une radio publique. L'autre exemple est tiré de Mackey (nous sommes en 1981) :

> Dans un film qui passait à la télévision d'État, une mère dénonce son fils marxiste. Celui-ci, pleurnichant et cherchant à prendre la main de sa mère, tente désespérément de la convaincre qu'il a renoncé au marxisme. La mère repousse ses supplications : « Tu dois te repentir devant Dieu et tu seras exécuté. » Fondu enchaîné. L'ayatollah Khomeini dit au peuple d'Iran : « Je veux voir plus de

mères livrant leurs enfants avec ce même courage, sans verser une larme. Ça, c'est l'islam. »

L'islam, c'est peut-être ça. Mais pas l'Iran et les Iraniens.

L'Iran est l'une des plus anciennes civilisations sur terre : à côté, la Chine est une ado et l'Amérique suce son pouce. Son histoire de 2 600 ans est coupée presque exactement en deux par l'avènement de l'islam. Le cœur iranien est donc bipolaire, divisé entre Xerxès et Mohammed, Persépolis et Qom, l'impérialement sensuel (luxe et poésie) et le pieux ronchon. Vous reconnaîtrez, je crois, cette schizophrénie quand je vous dirai que l'auteur de ce quatrain d'une beauté tranquille…

Je suis l'implorant d'un gobelet de vin
tendu par la main de ma bien-aimée.
À qui puis-je confier mon secret,
Où puis-je emporter ce chagrin ?

… est l'ayatollah Khomeini en personne.

Ni Ferdowsi ni Rumi ni Hafez ni Omar Khayyam : Khomeini. C'est sans doute le trait le plus charmant de la psyché locale : les Iraniens partent en pèlerinage aux mausolées de leurs martyrs et imams mais aussi de leurs poètes. L'âme irano-perse ressemble à la déesse Proserpine des magistraux *Contes d'Ovide* de Ted Hughes :

Proserpine, qui partage son année
Entre son époux aux Enfers, parmi les spectres,
Et sa mère sur terre, au milieu des fleurs.
Sa nature, aussi, est double. Un instant

Sombre comme le roi des Enfers, le suivant
Lumineuse comme la masse du soleil émergeant
[des nuages.

En 1935, les Iraniens se réveillèrent dans un pays différent – plus la Perse mais l'Iran, le « pays des Aryens », spécifiquement préislamique. C'était l'œuvre de Reza Shah, l'homme fort de l'armée qui s'empara du trône en 1925. Reza Shah était un moderniste adepte de la sécularisation : l'Ataturk, le Nasser de l'Iran. C'était également un ami de l'Allemagne nazie (il fut à ce titre déposé par les Alliés en 1941). En 1976, les Iraniens se retrouvèrent dans un autre millénaire, pas 1355 (le calendrier débute à l'Hégire) mais 2535 (le calendrier débute à l'accession au trône de Cyrus). Cette fois, c'était l'œuvre du fils de Reza Shah. Installé sur le trône par le coup d'État de 1953 (gravissime crime historique de l'Occident, dont les séquelles nous poursuivent encore), Muhammad Reza Shah fut une « misérable vermine », ainsi que Khomeini l'a qualifié ; mais il était en phase avec le moi schizophrène de l'Iran. Reza Shah faisait battre les femmes qui portaient le voile ; Khomeini celles qui ne le portaient pas ; Muhammad Reza Shah ne battait ni les unes ni les autres.

À partir de 1979, l'Iran fut soumis à une ré-islamisation militante, à un rythme endiablé. L'ère zoroastrienne fut déclarée *jahiliyyah* : gourbi d'ignorance et d'idolâtrie, gêne épouvantable pour tout bon musulman. Ainsi, au milieu des années 90, l'historien Jahangir Tafazoli fut condamné à mort simplement parce qu'il était le plus connu des spécialistes de l'Iran ancien. Il s'agissait de « tuer le messager », acte symbolique de la tendance « déni délirant ». C'est cet étouffement, pendant trente ans, de l'âme iranienne panachée (ouverte à la liberté, à la tolérance, à l'amour, à la vie, à l'art, à l'islam et, oui, à la modernité), qui alimenta l'énergie et le courage qui, à leur tour, alimentèrent les événements de juin, lesquels débouchèrent sur l'horrible meurtre de Neda Soltan.

Donc, voici venir quatre années supplémentaires de Mahmoud Ahmadinejad, encore plus hérissées d'insécurité qu'avant, quatre années de cauchemars sous le signe de la bombe iranienne. À mon avis, la seule légitimité que possède Ahmadinejad est celle du ridicule : comment serait-il possible d'écrire avec sérieux sur l'homme qui, entre autres absurdités, a remporté l'élection de 2005 pour la simple raison qu'il n'avait pas de jacuzzi chez lui ? Vous croyez avoir la berlue ? Eh bien non. De l'avis de la grande majorité des commentateurs, c'est le « moment du jacuzzi » ou, plutôt, du non-jacuzzi, l'instant où il révéla que, non, il n'avait pas de jacuzzi chez lui, qui lui assura la majorité. Cela suffit, apparemment, pour le distinguer du cloaque de corruption et d'hypocrisie qui a pour nom la République islamique. L'homme politique américain auquel Ahmadinejad ressemble le plus est Ronald Reagan. Les ressemblances d'ordre général, je l'accorde, échappent à une première analyse. Ahmadinejad ne vit pas dans un ranch avec une ex-starlette. Reagan n'avait pas de diplôme en gestion de la circulation routière. Ahmadinejad n'utilise par Grecian 2000 contre les cheveux gris (ce qu'attestent ses cheveux triomphalement chenus). Jeune homme, Reagan n'avait pas été impliqué dans le meurtre d'adversaires politiques. Ainsi de suite. Mais les deux hommes ont au moins ceci en commun : tous deux hantent la plaine parsemée d'éclairs où la théologie de la fin des temps croise l'arme nucléaire.

Mais retournons un instant aux différences. Ahmadinejad n'est pas soumis au contrôle ou à un quelconque équilibrage d'institutions démocratiques. Reagan n'a pas dépensé de deniers publics pour la préparation de la seconde venue du Christ, il n'était pas le produit d'une culture saturée de fantasmes délirants d'un tourment morbide. Ahmadinejad n'a pas un tempérament dont l'« idéalisme simplet » (la formule est d'Eric Hobsbawm) pourrait l'amener à reconnaître la « sinistre absurdité » de la course aux armements. Et Reagan n'avait pas prêté allégeance à un pasteur millénariste dans la ville sainte de, disons, Lynchburg. Enfin, alors que Reagan disposait d'assez de puissance de feu pour tuer plusieurs fois toute la population de cette planète, Ahmadinejad ne peut pas encore appuyer sur ce fameux bouton-là.

D'après les deux présidents, le retour du Christ est imminent mais, dans la vision d'Ahmadinejad, le Nazaréen fera simplement partie de l'entourage d'un personnage bien plus grandiose : l'imam ismaélien caché (ou occulté). Qui est l'imam ismaélien occulté ? En 873, la lignée du Prophète s'acheva lorsque Hasan al-Askari (le onzième imam légitime du chiisme) mourut sans héritier. Les fidèles furent alors la proie d'une circularité révélatrice. Il avait forcément un héritier ; et si rien n'attestait son existence, dirent-ils, c'était parce qu'on s'était évertué à le cacher, à l'occulter ; pour la raison que ce petit garçon deviendrait un imam extraordinaire – le Mahdi : le Seigneur du temps.

Dans l'eschatologie chiite, le Mahdi reviendra au cours d'une période de grandes tribulations (pourquoi pas lors d'un conflit nucléaire ?) et délivrera les fidèles de l'injustice et de l'oppression, avant de superviser le Jugement dernier. Ahmadinejad et plusieurs membres de son cabinet ont donné à l'imam occulté « dans les quatre ans » pour revenir – bien avant, donc, la fin du second mandat du président. Et où l'imam occulté vit-il depuis le IXe siècle ? En occultation, où que ce soit. Du moins est-il logique que l'imam occulté soit appelé Seigneur du temps, puisqu'il a 1 136 ans.

Règle n° 1 : aucune théocratie ne devrait avoir accès à l'arme nucléaire. Avec tout le respect qu'on lui doit, l'Iran n'est pas encore prêt à recevoir l'énergie qui anime le Soleil. Nous savons tous ce qu'Ahmadinejad pense d'Israël (et nous nous souvenons de sa conférence d'islamistes, à Téhéran, sur l'historicité de la Shoah). Or voici ce qu'Ali Rafsanjani pense d'Israël – Rafsanjani, le vieil opportuniste révolutionnaire, si souvent envoyé en prison, pragmatiste, réformateur, immensément terre à terre et immensément vénal : « L'emploi d'une bombe nucléaire en Israël détruira tout », alors qu'une riposte d'Israël ne fera qu'« infliger de menus dommages » au monde islamique ; « il n'est pas irrationnel d'envisager une telle éventualité ». En effet, ainsi que l'a déclaré un haut fonctionnaire israélien, compte tenu de la conception chiite du martyre, la perspective d'une destruction mutuelle « n'est pas dissuasive. Au contraire, c'est une motivation ».

L'arme nucléaire aurait été envoyée sur terre pour fournir à l'humanité une série de dilemmes insoutenables. Jusqu'à il y a peu, il semblait qu'on pouvait espérer contenir les mollahs dans leur course à la bombe H : les États dotés de l'arme nucléaire pouvaient être crédibles face à Téhéran, et commencer à réduire leurs arsenaux en vue d'atteindre un jour l'option zéro. Mais, aujourd'hui, ces États incluent la Corée du Nord, le pays des morts-vivants ; et il semblerait, dans tous les cas, qu'on ne puisse plus guère calmer la République islamique. Équipé d'armes de fission ou de fusion, le chef suprême pourrait déléguer son utilisation au Hezbollah, à Call of Islam ou à la Légion islamique. Ou devenir lui-même le premier kamikaze à être mesuré en mégatonnes.

En attendant, le souvenir des événements de juin et de Neda Soltan fera son œuvre, ajoutera à la masse d'insupportables humiliations infligées au peuple iranien. En attendant, le régime sénescent ira plus loin que la répression : il ira chercher les effets supposément fédérateurs de la guerre (à nouveau, ce n'est qu'une prédiction avancée avec prudence). Pas une guerre contre un ennemi de sa taille, ou plus grand. Mais le minuscule Bahreïn, à 60 % chiite, qui semble à sa mesure.

Quant à l'analyse de l'islamisme apocalyptique, sous toutes ses formes, je ne peux dire mieux que le grand Norman Cohn. L'extrait suivant est tiré de l'avant-propos de l'édition de 1995 de *Warrant for Genocide* (1967) ; il traite de l'invention tsariste *Les Protocoles des Sages de Sion* et de ce qu'on appelle la Shoah – le Vent de la mort :

> Il existe un monde souterrain dans lequel des filous et des fanatiques instruits avec un lance-pierres [notamment les bas échelons du clergé] pondent des fantasmes pathologiques, déguisés en idées, à l'usage de l'ignorant et du superstitieux. À certaines époques, ce monde souterrain émerge des profondeurs et, soudain, fascine, ravit et domine des multitudes de gens d'ordinaire sains et responsables, qui abandonnent toute raison et responsabilité. Il arrive parfois que ce monde souterrain devienne un pouvoir politique et change le cours de l'histoire.

The Guardian, 2009

Au sujet de Jeremy Corbyn, chef de l'opposition de Sa Majesté

À l'âge de dix ans, quand j'habitais à Princeton, le samedi matin, je m'accroupissais devant la radio afin d'écouter les chansons pour enfants, espérant toujours fébrilement entendre *Carbon the Copy Cat* (« Carbon le Copiteur »). Vous trouverez une surprenante version de *Carbon* sur YouTube, par Tex Ritter, qui savait conférer à la moindre berceuse une touche de *gravitas* et de détresse. Mais la version qui m'émerveillait en 1959 était bien plus onctueuse et enjouée ; Tex était texan alors que cette autre version était chantée par un Midwesterner anonyme, qui prononçait Carbon *Carbin* (comme dans *Wimbledin* pour Wimbledon). Est-il donc étonnant que, pendant tout l'été, j'aie chantonné *Corbyn le Copiteur* ?

La comparaison est loin d'être inattaquable, je dois l'admettre, mais l'exemple du Copiteur a beaucoup à nous apprendre. Dans la chanson, Carbon est un félin crétin qui veut se joindre aux animaux d'autres espèces ou, du moins, les imiter.

Il voulait bêler comme un mouton *(bê, bê)*,
Gazouiller comme un oiseau *(cui, cui)*,
Aboyer comme un chien *(ouaf, ouaf)*.
Mais il avait beau essayer tout son soûl,
Tout ce qui sortait, c'était *miaou, miaou, miaou.*

Jeremy Corbyn a appris à miauler tôt (coaché, de très loin, par un certain économiste allemand), et il ne lui est jamais passé par la tête d'essayer de dire quoi que ce soit d'autre.

Lui et moi sommes d'exacts contemporains (nés en 1949, comme l'OTAN) ; et quand j'avais la vingtaine, je n'étais jamais loin de l'épicentre du milieu de Corbyn. Car je travaillais au *New Statesman* – j'assistais donc à des conférences du parti, prenais un verre avec des correspondants parlementaires et jouais souvent au cricket et au football contre les gars de *Tribune* et autres flottantes confédérations de gauche. Les clones de Corbyn étaient légion : barbe rousse, gros stylo-plume dans la poche de poitrine et tricot de corps visible sous la chemise, légèrement décoloré par les multiples lessives en famille.

Fluets, nerveux et économes (leur petit porte-monnaie était plein de petite monnaie moite), un air d'empêcheur de tourner en rond (comme s'ils avaient été obnubilés par un grief qu'ils connaissaient de fond en comble), en fait, les clones de Corbyn étaient honnêtes et bienveillants. Côté politique, ils étaient le sel de la terre – « ceux pour qui, à un moment et à un niveau donnés, les malheurs du monde / sont réellement des malheurs, et ne les laisseront jamais en paix » (John Keats). Ce qu'étaient, d'un point de vue humain, les représentants de la vieille gauche dépendait – avec une précision mathématique – de la mesure dans laquelle ils étaient doctrinaires. On recherchait la compagnie d'Alan Watkins et de Mary Holland, parmi d'autres ; on évitait celle de Corin Redgrave et de Kika Markham (ainsi que des clones de Corbyn les plus virulents).

Tout cela remonte à la fin des années 70 – apogée et chant du cygne de la vieille gauche. Au troisième et éphémère mandat de Harold Wilson après l'interrègne de Ted Heath ; James Callaghan (1976-1979), la grève-du-zèle, la grève des mineurs (Arthur Scargill), la semaine de trois jours, et une guerre des classes dont on ressentait les secousses des dizaines de fois par jour ; puis déferla Margaret Thatcher (1979-1990). Tout le monde se retrouva vieille gauche. Le sentiment général au *Statesman* était que le prolétariat méritait de gagner, cette fois : enfin viendrait la réparation morale.

Mes plus proches collègues de bureau étaient vieille gauche aussi, avec des nuances. J'étais d'accord avec James Fenton, en gros, lorsqu'il déclarait benoîtement : « Je veux un gouvernement qui se montre faible face aux syndicats. » Julian Barnes se prit de bec avec un irréductible de *Staggers* (surnom du *New statesman*, revue de gauche) quand il révéla qu'une fois, il avait voté pour les libéraux. Cet irréductible était Christopher Hitchens. Tout au long de sa carrière polémique, Christopher mania son étrange mélange d'ironie et de granite. Lorsqu'il venait à la section Livres et Beaux-arts, nous ne manquions jamais d'échanger quelques sarcasmes et provocations. Je lui disais : « Tu veux un gouvernement de loulous. Pas seulement un gouvernement qui gouverne en leur nom et dans leur intérêt… mais un gouvernement *par* les loulous. – Exactement, répondait-il, avec son sourire ambigu. Je ne vis que pour voir le jour où les crétins seront enfin en selle. »

C'est l'une des principales caractéristiques de Christopher : jamais, ô grand jamais, il n'a cessé d'aduler Trotski. Tous les autres étaient vieille gauche aussi mais s'étaient déjà largement débarrassés de la féerie utopiste. Tous ceux qui venaient aux réunions hebdomadaires du comité de rédaction, qui apportaient des articles intitulés « La fin de la croissance » ou « Où en est le monopole syndical ? », étaient des Jeremy Corbyn. Quoique… Corbyn, lui, ne serait pas venu avec nous tous au pub ou au Bung Hole (un *wine bar* ; il ne boit pas), pas plus qu'au café italien où nous déjeunions tous ensemble, choisissant le petit déjeuner anglais complet (végétarien). Il est vrai que les types qui venaient au Great Turnstile étaient, une fois qu'on les connaissait bien, sympathiques ; en outre, ils savaient aussi être convaincants sur le papier, et le plus souvent avec panache. Jeremy ? Après avoir été pendant près de trente ans un simple député de base élu dans une circonscription en or (Islington North), voici que Corbyn bénéficie, par un pur hasard, d'une promotion radicale. Il est donc temps d'analyser sérieusement ses défauts.

Primo, il manque de culture. On pourrait exprimer ça différemment. Son éducation a séché sur pied quand il a eu dix-huit ans, après l'obtention d'un bac sans mention ; s'il entama des études (sur les syndicats) au North London Polytechnic, il abandonna au bout d'un an. Fin de ses études. Corbyn dit aimer « lire et écrire » (j'ai l'impression qu'il en parle comme de passe-temps, genre spéléo ou ferrovipathie) ; à mes yeux, en tout cas, il n'a pas l'aura électrique d'un autodidacte. Il y a fort à parier que sa sacoche, ou cartable, ne contient rien que des manifestes et des notes de synthèse. Son CV mental penche du côté de la rigidité et de la lenteur intellectuelle ; et il semble ne s'intéresser à rien au-delà de sa sphère immédiate.

Secundo, il manque totalement d'humour. De nombreux journalistes l'ont noté, le plus souvent sur le ton d'une indulgente ironie. Mais, en fait, c'est une accusation grave, car c'est le signe de l'absence chez lui du bon sens le plus élémentaire. Pour dire les choses crûment, un homme sans humour est la risée de tous – et il ne comprendra pas la plaisanterie. Quand une équipe de télé saisit Corbyn au collier et lui demanda de commenter les attaques de Tony Blair contre lui, d'une drôlerie un peu lourde, certes, il se raidit, rétorquant qu'il ne répondrait qu'à des questions « sérieuses ». Il ne sourit pas, ne prit pas un air crâne, son visage ne révéla pas le moindre soupçon d'esprit. Or les critiques de Blair étaient on ne peut plus « sérieuses », dont celle-ci : tout ce que dit Corbyn, sans exception, est insipidement de troisième main – le fait qu'il soutienne, par exemple, la Clause 4 (sur la propriété de droit public), formulée la première fois en 1918. *« I don't do personal »*, Corbyn expliqua à l'intéressé, consolidant notre conviction qu'il n'est « moderne » que dans la vulgarité très contemporaine de sa syntaxe : rien de perso. Quand il défendit l'idée d'un Royaume-Uni où chaque maison devrait avoir un jardinet, il ajouta : « Quiconque veut élever des abeilles devrait pouvoir le faire. » Quiconque a le sens de l'humour serait incapable de dire ça.

Tertio, il ne comprend rien au caractère national – déficit abyssal pour tout homme politique, et d'autant plus pour un porte-drapeau. L'idée de démanteler Trident pourrait recueillir une majorité nette pour des raisons pratiques ; mais sa proposition de quitter l'OTAN (« une organisation faite sur mesure pour la guerre froide ») et paralyser ainsi une relation particulière, ennuie et exaspère Londres, mais introduit aussi le doute et cause quelque désarroi à Washington. Quant à sa proposition de se dispenser de toute armée (explicitée la dernière fois en 2012) ? Ce serait planter une dague dans la psyché britannique. Il témoigne là d'une grande indifférence à l'égard du passé comme du présent. Dans *Hommage au gouvernement* (1969), Philip Larkin s'exprimait au nom de la nation, comme il le faisait souvent (ce qui était à la fois une force et une faiblesse) :

L'an prochain nous vivrons dans un pays
Qui a rapatrié ses soldats par manque de fonds.
Les statues se dresseront dans les mêmes
Squares étouffés d'arbres, et auront presque le même air.
Nos enfants ne verront pas que ce sera un autre pays.

Le caractère national comporte un élément de nationalisme, bien sûr, et le tempérament britannique penche avant tout vers un réformisme progressif. Une immense force de persuasion est nécessaire pour amener un électorat à renoncer à ce qui compte le plus pour lui : la continuité.

En ce qui concerne la politique étrangère de Corbyn – je ne parlerai ici que du terrorisme international. Quand enfin il a réussi à clarifier ce qu'il espérait voir se passer au Moyen-Orient, l'amitié clamée haut et fort de Corbyn pour le Hamas et le Hezbollah devint, en gros, intelligible. De façon bien plus significative et accablante, il a fréquemment sous-entendu que le 7 juillet 2005 était un acte de vengeance, une réponse calibrée à l'invasion de l'Irak. C'est l'exemple parfait de l'habitude mentale pitoyablement machinale qui consiste à chercher une équivalence morale à la moindre occasion ; ainsi les meurtriers au théisme scintillant de Daech sont mis sur un pied d'égalité avec les troupes de la Coalition à Fallujah. Et entendez son appel churchillien en faveur d'un compromis politique avec Abu Bakr al-Baghdadi et ses génocidaires à Raqqa et Mossoul.

Généreusement pourvu des démérites – les dogmes enkystés – de la vieille gauche, Corbyn n'en incarne pas moins gauchement l'un de ses thèmes les plus nobles : la quête de quelque chose d'un peu meilleur que ce qui existe aujourd'hui ; plus d'égalité, plus de douceur, plus de justice.

Si, ainsi que tous les commentateurs semblent le penser, le Corbyn actuel est manifestement inéligible, dans quelle direction sera-t-il contraint d'aller ? Le recrutement de Seumas Milne (intellectuel d'extrême gauche) comme responsable des relations avec les médias ne change rien, quoiqu'il diffère la perspective d'un Corbyn revampé, business compatible, arborant un nouveau costume et un nouveau sourire. L'idée a toujours été quasiment inconcevable. Il est beaucoup plus facile d'imaginer un parti travailliste dégradé en un équivalent gauchiste des Républicains aux États-Unis : désespérément rétrograde, tourné sur soi, apitoyé sur son sort, persuadé d'avoir raison, tout à fait oublieux de ses (antiques) fâcheries, nécessairement (et de plus en plus) hostile à la démocratie et, de quelque point de vue qu'on se place, indigne qu'un seul vote se porte sur lui. Sous Corbyn, le parti travailliste n'est plus l'Opposition de Sa Majesté. Il n'y a plus d'opposition ; les travaillistes sont hors jeu.

En dépit de toutes ses charmantes précarités, Carbon le Copiteur a courageusement arpenté les campagnes et montré un ardent intérêt pour l'exotique, pour *l'autre* : les vaches qui font *meuh*, les poules qui font *cot cot cot*, les canards qui font *coin coin*. À la différence de Carbon, qui est noir charbon, Corbyn est un chat roux, pantouflard, perché comme un couvre-théière sur le radiateur de la cuisine, béatement marié à ce qu'il connaît déjà.

The Sunday Times, 2015

Les assassins estropiés de Cali, Colombie

I. Blessure de sortie

Une *bala perdida* avait failli coûter la vie au petit Kevin : la balle perdue avait traversé sa nuque et était sortie par le front. Il y avait un an de cela, il en avait quatre alors. L'incident avait eu lieu à quelques pas d'où nous étions, assis dans un salon côté rue qui ressemblait plus à un garage sans voiture, avec son sol en ciment humide et une série – presque un motif – de lampes noircies sur les murs et au plafond. La grand-mère de Kevin tenait une modeste boutique de vêtements d'occasion ; à un fil étaient pendus des cintres et un sac en plastique bourré d'espadrilles et de claquettes. Le chien de la famille, petit, vieux, en bout de course, grondait encore après nous une demi-heure après notre arrivée, tout en n'arrêtant pas de se gratter l'oreille avec sa patte arrière.

Kevin jouait dans la rue lorsque la voiture était passée à toute allure (je n'ai jamais compris ce que les *muchachos* essayaient de renverser, si c'était le cas). À l'hôpital, on avait dit à sa mère (vingt ans) qu'il lui restait cinq minutes à vivre. Mais on l'avait opéré. Et après cinq jours dans le coma, puis une longue période en fauteuil roulant, muet, buté et, enfin, des séances de rééducation… Kevin en avait réchappé : un petit garçon sûr de lui, et même avec de l'allure.

Pendant des mois, il était rentré dans sa coquille, il ne réagissait qu'avec apathie aux autres enfants et se montrait indifférent à l'endroit des adultes. Quand il divisait ses petits soldats en bons d'un côté et mauvais de l'autre, les méchants gagnaient toujours.

Ce qui est arrivé à Kevin était un accident : un accident dans une ville où il y en a beaucoup, mais un accident néanmoins. Un autre enfant, Bryan, dix ans, aura plus de mal à éprouver la consolation censée venir (mais en fait non existante) quand on tourne la page. Son meilleur ami lui a tiré dans le dos. La faute de Bryan ? Ce n'est pas comme s'il avait menacé de rapporter chez lui le ballon de foot de son copain : tout ce qu'il a fait, c'est dire qu'il n'avait plus envie de jouer. Bryan a désormais une démarche de paralytique (un lent sautillement), son visage a perdu sa symétrie et, comme son regard ne se fixe sur rien, on le dirait aveugle (bien qu'il ne le soit pas). Kevin, lui, s'exécuta gentiment quand sa grand-mère, dégageant ses cheveux et soulevant sa frange, me montra la blessure d'entrée, la blessure de sortie ; on aurait dit les cicatrices d'un vaccin. Lorsque nous prîmes congé, le chien nous adressa un grognement éloquent : bon débarras, déchets putrides ! Il semblait avoir ingéré la peur et le dégoût que Kevin aurait dû endosser.

Dans la cour de la maison d'en face, un homme parvenu à maturité (statistiquement une exception dans le quartier) cadenassa son logis pour la nuit ; tout en réarrangeant le contenu de son short rouge, il nous dévisagea avec une hostilité sans fard mais générique.

Si certains résidents essaient de déguiser la chose avec des grilles et des treillages fantaisie, la plupart des maisons des faubourgs de Cali sont franchement et entièrement mises sous cage. L'homme adulte d'en face commença à s'emmurer dans son pénitencier privé. Dans El Distrito, les garçons déchaînent leur rage la nuit et dorment le jour (dans leurs cercueils et leurs cryptes) ; au crépuscule, ils se métamorphosent en vampires.

Nous devions toujours impérativement quitter le quartier avant 5 heures – mais attendez ! Nous avions encore le temps d'aller rendre visite à Ana Milena. Quelques années auparavant, un voisin avait tiré sur sa sœur, dans la gorge ; paralysée, elle était morte en 1997 : en proie à la dépression, elle avait refusé de continuer à s'alimenter. Sept ans plus tard, Ana avait rompu avec son petit ami ; il l'avait donc attaquée en plein jour à l'arrêt de bus, lui avait planté son couteau une fois dans le nombril, une fois dans le cou, deux fois dans la tête. Le tout devant leur fille (qui n'avait pas encore trois ans). La petite fille s'était enfoui le visage dans ses bras. Aujourd'hui encore, elle dit que sa mère a été percutée par une voiture.

Dans l'argot des gangs, *una pacha*, un biberon, est une arme faite maison. La violence commence tout de suite et ne s'arrête plus jamais. Les cicatrices de Kevin ne le défiguraient pas. Il avait une blessure d'entrée et une blessure de sortie. Son histoire était de loin la plus positive de celles que j'ai entendues à Cali. On consent aisément à l'existence de blessures d'entrée mais, quand on considère les effets – émotionnels, psychologiques et (presque toujours) physiques –, on en vient à douter de l'existence des blessures de sortie. Ça ne finit jamais.

2. La Esperanza

Aguablanca (Eaublanche), qui occupe, en gros, un quart de la troisième ville de Colombie, est composé d'environ 130 barrios ; chacun compte deux ou trois gangs, et tous les gangs sont en théorie en guerre les uns contre les autres. Pour quoi s'affrontent-ils ? Ils ne s'affrontent pas pour de la drogue (l'ecstasy et la dope sont monnaie courante à tous les niveaux, mais le trafic de cocaïne est réservé à ceux qui ont atteint la maturité criminelle). Ils s'affrontent pour un terrain (un coin de rue, une ruelle) ; ils s'affrontent pour absolument tout ce qui a trait au manque de respect (pour ce qu'on pourrait appeler des différends de sourcils) ; et ils s'affrontent à cause de la précédente bagarre : la *venganza* fonctionne comme une chaîne.

Toutefois, ici comme ailleurs, le premier pourvoyeur des chiffres de la criminalité, c'est le calamiteux foisonnement d'armes. Un pistolet maison coûte un peu plus de 20 euros, une grenade un peu plus de 12 (une grenade, c'est ce qu'il vous faut, par exemple, si vous voulez assister à une fête sans y être invité et qu'on vous refuse l'entrée). « Les armes ne tuent pas les gens. Ce sont les gens qui tuent les gens », déclarait Ronald Reagan. On pourrait poursuivre son raisonnement : les gens ne tuent pas les gens non plus. Ce sont les balles qui tuent. À Cali, elles coûtent 50 *cents* pièce ; comme les cigarettes, elles sont vendues aux mineurs... à la pièce.

Trois adolescentes, représentant un *barrio* du nom d'El Barandal (la balustrade), nous déconseillèrent d'y pénétrer ; mais deux cents mètres plus loin, à La Esperanza, nous fûmes accueillis sans ciller. Quand je demandai quelle était la différence entre les deux, notre chauffeur répondit que El Barandal était encore plus pauvre et plus sale et, détail capital, plus bondé ; d'où : plus d'humiliation, de colère, d'armes. Sara, la plus amène des Esperanzans, insistait sur un autre point : *« Somos todos negros, y somos buena gente. »* « Nous sommes tous noirs, nous sommes des gens bien. » Et ils ont intérêt, en effet, à être des gens bien !

Chaque pays d'Amérique du Sud a son nom pour des endroits de ce genre. À Bogota, c'est *tugurio* (taudis), mais c'est la version chilienne qui suggère le mieux La Esperanza : *callampa* (champignon). « Eaublanche » évoque une rivière au débit rapide, voire des rapides bouillonnants. Les marécages d'où les barrios ont émergé dans les années 80 sont aujourd'hui blanchis par leur propre putréfaction. La fosse sans fond n'est pas assez profonde pour submerger les bassines et les pneus qui trouent sa surface caustique. Pourtant, les aigrettes la trouvent assez à leur goût pour y patauger et la picorer ; quand elles agitent leurs ailes, on s'attend à ce qu'elles s'envolent sur des échasses à moitié rouillées.

Les gens d'ici sont des *desplazados*, des paysans déplacés, notamment depuis la côte Pacifique. Cali abrite environ 70 000 réfugiés. Certains sont chassés de leurs terres par une force moderne irrésistible : l'urbanisation. D'autres fuient ce qui pourrait être les dernières convulsions d'une guerre civile entamée en 1948. Quoi qu'il en soit, ils sont là, démunis et sans travail. La Colombie ne procure à ses citoyens aucun service gratuit d'éducation ou de santé ;

la première explication donnée est l'énorme lacune sud-américaine : l'impôt (des riches, par nécessité). Le fisc ne contrôle pas les impôts. Pour paraphraser l'ex-président Lleras Camargo, les Latino-Américains font de la prison pour quantité de raisons surprenantes mais pas un seul, dans tout le continent, pour fraude fiscale.

Des quatre bicoques dans lesquelles j'ai pénétré à La Esperanza, celle de Sara, contrairement à ce que mon intuition m'avait fait croire, était sans conteste la pire. D'abord, on mettait le pied sur une planche à clous de carreaux ébréchés, pointant vers le haut, à même la terre battue : manifestement, l'endroit était en travaux mais, pendant un instant, on croyait mettre le pied sur un piège. Puis une aire commune, suivie d'un dortoir de paillasses défoncées. Et, enfin, vers l'eau, une cuisine-salle de bains, quantité de tuyaux à découvert, toute une ingénieuse plomberie, une plaque chauffante, un tas de compost dans l'angle et un frigo surtout décoratif avec quatre œufs dans sa porte ouverte en permanence. Une énorme Noire, déjà seins nus, nous pousse avant de disparaître dans un wigwam en bois ; s'ensuivent un bruit de cataracte et une chanson.

Dehors, les femmes rient et se chamaillent, taquines, quant à savoir qui a la plus jolie maison. L'échoppe solitaire d'Esperanza n'a qu'un panneau avec une inscription manuscrite sur la porte, qui précise *no fio* (pas de crédit) ; elle ne vend que du tabac et de l'amidon, mais les résidents l'appellent tout de même *supermercado*. Quant à l'eau rance dans laquelle le barrio semble sur le point de s'effondrer, il suffit de se dire, déclare Sara, que c'est une belle vue sur la mer.

La Colombie a l'Atlantique à sa droite et le Pacifique à sa gauche (son cou monte droit vers le Panama). Le pays chevauche l'équateur. À midi, par temps clair, votre ombre s'entortille autour de vous comme un chat. Nous sommes allés au barrio l'un des matins les plus frais (les nuages avaient la couleur de l'eau) ; il était pénible d'imaginer l'endroit sous un soleil éclatant. En bas de la route, au point d'entrée d'Aguablanca, la puanteur du canal cloqué, avec ses berges de détritus entassés, vous prend aux amygdales. Cette odeur est l'avenir de La Esperanza.

3. Enterrement de vie de jeune fille

Dans la pègre de Cali, la *venganza* classique ne prend pas la forme d'une balle à travers la tête mais à travers la base de la colonne vertébrale. C'est le résultat d'une certaine cogitation. « Un mois après l'attaque, déclare le jeune thérapeute de Médecins sans frontières, Roger Micolta, la victime me demande : "Est-ce que je remarcherai un jour ?" Deux mois après, elle me demande : "Est-ce que je pourrai baiser à nouveau un jour ?" » La réponse aux deux questions est invariablement : « Non. » Les estropiés doivent donc vivre avec leur blessure – ils doivent la porter, la véhiculer à deux roues ; tout le monde sait qu'ils ont perdu ce qui faisait d'eux des hommes.

À l'hôpital municipal d'Aguablanca, à l'heure de la thérapie, l'après-midi, les innocents estropiés, comme Bryan, qui boite, sont moins nombreux que les meurtriers estropiés – ces estropiés qui ont beaucoup estropié eux-mêmes. Ils font d'interminables séries d'exercices : tractions, roulades sur le côté. Sœurs et petites amies passent des brosses sur leurs jambes pour encourager les sensations. Avançant très lentement aux barres parallèles, un jeune homme n'arrête pas de se figer et de fermer les yeux : désespoir absolu. Un autre, un poids attaché à la cheville, fait ses exercices sous le regard de sa mère, qui, par pur réflexe désormais, balance sa jambe en rythme avec la sienne.

Dans une pièce à l'arrière, un scénarimage sert de conseil psychosexuel. *« Lo mas frustrante : estar impotente. No poder sentir, no comprension, no tener ganas. »* (« Le plus frustrant : ne plus rien ressentir, comprendre, ne plus avoir de désirs. ») Les affiches pédagogiques de Médecins sans frontières, de même, se concentrent avec raison et pugnacité sur la question de la testostérone. L'une d'elles montre un pistolet, canon recourbé : « Avoir une arme ne fait pas de toi un homme. » Sur une autre : une série de ceintures, pistolet pointant vers le bas. À Cali, où qu'on tourne le regard, tout ce qu'on a jamais lu ou entendu sur l'insécurité masculine, les symboles phalliques et ainsi de suite, est confirmé de manière un tantinet rébarbative.

Tout près, dans les rues, les boutiques sont étonnamment bien achalandées, de denrées de première nécessité ou pas – appareils photo bon marché, tenues de jogging, systèmes de douche multifonctions (dont tout le monde, à La Esperanza, aurait bien besoin). Les mannequins sans bras ni tête sont fidèles au type féminin du cru : fesses volumineuses, portées haut, poitrines mastocs aux mamelons de la taille de boutons de commode. À la pâtisserie, un gâteau sophistiqué représente une *muchacha* prise d'assaut. Un autre un pénis, testicules hérissés de tortillis en chocolat : au sommet du gland teinte blanc-manger, un filet de crème indique goulûment la fente. Article d'enterrement de vie de jeune fille, peut-on supposer. L'inscription, d'une écriture laborieusement ornée, est la suivante : *Chupame, cario*, « suce-moi, chéri(e) ». En espagnol, il n'existe pas de forme féminine : pas de *caria*. Mais qui sait ? À Cali, le gâteau bijoux de famille est peut-être destiné aux étalons.

Ce soir-là, au centre-ville, était organisé un barbecue sur un toit en terrasse. Les autres invités étaient des cadres, des universitaires ; musique, et danse, le tout très chaste et rodé. N'empêche, même dans ce contexte-là, il n'est pas impossible qu'une trappe sexuelle s'ouvre sous vos pieds. À un moment donné, une jeune femme entama une conversation innocente avec un séduisant jeune homme qui, après quelques plaisanteries aux relents mâles, lui tendit en souriant une serviette en papier. La suggestion étant qu'elle pouvait essuyer sa bave.

Tous les murs extérieurs étaient surmontés d'échardes de verre, aux variations spectaculaires de taille et d'épaisseur. Si les murs hérissés de verre suivent une mode architecturale particulière, alors nous étions en plein gothique. En Grande-Bretagne, cette forme de protection était très fréquente (et très *stimulante*) dans mon enfance – mais plus pendant ma jeunesse. En Colombie, je n'arrêtais pas de songer : deux ou trois générations de retard, quarante, cinquante ans… voilà où ils en sont. La Colombie semble prête à passer de l'oligarchie à un système plus progressif. S'il y a un thème récurrent dans l'évolution de l'Amérique du Sud, il semble être celui-ci : les investisseurs (les États-Unis sont omniprésents) tolèrent une amélioration de la qualité des leaders politiques : Kirchner en Argentine, Lula au Brésil et, maintenant, qui sait, Uribe en Colombie.

De l'autre côté des murs scintillant de bris de verre, on distinguait tout un flanc de montagne de lumières : la *callampa* de Siloe, qui, me dit-on, est environ deux fois plus violente qu'Aguablanca.

4. L'îlot central

Nous nous trouvions sur l'îlot central d'une voie rapide, à environ 300 mètres de l'un des barrios à l'entrée la plus férocement inhospitalière. Trois *muchachos* approchèrent. Quand je leur proposai des Marlboro, j'eus deux amateurs. En fumant, ils baissaient la tête, gênés parce qu'ils n'inhalaient pas la fumée. Le troisième garçon avait décliné mon offre. Il ne dit pas *« No fumo »*, il dit *« No puedo fumar »* – alors qu'il aurait bien voulu.

Il souleva son tee-shirt pour nous montrer pourquoi. Tout son côté droit, épaule, poitrine, aisselle, qui avait récemment reçu une balle, formait un lit défait de pansements et de sparadraps marron poisseux. En outre, tout aussi récemment, il avait reçu plusieurs coups de poignard, d'une violence évidente. Sa blessure, pas encore une cicatrice, courait du sternum au nombril, rose et charnue comme un gros ver de terre.

Il se trouve que c'était un patient de Roger Micolta. L'un des moins dociles. Il s'appelait John Anderson. Ce n'était en aucun cas la première fois qu'on lui tirait dessus, ni la première qu'on le lardait de coups de poignard. Il avait seize ans.

Comme tout le monde ici, les gamins avaient envie de se faire photographier mais, d'abord, ils devaient aller chercher leur arme. Après avoir fourragé dans un tas d'ordures de l'autre côté de l'asphalte, ils revinrent avec un fusil à canon scié. John posa donc, avec sa platine à silex, sa blessure à l'arme blanche (tentative de hara-kiri à la verticale), sa coiffure à l'inclinaison ridicule, son regard à la gâchette facile. Tout à coup, on était saisi par la fragilité, l'inanité de tout ça : une existence à deux doigts de l'inexistence.

Ce ne pouvait être plus clair : John Anderson n'avait que quelques semaines à vivre. Dire cela des êtres humains, c'est dire à la fois le meilleur et le pire. Ils peuvent s'habituer à tout.

5. L'ASSASSIN ESTROPIÉ LE MOINS INTÉRESSANT

Moi aussi, je m'y suis habitué. On se surprend à penser : si je devais vivre à El Distrito, je n'habiterais pas chez Kevin mais chez Ana Milena, où il y a au moins la télé câblée et un passe-plat bien pratique entre cuisine et salon. Et si je devais vivre à La Esperanza, je refuserais gentiment mais fermement la proposition de Sara et tenterais de m'imposer, moyennant quelque bakchich, quatre maisons plus loin, dont l'occupant a un frigo et un ventilateur qui fonctionnent (mais aussi dix personnes à charge). De même, je me surprends à penser : ce meurtrier estropié n'est pas, et de loin, aussi intéressant que le meurtrier estropié que j'ai interviewé avant-hier. Ça semblait évident. Raul Alexander ne faisait pas le poids, par rapport à Mario.

À notre arrivée, Raul, allongé sur son lit, regardait *Les Simpson*. Chez Kevin, chez Ana, chez Sara, il n'y avait pas de jeunes hommes. Ici, quand il y a un jeune homme dans une maison, c'est qu'il est dans l'incapacité physique de sortir. Il y a de grandes chances qu'il soit estropié – et très probablement un *meurtrier* estropié.

Avec sa boule à zéro et sa petite bouille innocente, Raul avait l'air de ces serviteurs aux petits soins avec nous dans une résidence de vacances, dont on se dit que nous pourrions nous attacher à lui. Je vous semble manquer de tact ? La vérité était que nous devions nous faire à Raul. Nous avions espéré Alejandro, l'assassin estropié qui, dans sa prime jeunesse, ne pouvait s'endormir s'il n'avait pas tué quelqu'un dans la journée. Mais nous avions déjà manqué Alejandro, et même plus d'une fois, et quand nous avions fini par nous rendre à un rendez-vous apparemment sûr, sa mère nous avait annoncé qu'il avait dû emmener son clebs chez le véto. Était-ce un anathème latino particulièrement violent ou une simple mauvaise excuse ? Je songeai au verbe étalon du langage des gangs : *groseriar* (*no respetar*, « ne pas respecter »). Ce fut un soulagement, en fin de compte, que d'avoir à se satisfaire de Raul.

Questionné sur son enfance, il la jugea *normale*, ce qui paraissait crédible, hormis son père qui était resté *in situ* quasiment jusqu'à ce que Raul devienne un homme. Il s'était fait la main avec les pièces détachées de voitures, puis les voitures elles-mêmes, puis les voitures avec des gens dedans. « Une le lundi, une le jeudi. » Ensuite, il était entré en compétition avec un ami : six vols armés de voiture par jour. Puis il était passé au braquage des camionnettes de transfert d'argent, en provenance ou à destination de magasins, d'usines ou de banques. Il avait purgé une peine de neuf mois de prison, d'où, comme on pouvait s'y attendre, il avait émergé conforté dans sa vocation. À ce moment-là, les transferts de fonds étaient saturés, les resquilleurs faisaient quasiment la queue devant les banques ; Raul s'était donc aventuré à l'intérieur. Ces virées hebdomadaires avaient fait long feu. Il en avait pris pour trente mois, était sorti trois jours, y était retourné pour trois ans. Au cours de ce dernier séjour, Raul avait tué un homme, pour la première fois, prétendit-il : un prêté pour un coup de poignard, soi-disant.

Sa formation achevée, du sang plein les mains, Raul accepta un « boulot de fonctionnaire ». L'expression peut surprendre un non-Caleo mais, quand quelqu'un, ici, dit qu'il a travaillé dans un bureau ou fait un « boulot de fonctionnaire », on sait exactement de quoi il retourne : il était payé pour attendre que le téléphone sonne (salaire mensuel : 300 euros), et, en sus, par l'intermédiaire d'un agent, 125 euros par « contrat ». Au fait, d'après ce que je sais, les garçons qui font les fonctionnaires, on ne les appelle pas des « garçons de bureau ». Mais ils n'en sont pas moins très recherchés, ces *très* jeunes garçons sont *très* recherchés, pour ce « travail de bureau », parce qu'ils acceptent des bas salaires, n'ont pas froid aux yeux, et ne peuvent pas être envoyés en prison (jusqu'à leur majorité, à dix-huit ans). Raul devait alors avoir la vingtaine. Ah, et le jour préféré pour les meurtres de bureau, c'est le dimanche : on a plus de chance de trouver les gens chez eux.

La chute de Raul ? (Ma confiance en sa bonne foi, ou en sa conscience des événements, qui n'avait pas été grande jusque-là, diminua encore.) Comment présenta-t-il la chose ? Ah oui. Il avait eu un problème avec un type qui avait tué son cousin, meurtre vengé sur l'impulsion du moment par un de ses amis. Il était question d'une livraison de marijuana. Raul louvoya, tourna autour du pot, mais tout semblait se réduire à *una problema*, une partie de poker, un verre renversé : une *venganza* « de sourcil ».

Prenant congé de Raul Alexander impitoyablement tôt (l'un d'entre nous avait un avion à prendre…), nous nous enfilâmes dans un couloir ensoleillé où étaient entreposés sa chaise roulante et son déambulateur. Quand, quelques minutes plus tôt, je lui avais demandé combien de personnes il avait tuées, il avait fait la moue et haussé les épaules. *« Ocho ? »* On s'était dit : ouais, tu parles. Mais même si Raul divisait son score par deux ou par dix, il ne faisait pas le poids… par rapport à Mario.

6. Mario

Lui aussi est allongé sur son lit – nu, semble-t-il, à l'exception d'une serviette bleu layette passée autour de la taille. Les reproductions au mur du salon adjacent (une jeune princesse aux yeux de biche, une chaumière au pied d'une cascade, une forêt percée de rais de soleil opalins illuminant un cheval blanc) vous invitent, en décrivant Mario, à rechercher la veine héroïque. On pense à la chute de Satan, précipité sur la muraille de cristal du ciel. Jadis Mario était dynamique et rayonnant ; mais il a parcouru le chemin qui mène du pouvoir à son contraire, et reste désormais toute la journée allongé sur son lit, télécommande à la main, devant une chaîne de dessins animés.

Bien que ses longues jambes s'affinent et s'atrophient, au-dessus de la taille, Mario n'a pas perdu ses tablettes de chocolat. Et ses aisselles, en particulier, sont inhabituellement plaisantes ; elles ont l'air rasées ou épilées à la cire, mais un regard furtif vers le cousin à moitié nu, lui aussi, dans la cuisine, mains jointes derrière le crâne, confirme que l'absence de poils est génétique. Le problème de Mario, sa difficulté, commence au visage. Yeux rapprochés, divisés par un nez à l'arête plate, mâchoire très forte (avidité, appétit) : une face de babouin. Si Raul Alexander était venu vers vous, dans la rue, dans un bar ou s'était présenté sur le seuil de votre porte, vous auriez été tenté de lui résister, de le raisonner ou de l'acheter. Si Mario était venu vers vous dans toute sa splendeur, vous n'auriez rien fait du tout.

À sept ans, caché sous une table recouverte d'une nappe, il avait entendu neuf paysans, sept hommes et deux femmes, tuer son père. Comme Mario avait la trentaine au moment où je l'ai rencontré, cela devait s'être passé à l'époque de ce qu'on appelle *la Violencia* (même s'il n'est guère de période qui dans l'histoire de la Colombie ne mériterait pas cette appellation). À douze ans, entamant sa série de *venganzas*, il avait tué le premier paysan d'un coup de couteau. Il avait ensuite tué les huit autres. Après quoi, il avait gravité vers Cali. Telle est la population d'Aguablanca, de Siloe : des paysans, et maintenant les enfants des paysans, radicalement urbanisés.

Après une phase braquage de voitures, puis une phase kidnapping (vaste domaine), Mario avait dû faire son service militaire. Une fois libéré, ayant grandement peaufiné ses talents d'organisateur, il avait « pris le maquis », à savoir qu'il avait supervisé la production et le transfert de *talco* (cocaïne) dans la campagne colombienne et en Équateur. Il était, pour ainsi dire, en mission ; si ce n'est que l'adversaire n'était pas la police mais l'armée.

Mario évoque son passage dans le maquis avec nostalgie et respect. « La cocaïne arrivait en paquets, tous tamponnés… Très jolie [*muy bonita*], comme elle brille [*como brilla*]… Un jour, j'ai vu une pièce *entière* pleine de billets. »

Revenu à Cali, armé de discipline, d'esprit et (suppose-t-on) d'une cargaison de *pesos*, il s'était enfin mis à « profiter de la vie ». Il n'est pas difficile d'imaginer Mario profitant de la vie : dans une ville qui grouille d'hommes terrifiants, il aurait terrifié tout le monde. Il était devenu fonctionnaire et, en tant que tel, avait liquidé dans les cent cinquante personnes en six ans. Mais c'était prêter le flanc à beaucoup de *venganza* et, en décembre 2003, il était tombé dans un guet-apens. Il se trouvait à un feu rouge lorsque quatre motards étaient venus se placer de part et d'autre de sa voiture.

La sœur de Mario nous servit le café – infiniment meilleur que le Tizer et le soda pissenlit-bardane qu'on vous propose d'ordinaire en Colombie. L'absence de café est une caractéristique frappante d'Aguablanca ; on se traîne de baraque en bicoque à l'affût d'une tasse.

Il était temps de prendre congé. Je demandai à Mario de préciser en quoi son premier et son dernier assassinats avaient été différents. « Le premier, avec le couteau ? répondit-il. C'était horrible. J'en ai fait des cauchemars. Je pleurais toute la journée. J'étais paranoïaque. Mais la dernière fois… ? *Nada.* On fait son boulot et on se dit simplement : "Maintenant, aboule le salaire." »

Mario demanda qu'on lui apporte ses sinistres trophées, et reposa immergé dans leur amoncellement : son pistolet (très lourd – aux yeux de celui qui le maniait, il devait avoir eu la divine lourdeur de l'or), ses radios (la seconde balle lumineuse dans le thorax enfoncé) et son casier vierge (qui lui avait coûté 800 euros). Il avait aussi sa télécommande, son réveil et, cela va de soi, sa poche transparente d'urine, scotchée sur le côté du lit.

Comme Mario est encore recherché par ses ennemis, sortir de sa cahute représenta une double délivrance. Mais, en y réfléchissant plus tard, je me suis dit que Mario, compte tenu de ses origines, avait droit à sa haine ; et que le non monstrueux Raul, avec son gabarit de gringalet et son sourire de groom, était le plus représentatif des deux : une feuille ballottée par le vent de sa génération.

Dans sa mutation latino-américaine, le machisme comporte une composante complémentaire : l'indifférence, une indifférence infranchissable. On ressentait fortement cette indifférence chez John Anderson, le gamin de seize ans sur l'îlot central. Non seulement toute forme d'empathie affaiblit, mais, en outre, fait efféminé. On n'a même pas d'empathie pour soi-même.

Il semble donc que les gens d'Aguablanca jouent à un jeu d'enfants – de gamins : défis, provocations, postures ; ils se croient immortels. Sauf que les bâtons et les pierres sont des couteaux, des pistolets et des grenades.

En retournant au centre-ville, on voit des garçons jongler, se produire pour des spectateurs installés bien à l'abri de l'habitacle de leur voiture. Ils ne jonglent pas avec des quilles ou des oranges, mais avec des machettes et des flambeaux.

7. Le retour de la mort

Le dernier jour, je suis allé à l'exposition de Médecins sans frontières : photographies et histoires de cas. Certains noms et visages étaient familiers : Ana Milena, le petit Kevin. Le soir du vernissage, toutes les victimes qui figuraient dans l'exposition étaient présentes, sauf Edward Ignacio. Il récupérait encore de ses multiples blessures à l'arme blanche lorsqu'il avait été tué, le jour même.

Du lieu d'exposition au cimetière en pleine ville, un modeste lopin de terre, très encombré, entre le terrain de foot et la station-service qui ne désemplissait pas. L'entrée était quasiment submergée par un chantier : un rouleau compresseur, une bétonnière, des monticules de goudron brûlant. Un groupe de manœuvres dégustaient des boissons gazeuses et des glaces. Un orage se préparait, on sentait l'humidité dans l'air poussiéreux.

Le cimetière était plus morgue que cimetière : morts entassés par rangées de blocs épais, chaque niche de la largeur d'une plaque tombale et pas plus. Sur toutes les plaques, une inscription au marqueur indélébile (le minimum : juste le nom, l'année de la mort) ; d'autres, plus recherchées, comportaient une photo, un poème, des messages (*« Yo te quiero »*), des figurines, des croix, des cœurs, des anges. Nous étions venus avec une femme du nom de Marleny Lopez. Son époux était l'un des seuls à avoir été mis en terre. La pierre tombale précisait son nom et ses dates, Edilson Mora, 1965-1992. Le graveur avait commis une erreur. En fait, Edilson avait trente-sept ans lorsqu'il était mort, deux ans plus tôt. Il jouait aux dominos avec un policier, il gagnait. Il aurait peut-être pu y survivre, si le perdant n'avait pas eu à payer les bières.

La plupart des autres dates indiquaient une aurée de vie inférieure à celle d'Edilson : 1983-2001, 1991-2003. En gros, la durée de vie allongeait au fur et à mesure qu'on remontait dans le temps. De même que les noms cessaient d'être anglophones. Reposaient donc là Diesolina, Arcelio, Hortencia, Bartolome, Nieves, Santiago, Yolima, Abelardo, Luz, Paz…

En revenant d'une allée éloignée, je tombai sur un enterrement. Un cercueil, quatre porteurs. Il ne s'agissait pas d'un règlement de comptes, d'un guet-apens, d'une *bala perdida*. Une multitude de gens étaient venus pleurer une jeune femme de vingt-huit ans (1976-2004). Elle avait succombé à un infarctus.

Ce qui arrivait vous tombait dessus à l'improviste. Depuis plusieurs jours, j'avais fini par penser que la mort ne comptait pas. Or voilà qu'on me présentait la note. Brusquement, je me sentis inconsolable. Quelle punition que de voir les larmes amères du mari, les larmes amères de la mère. Quel châtiment, retardé depuis trop longtemps, que de voir la mort reprendre son poids réel.

The Sunday Times, 2005

Littérature – 2

Roth l'Ancien : enquête moralisatrice

La Bête qui meurt, de Philip Roth

La page la plus significative de tout roman précède le texte proprement dit : d'ordinaire, elle s'intitule « Du même auteur ». Bien sûr, *Goodbye, Columbus* (1959) ne comportait pas ce genre de page, mais son absence était encore plus éloquente : elle nous prévenait qu'une intelligence originale et menaçante rôdait désormais parmi nous. Récemment, Philip Roth a modifié son CV. Au lieu de simplement lister ses publications par ordre chronologique, il les a réparties en quatre sections : Cycle Nathan Zuckerman, Cycle David Kepesh, Cycle Némésis et Romans indépendants. On se dit : il va vers ses soixante-dix ans ; il est peut-être urgent, en effet, de codifier son corpus et de guider la plume des exégètes. Ensuite, on se dit : tiens, Roth s'est dispensé de la chronologie. Ses romans et son talent défient le temps.

La Bête qui meurt appartient au cycle Kepesh, avec *Professeur de désir* et (pertinemment) *Le Sein*. En réalité, *Les Seins*, au pluriel, aurait été parfait pour le nouveau court roman. Dans le premier livre, David Kepesh, alors jeune universitaire, est métamorphosé non pas en scarabée (ou, dans l'une des traductions de Kafka, « en une vermine monstrueuse ») mais en une énorme glande mammaire.

Dans l'ouvrage social-réaliste *La Bête qui meurt*, Kepesh est obsédé par le contenu d'un soutien-gorge. Vers la fin, horriblement, atrocement, les seins en question sont voués à être réduits au singulier.

À la différence de Roth, Kepesh a déjà soixante-dix ans. Au début du roman, il se remémore une liaison entamée près de dix ans plus tôt. Elle a duré un an et demi, et il lui a fallu deux fois plus de temps pour s'en remettre. Le soutien-gorge est décrit de long en large comme un « 95C » – « des seins puissants, beaux », « des seins splendides », « de beaux seins très volumineux », « les seins les plus magnifiques que j'aie jamais vus », « elle a de si beaux seins. Je ne saurai jamais assez le répéter ». La propriétaire est une bourgeoise cubano-américaine du nom de Consuela qui a, ou avait, vingt-quatre ans. Ce n'est pas un livre (et cela n'est pas une critique) pour les amateurs de jambes, de fesses – ou les prudes.

Dans son nouvel avatar, Kepesh est avant tout devenu une personnalité de la radio et de la télé, mais il fait encore un séminaire sur la critique pratique. « J'attire beaucoup d'étudiantes, note-t-il en page 1. Elles sont toujours attirées par la célébrité, quelque *insignifiante* que soit la mienne. » Ces jeunes femmes sont galamment décrites comme de la « chair fraîche ». Ces dernières années, à cause de tout le boniment sur le harcèlement sexuel, Kepesh retarde ses approches jusqu'à ce qu'il « ne se trouve plus officiellement *in loco parentis* » – « afin de ne pas affronter ceux qui, dans cette université, s'ils le pouvaient, entraveraient sérieusement sa jouissance de la vie ». Lorsque Consuela vient à son bureau, il laisse la porte ouverte, s'assurant que « nos huit membres... [soient] visibles par chaque Big Brother qu'est le moindre passant ». Après les résultats des examens, il organise toujours une soirée dans son duplex pour que tout le monde décompresse. Consuela semble être partante. Au cours de leur premier rendez-vous, elle s'assied sur le canapé, « les fesses disons à moitié tournées vers moi » :

> Tout ce dont on a parlé, tout ce que j'ai dû entendre à propos de sa famille, rien ne s'est mis en travers de notre chemin. Elle sait comment tourner son cul malgré tout ça. Elle le tourne d'une façon primitive. L'expose. Et l'exposition est parfaite. Cela m'indique que je n'ai plus à réprimer mon envie de toucher.

Consuela est encore étudiante. Et bien que Kepesh ne soit plus son professeur, elle a encore besoin de cours. Dans l'ensemble, sa génération est une « génération d'étonnantes fellatrices » ; pourtant, dans un premier temps, Consuela « bougeait la tête à un rythme effréné *tac-tac-tac-tac* » puis s'arrêtait net au moment fatidique. « J'aurais joui dans une corbeille à papier, ça aurait été pareil. » C'était inadmissible. « Personne ne lui avait jamais appris à ne pas s'arrêter à ce moment-là » – jusqu'à ce que son maître éclaire sa lanterne. Ce n'est toujours pas transcendant (trop expéditive, trop narcissique), mais soudain « il s'est passé quelque chose. Le revif. La rétorsion. Le retour de la vie ».

Je me propose de citer longuement cet épisode (souvenez-vous que Roth a toujours été un auteur *transgressif*) :

> [Je] fourrai deux ou trois oreillers sous sa nuque, lui soulevai la tête dans cette position, la lui positionnai comme ça contre la tête de lit et, les genoux plantés de part et d'autre d'elle et mon cul centré sur elle, je

> me suis penché vers son visage, puis, en rythme, sans relâche, lui ai baisé la bouche. J'en avais tellement marre, voyez-vous, des pipes mécaniques que, pour la choquer, je l'ai gardée bloquée là, je l'ai maintenue immobile en tenant une touffe de ses cheveux dans une main… comme les rênes qui lient le mors à la selle.

Un homme de soixante-deux ans qui en a « tellement marre » des pipes ? Un homme de soixante-deux ans qui non seulement baise encore ses étudiantes mais est si fougueux qu'il leur tape le crâne contre la tête de lit ? Pour adopter une formulation portnoyenne, Kepesh redonne pour le moins sa vitalité sexuelle au sexagénaire. Il note la réaction de Consuela :

> Quand j'ai eu joui, quand je me suis retiré, Consuela n'avait pas l'air seulement horrifiée mais féroce. Oui, enfin il se passait quelque chose en elle… J'étais encore au-dessus d'elle – à genoux, je dégouttais sur elle –, nous nous dévisagions froidement lorsque, après avoir dégluti, elle a fait claquer ses dents. Comme si elle avait dit : voilà ce que j'aurais pu faire, ce que j'avais envie de faire, et que je n'ai pas fait.

Ce qui change tout pour le héros adversaire sexuel. La « réaction élémentaire » de sa jeune partenaire (elle deviendra encore plus « primaire ») éveille en lui une réaction élémentaire : l'amour.

De nombreux lecteurs trouveront sans doute que je n'ai que trop retardé un commentaire moral. Il serait moralisateur, et philistin, de pousser de hauts cris si Kepesh était un artiste majeur et au sommet de son art (comme Philip Roth, par exemple). Mais Kepesh n'est pas un artiste ; avec sa Porsche, son piano et ses pontifications, il n'est qu'un banal intermédiaire culturel. L'un de ses amis est poète et satyre comme lui : son unique prétention à la licence du bohémianisme. Une fois que les filles ont leurs diplômes en main, n'oubliez pas, Kepesh considère qu'il n'est « plus officiellement *in loco parentis* ». Ce qui signifie seulement qu'il est désormais non officiellement *in loco parentis* : il agit donc clairement et de façon répétée en violation de toute autorité et confiance dont il est investi.

Le texte n'indique d'aucune façon que Kepesh se soucie jamais de la question, à quelque moment que ce soit. Il imagine qu'il rend service à Consuela ; c'est lui qui « enflammait ses sens, lui conférait sa stature, lui le catalyseur de son émancipation ». De la même manière, quand il se demande pourquoi une jeune femme voudrait coucher avec un vieux, il néglige une raison évidente : la confusion filiale. Les parents de Consuela – espagnols, riches, catholiques – semblent avoir été paramétrés pour recevoir un choc maximal, sanguin, pour tout dire, s'ils devaient jamais avoir vent de la liaison de leur fille. Mais Kepesh n'avoue aucune gêne. Vers la fin, il a une explication avec Consuela, qui, à trente-deux ans, révèle que les autres liaisons qu'elle a eues entre-temps « ne valaient rien ». Kepesh ne se sent pas coupable ; il est seulement jaloux. Parachevant la longue liste de tout ce qui ne lui passe jamais par la tête figure une objection politique : l'asymétrie entre les sexes. Montrez-moi la prof de soixante ans (ou soixante-dix : lire la suite...) qui continue de faire ses courses chez ses étudiants garçons.

Curieusement, et ne fût-ce que de biais, Kepesh voit tout cela sous un jour politique – révolutionnaire, en réalité. À l'avènement des années 60, le professeur du désir s'est comporté comme un porc, comme tous les autres, mais il l'a fait avec un grand cynisme. C'était l'occasion de « vivre à fond ma propre révolution » : « Comment transformer la liberté en système ? » Il a quitté son foyer (« J'ai un fils de quarante-deux ans qui me déteste ») puis systématisé sa liberté chérie via sa vieillesse « antimonastique ». S'il sait que son comportement rebute le monde conventionnel, le sentiment est réciproque. Toute cette affaire de femme-enfant est en soi « infantile », une « addiction archaïque » au « pathos du désir féminin ». Sa mission est « de vivre intelligemment au-delà du chantage des slogans et des règles non réfléchies » – notamment celle qui concerne les amours de mai et de décembre.

Roth ne confère donc à Kepesh aucune limpidité morale. Il part dans une tout autre direction. Il lui confère logique, et souffrance. Quand on s'embarque dans une union d'« amours de mai et de décembre », l'issue est certaine : une douleur continue. Une créature adorée de vingt-quatre ans ne rend pas heureux un vieillard. Elle rend très vieux un homme heureux, elle le sature d'une effroyable sensation de faiblesse, de fragilité, lui rappelle à tout instant qu'il vit dans une illusion désespérée. Les subtilités de cette douleur, son pathos, son désenchantement se manifestent avec une violence déterminante. À un point tel que le livre renforce notre notion selon laquelle le mariage (pour adapter la formule de Churchill sur la démocratie) est le pire des systèmes, à l'exception de tous les autres. Mais Kepesh ne serait pas un héros de Roth s'il n'était pas absolument incorrigible. Nous avons là un roman « parlé », adressé à un auditeur non identifié. Nous apprenons que l'auditeur est jeune, et savons qu'il s'agit plutôt d'une auditrice. Et puis tout devient clair : il s'agit de la *prochaine*.

Il n'est pas nécessaire qu'un roman oral soit *sous-écrit. Portnoy et son complexe* était oral (adressé au Dr Spielvogel), mais Roth a stylisé la confession et a été capable d'écrire sans retenue. *La Bête qui meurt* est franchement informel et le peu de stylisation que le roman déploie a tendance à le rapprocher encore d'une folle effervescence, avec des irruptions de pur style télégraphique. Ce qui n'est guère surprenant, sans doute, après l'allure grand teint, le colossal jeu de la prose, de ce que j'appellerai la trilogie Siècle américain de Roth, à savoir (en ordre inversé) *La Tache*, *J'ai épousé un communiste* et *Pastorale américaine*. Il est possible que la nature de l'histoire de Kepesh exclue l'emploi d'une surface verbale de haut niveau. Bien sûr, je suis parfaitement conscient que Roth pourrait être davantage du côté de Kepesh que je le soupçonne – que l'âge et la mort puissent être des circonstances si désespérées qu'elles justifient toute gratification en chemin. Quoi qu'il en soit, on ne peut écarter la lecture moraliste et l'existence de la trilogie sus-citée demeure la meilleure raison de penser que c'est la bonne. Une autre intuition : si Roth était véritablement du côté de David Kepesh, il l'aurait appelé Nathan Zuckerman.

« Peut-on imaginer ce qu'est la vieillesse ? Bien sûr que non. » En fait, je le peux, maintenant. L'une des limitations de la littérature est son incapacité à préparer à quoi que ce soit dont on n'a pas fait l'expérience. Or, les meilleures pages de *La Bête qui meurt* vous y préparent, et je continuerai à compter sur la miraculeuse énergie de Roth. On ne peut recevoir une illumination aussi intimidante que dubitativement, avec une réaction du genre : non merci mais merci tout de même.

Talk, 2001

Philip Roth se trouve

Roth délivré, de Claudia Roth Pierpont

À son comble dans les années 30 aux États-Unis, l'antisémitisme fut encore exacerbé après le début de la Seconde Guerre mondiale. Pendant toute cette période, les sondages montraient qu'un bon tiers du peuple américain était prêt à soutenir des lois discriminatoires. Et ce n'était pas une simple excroissance de la xénophobie générale favorisée par l'isolationnisme. Toutes les synagogues de Washington Heights furent vandalisées (certaines furent badigeonnées de croix gammées) ; en 1942 à Boston, tabassages, dévastations, profanations étaient quasi quotidiens. Ce funeste délire, qui réduisit l'immigration à un simple filet et coûta d'innombrables vies humaines, atteignit son apogée en 1944. L'Holocauste proprement dit débuta à l'été 1941 et s'étiola lentement, avec des spasmes, au début de l'année 1945 – de sorte que l'échauffement des esprits américains coïncida exactement avec lui.

Et les médias dans l'affaire ? Les nouvelles des massacres de masse des Juifs commencèrent à paraître en mai/juin 1942 : un rapport fiable faisait déjà état de 700 000 victimes. Les trois maigres colonnes d'un article intitulé « Les assassinats en masse de Juifs en Pologne dépassent les 700 000 morts » étaient reléguées en bas de la page 12 du *Boston Globe.* Certes, le *New York Times* commenta le rapport – « probablement le plus important massacre de l'histoire » –, mais ne lui accorda qu'une colonne de six centimètres. Une telle réticence n'est-elle pas légèrement surprenante, compte tenu que l'historiographie des événements s'élève à plusieurs dizaines de milliers de volumes ?

Philip Roth utilisa ce contexte souillé et dur dans *Le Complot contre l'Amérique* (2004), son vingt-sixième livre ; mais l'antisémitisme et son corollaire, l'anti-antisémitisme, dominèrent totalement la publication de son premier, *Goodbye, Columbus et Cinq nouvelles* (1959). « Que fait-on pour imposer le silence à cet homme ? s'enquit un rabbin. Les Juifs du Moyen Âge auraient su que faire de lui. » D'aucuns trouvèrent que les joyeux débuts de Roth « relayaient les idées [...] qui ont abouti au meurtre de six millions de Juifs à notre époque ». Il n'était pas seulement confronté à une paranoïa rationnelle ; il se retrouva aussi pris dans le flot d'angoisse, mélange de compréhension et d'absorption, qui accompagna la progressive prise de conscience de l'ampleur du traumatisme. Après une réunion publique haineuse à l'université Yeshiva, à New York en 1962, Roth jura solennellement (en mangeant un sandwich au pastrami) que jamais plus il n'écrirait sur les Juifs.

C'était un vœu pieux. Roth, rappelons-nous, n'avait pas encore trente ans ; et l'un des inconvénients à commencer à écrire jeune est qu'il faut ensuite grandir en public. C'était un Américain fier de l'être, tout en étant juif ; fort de son talent robustement sanguin, il aura compris tout de suite que le roman requiert une liberté absolue : qu'en vérité, le roman, c'est la liberté, et que la liberté est indivisible (d'où, plus tard, le soutien passionné qu'il a apporté aux écrivains tchécoslovaques). Néanmoins, on pourrait dire que, bon an mal an, il fallut à Roth une quinzaine d'années pour trouver sa voix. La suite de sa carrière fut conventionnelle ; le début avait été follement excentrique : un tâtonnement mystérieux et fascinant.

Dans sa très vive et fine monographie, *Roth délivré*, Claudia Roth Pierpont (aucun lien de parenté) écrit que le vrai premier roman de Roth, *Laisser courir* (1962), traite en réalité de l'impossibilité de laisser courir : refus d'abandonner ses responsabilités, ses obligations, un sérieux de tout instant, ras du cou, sourcilleux et – c'est important – refus d'abandonner Henry James. Une foule de personnages est pluraliste ; mais les angoisses ethniques demeurent. Que pouvait-il faire ensuite ? Eh bien, à ce moment-là, Roth mit de côté un livre intitulé *Jewboy* et, après des « années de galère » (cinq) sortit *Quand elle était gentille*, une saga impassible, cent pour cent goy, sur fond de ville du Midwest collet monté et policée. C'est là qu'il nous fournit le premier véritable aperçu du succube qui rongeait son âme.

Je me rappelle avoir pensé à l'époque qu'il y avait quelque chose d'extrême et de méchamment excessif chez l'héroïne, Lucy Nelson (collante, dévorante, impitoyable) ; je me rappelle avoir pensé aussi qu'elle faisait partie d'une histoire tue. C'est un portrait fouillé – d'une belle vivacité dans un livre qui semble souvent manquer de souffle. Certains critiques jugèrent que *Quand elle était gentille* aurait pu être écrit par une femme, d'autres par un Blanc protestant grand teint (Sherwood Anderson, par exemple). Or, à ce moment-là, ce que le public recherchait, c'était un roman que seul Philip Roth aurait pu écrire.

Ce roman, c'était *Portnoy et son complexe* (1969) – une comédie mordante, discordante, une bombe à retardement (explosive même typographiquement, battant tous les records d'accumulation, pour la fiction classique, de points d'exclamation, d'italiques et de lettres capitales en gras). Les tensions et conflits de l'expérience juive-américaine sont réduits à l'essentiel : les *shiksas*. La racine du mot yiddish signifie « chose détestée » ; par une logique matrilinéaire, les gentils de sexe mâle sont des prétendants tolérables pour les jeunes filles juives, mais pour les garçons juifs *shiksas* signifie : a) descendance apostate et b) assimilation ; les *shiksas* sont donc taboues. Oubliées, détestées et, pour cette raison même, d'autant plus ardemment désirées. Roth s'attaqua au cœur du débat avec une énergie incomparable ; un talent turbulent et désorienté avait enfin trouvé le pitch parfait.

Mais les choses se corsent, mystérieusement. Les lecteurs supposèrent que, avec *Portnoy*, Roth avait tout lâché. Or, il y avait autre chose, de fondamental, à quoi il devait aussi renoncer. Ayant cessé de se soucier de la chimère qu'on appelle le « bon goût » (creux consensus des *bien pensants**), Roth cessa de se soucier de la valeur littéraire. Il cessa de se soucier de Henry James. *Tricard Dixon et ses copains*, écrit en « seulement trois mois », est une satire sévère et pas drôle de l'équipe Nixon ; *Le Sein*, écrit en « quelques semaines », transforme son héros en une glande mammaire géante (un pitch anormalement peu prometteur) ; et *Le Grand Roman américain*, 382 pages sur le base-ball, est un exercice d'amateur en facétie virtuose. C'était, pourrait-on dire, remarquablement osé : en succession serrée, 1971, 1972, 1973, Roth – manifestement un génie – sortit trois navets.

L'aura éclatante de Lucy Nelson, le hiatus de cinq ans, la sensation d'une blessure non aérée, le fou caquètement de *Portnoy*, la rébellion contre la littérature grand teint et le recours à la frivolité : les réponses commencèrent à arriver avec *Ma vie d'homme* (1974). Roth y narre son « effroyable » premier mariage et ses séquelles ; la relation débutée en 1956 ne s'était achevée, par mort accidentelle, qu'en 1968. On lit ce roman entre les doigts de la main qu'on ne cesse de porter à la figure. Le mystère au cœur de tout cela, c'est que, de toute évidence, Roth s'était accommodé de son enfermement ; et l'explication, comme l'exprime Peter Tarnopol, son porte-parole dans *Ma vie*, c'est que « la littérature m'a fourré là-dedans ». L'attrait de la difficulté, de la complexité, voire de l'angoisse est réel chez un jeune rat de bibliothèque ; de nombreux écrivains recherchent les complications les plus invraisemblables ; ils font du malheur leur muse ou, du moins, ils essaient de le faire. On peut donc voir dans le triptyque des navets – *Tricard Dixon et ses copains*, *Le Sein*, *Le Grand Roman américain* – la revanche vandale de Roth sur la littérature.

Il avait trouvé son sujet, c'est-à-dire qu'il s'était trouvé lui-même. Et son identité, vue à travers un maillage serré de personnages, de doubles et de noms de guerre, procurerait le cadre de ses dix-neuf romans à suivre (à l'exception d'un ou deux). John Updike a dit un jour que, bien que le roman puisse s'accommoder de n'importe quelle dose d'égocentricité, il est totalement allergique au narcissisme. Il n'y a pas de narcissisme chez Roth ; la créature dans le miroir est analysée sans merci et sans ciller. Updike, derechef : « Qui *se soucie* de ce que c'est que d'être écrivain ? » La réponse, brève, est : nous, nous nous en soucions, pour toutes sortes de raisons, quand cet écrivain est juif. (La littérature juive-américaine est par-dessus tout *neuve* : elle a commencé avec Saul Bellow, vers 1950.) Updike semblait l'avoir compris en créant Henry Bech, consacrant à son écrivain juif trois longs livres (et en lui accordant nostalgiquement le prix Nobel).

Dans le quotidien *Haaretz*, on put lire que *Portnoy* était « le livre que tous les antisémites attendaient », plus toxique encore que la (ridicule) invention des *Protocoles des Sages de Sion*. Or, au fil des ans, l'éreintage en chœur de Philip Roth, de moins en moins pratiqué par la communauté juive, a été repris par les féministes. Pierpont traite consciencieusement de ces objections au fur et à mesure qu'elles adviennent, signalant fort à propos que les femmes de Roth couvrent un vaste éventail. Mais je pense que l'accusation de misogynie, etc., n'est qu'une pure erreur de catégorisation. Comme dans le cas de la critique rabbinique, il existe des justifications historiques, mais toutes deux sont sociopolitiques, pas littéraires ; en fait, elles sont antilittéraires. D'ailleurs, les romans féministes ne regorgent-ils pas de pignoufs et d'ordures ? Et les autres romans écrits par des hommes, alors ? La noble héroïne (mère de cinq enfants, harpiste, chef d'entreprise, flanquée d'un mari à l'esprit ouvert et d'un jeune amant viril du nom de Raoul) n'a aucun intérêt pour un écrivain digne de ce nom ; d'ailleurs, elle est abondamment représentée dans quantité de récits admiratifs – vous en trouverez plein les rayons des bouquineries d'aéroport.

Roth délivré est une biographie critique de la vieille école, bien qu'elle soit, et c'est un apport précieux, agrémentée de commentaires et de jugements du Philip Roth d'aujourd'hui. À quatre-vingts ans, après en avoir « fini » avec l'écriture (dit-il), il se montre drôle, avisé, d'une ferme autodérision (notamment sur ses premiers livres et mariages), décontracté, vif et chaleureux. Après avoir lu le livre, on approuve le verdict de l'imitateur de Roth dans *Opération Shylock* (1993), qui dit au « vrai » Roth :

> « Mais vos yeux s'embuent un peu, aussi, voyez-vous. Je sais ce que vous avez fait pour les gens. Vous cachez votre douceur au public – avec toutes ces photos le regard noir et vos interviews je-ne-suis-le-pigeon-de-personne. Dans les coulisses, je le sais, vous avez le cœur tendre, M. Roth. »

Le corpus, semblerait-il, est désormais complet. Roth tend à diviser l'opinion – car une grande originalité est, et devrait être, assez dure à digérer. À côté de *Portnoy* et du puissant *Ma vie d'homme*, nous avons, si je compte bien, trois autres *magna opera*. Je pense au lapidaire *L'Écrivain des ombres* (1979), à l'intimidante rigueur intellectuelle de *La Contrevie* (1986) et à l'amplitude victorienne de *Pastorale américaine* (1997). De bout en bout, certains motifs ne manquent jamais de susciter l'éloquence de Roth : Israël ; l'âge et la mortalité ; la maladie et la souffrance ; les rapports avec les parents ; et, le plus surprenant, tout ce qui a trait aux enfants.

Dans *Le Théâtre de Sabbath* (1995), le héros rébarbatif a honte d'avoir été marié et se console avec la pensée qu'au moins il n'a jamais eu d'enfant – il n'est pas bête *à ce point*. Les romanciers n'ont pas toujours besoin d'essayer les choses par eux-mêmes (croire le contraire a valu à Roth sa Lucy Nelson et douze années gâchées). C'est le routinier, l'élémentaire miracle du roman. Voyez Swede Levov et Merry dans *La Pastorale américaine*. On peut écrire magnifiquement sur les enfants sans en avoir eu ; on s'adresse simplement à la mère de substitution : l'imagination.

The New York Times Book Review, 2013

Les notes d'adieu d'Updike

Les Larmes de mon père, de John Updike

Il y a deux choses qui clochent dans l'extrait suivant : une importante, l'autre moindre ; une maladresse et une bourde. Lisez avec attention. Si vous réussissez à les dénicher toutes les deux, vous avez ce qui s'appelle une oreille littéraire.

> Craig Martin s'intéressait aux traces laissées par les *prior/* précédents propriétaires de *his land*/sa terre. *In the prime of his life/Dans sa jeunesse*, quand il travaillait tous les jours de la semaine et sortait tous les week-ends, il avait quasiment ignoré *his land*/sa terre.

La maladresse est la proximité de *prior* et de *prime*. Ce qui nous vaut la riche rime dissonante de la première syllabe ; en outre, on ne devrait jamais laisser seuls ensemble les deux demi-frères étymologiques sans une cohorte de chaperons intercessionaires. Et le principal défaut ? La première phrase se termine par *his land*, sa terre ; de même, avec un son mat retentissant, la seconde. Simples ergotages, direz-vous. Mais nous parlons de John Updike, sans doute le plus grand styliste virtuose depuis Nabokov – qui, de son côté, devait être le plus grand styliste virtuose depuis Joyce.

Donc, le portrait de l'artiste en vieillard : c'est une perspective glauque, gluante (et un sujet d'un intérêt croissant pour le présent critique, qui approche de la soixantaine). Mon impression d'ensemble est que les écrivains, avec l'âge, perdent leur énergie (inspiration, musicalité, heureux hasard des images) mais gagnent en métier (l'art de savoir où l'on va). La science médicale nous vaut l'apparition d'un phénomène nouveau : le roman d'octogénaire. On songe, avec respect, à *Ravelstein*, de Saul Bellow et à *Un château en forêt* de Norman Mailer. Toutefois, personne n'oserait comparer ces livres au *Don de Humboldt* et à *Harlot et son fantôme*. Updike est mort à soixante-seize ans. Pendant de nombreuses années, il souffrit de surdité partielle. J'ignore (et peut-être personne ne sait) si les deux sont liés mais le fait est que, dans *Les Larmes de mon père*, Updike a plus ou moins perdu son oreille.

Cet article n'aurait pas eu lieu d'être si le sujet était encore en vie. Au cours des trois dernières décennies, j'ai publié environ 15 000 mots de louanges plus ou moins sans réserve de John Updike, et sa contribution à la littérature demeure immortelle. La page la plus étonnante du nouveau recueil est intitulée « Du même auteur » : soixante-deux volumes, dont certains énormes. Sa productivité était surnaturelle : une folle grossesse avec fécondation in vitro, une maladie physiologique (pression sur le cortex ?), à moins qu'il fût, simplement – ce serait plus réaliste, compte tenu de son enfance passée à l'ombre de la Dépression –, un bourreau de travail. *Les Larmes de mon père* est le dernier livre d'Updike et peut-être son moins réussi. Mais il s'achève néanmoins sur une lueur, la promesse contrariée d'une fin plus heureuse.

Le lecteur doit se préparer à des citations, à un blizzard d'erreurs prosodiques – je parle des rimes, assonances et répétitions malencontreuses, ces verrues, excroissances et aspérités que tous les écrivains espèrent bannir de leur œuvre (ou du moins réduire au minimum : on n'arrive jamais à tout éliminer). La prose d'Updike, formidable moteur d'euphonie, de perception de tout premier ordre, d'un esprit à la fois féroce et d'une générosité infinie, a dans ce livre perdu le nord. Avant, on relisait les phrases d'Updike avec incrédulité et admiration. Ici, trop souvent, on les relit en se demandant a) ce qu'elles signifient, b) ce qu'elles font là et c) comment elles ont survécu à la composition, à l'évaluation de routine et aux corrections d'épreuves sans susciter des spasmes d'autocorrection horrifiée.

Considérées comme de simples récits, les nouvelles sont aussi discrètement non concluantes qu'elles le sont le plus souvent chez Updike ; mais, dénuées de leur éclatante surface verbale, elles semblent parfois n'avoir plus ni queue ni tête – produits de rien d'autre qu'une habitude professionnelle. On note aussi une perte du contrôle organisationnel et, dans un cas, la perte de tout sens des convenances. Il s'agit de *Variétés d'expérience religieuse*, qui traite du 11-Septembre. D'abord, un compte rendu de la désintégration des tours jumelles par un témoin ; puis Mohammed Atta commandant son quatrième scotch dans un gogo bar en Floride ; puis un dirigeant d'entreprise dans la tour Nord quelques minutes après l'impact ; puis *United 93* et la révolte (étrangement télescopée) des passagers. Cette histoire parut en novembre 2002 : fatalement précoce, et fatalement imméritée. La mort, ailleurs vue avec raison comme infiniment mystérieuse, auguste et royale – comme la « chose éminente », selon les dernières paroles de Henry James –, est ici traitée sans dignité et sans tact.

J'ai écrit plus haut que *Les Larmes de mon père* contenaient la rumeur d'une fin plus heureuse. Ces histoires sont présentées par ordre chronologique et, au bout d'un moment, le lecteur ressent une appréhension troublante. Jusqu'où ira la dégénération ? Les dernières pages ne seront-elles que strict baragouin ? Ce n'est pas ce qui arrive ; et la confiance perdue dans l'auteur est en partie restaurée. La prose acquiert solidité et équilibre ; Updike est ici moins ambitieux, évoque avec succès le « rétrécissement intérieur », le rétrécissement croissant de l'horizon imposé par le temps. C'eût été la dernière phase d'Updike. Le lecteur referme le livre avec une espèce de tristesse agitée : la mort nous en a privé.

La dernière nouvelle, *Le Verre plein*, me paraît discrètement innovatrice, comme la fin de *La Promenade avec Elizanne* (où l'imagination littéraire sauve hardiment la mémoire défaillante). Lors d'une interview, pour son quatre-vingt-dixième anniversaire, V.S. Pritchett me dit :

> « En vieillissant, on se trouve très ennuyeux et verbeux. Nos pensées mêmes sont verbeuses, alors qu'avant, elles étaient plutôt charmantes et remuantes. L'histoire est une forme de voyage… un voyage à travers les esprits et les situations qui vous révèle leur étrangeté. La vieillesse tue le voyage. »

Je suggère sans aucune ironie que le dernier défi d'Updike aurait pu être de métamorphoser la verbosité en art – et de rendre l'ennui intéressant.

L'âge affadit l'écrivain. Le sort le plus terrible, c'est de perdre la capacité de conférer la vie à ses créatures (lesquelles, en d'autres termes, sont mort-nées). D'autres romanciers tombent simplement en désamour avec le lecteur ; ce fut le cas de James, et aussi de Joyce (qui ne l'a jamais beaucoup aimé de toute manière : il aimait les mots). Ce n'est pas le cas d'Updike, même dans ces pages au style lâche et contraint. Comme on le voit sur des panneaux dans sa bien-aimée campagne américaine (en approchant d'une stoïque petite commune), les histoires ici sont « *Thickly Settled* (Densément peuplées) ». Les créations d'Updike vivent, et l'amour de l'auteur est ce qui les soutient. Il l'a exprimé très clairement dans ses mémoires, *Self-Consciousness* (Inhibition) : « L'imitation est *un éloge*. La description exprime l'amour. » Cet amour-là chez lui, du moins, n'a jamais failli.

The Guardian, 2009

Jane Austen prend d'assaut l'usine à rêves

Soudain, Jane Austen est devenue plus *bankable*, comme on dit à Los Angeles, que Quentin Tarantino. Mais avant de tenter d'établir ce qu'est le phénomène Jane Austen, établissons d'abord ce qu'il n'est pas.

Il y a plus d'un an (à l'été 1996), je suis allé voir *Quatre Mariages et un enterrement* dans un multiplexe du nord de Londres. Très vite, j'ai eu envie d'être ailleurs (par exemple : à un arrêt de bus, à attendre sous la pluie) ; dans des circonstances normales, je serais sorti au bout de dix ou quinze minutes. Mais les circonstances n'étaient pas normales. J'étais en compagnie de Salman Rushdie. Pour plusieurs raisons – toutes ayant trait à la sécurité –, nous dûmes prendre notre mal en patience. L'ayatollah Khomeini m'avait condamné à assister à la projection de *Quatre Mariages et un enterrement*, du début à la fin ; un bourreau iranien n'aurait su invoquer un échantillonnage plus varié de bronchements, de grimacements, de pleurnichements et de supplications. Auxquels je dus me soumettre – et absorber quelques leçons d'ordre social.

C'était comme l'inverse du fameux dessin animé de Charles Addams : je fus atterré, alors que tout le monde autour de moi (sauf l'auteur des *Versets sataniques*) pouffait, gargouillait, se papouillait de plaisir. Le seul bon moment fut quand j'ai compris que l'enterrement du titre serait celui de Simon Callow. Serrant le poing, je me suis dit : *Ouais !* Je n'ai rien de particulier contre l'acteur lui-même – mais au moins *l'un* d'entre eux allait mourir.

« Hum, lâchai-je lorsque, enfin, se déroula le générique. Voilà qui atteignait des profondeurs insoupçonnées d'inanité. Pourquoi un tel succès ?

— Parce que, répondit Salman, le monde a mauvais goût. Tu ne le savais pas ? »

N'empêche, le « mauvais goût », à soi seul, n'explique pas grand-chose. Je comprends pourquoi les classes supérieures peuvent apprécier de se voir décrites avec une affection aussi enjouée. Mais pourquoi est-ce que ça devrait plaire à quatre cents crétins de la banlieue nord-ouest du Grand Londres ? Toute autre décennie de l'après-guerre hormis celle-ci aurait accueilli *Quatre Mariages* avec un dégoût teinté d'incrédulité. Le public des années 60 aurait cassé les fauteuils. Mais il semble que les vieilles rancœurs se soient évaporées et que « le million », comme l'appelle Hamlet, se sente libre de soutenir les millionnaires (congénitaux). La plèbe peut tomber dans une flagornerie amnésique et se prosterner devant ses oppresseurs historiques.

Les classes sont inoffensives, les classes sont gentiment *cool* ; les classes ont même un je-ne-sais-quoi de... *classieux*. *Quatre Mariages*, bien sûr, est très « sentimental » au sens commun du terme : le film est empreint d'une indigne tendresse en toc. Mais sentimental aussi au sens littéraire : il remet spécieusement au goût du jour une forme ancienne. Demeures, soirées, parties de campagne, vicissitudes amoureuses dans des salons opulents et des jardins paysagers, savoir-vivre, convenances, vieilles familles et loisirs illimités. Dans un certain sens, c'est l'univers de Jane Austen, mais dont l'intelligence vivifiante aurait disparu, supplantée par les afféteries, les roucoulades. Maintenant, le gratin se la joue inoffensif. Dilemmes et imbroglios sont proscrits de *Quatre Mariages*. Tout n'est que légèreté.

On vient de tourner *Persuasion*, *Raison et Sentiments*, et trois versions d'*Emma* sont en préparation (sans parler du teen-movie *Clueless* [*Emma* à Beverly Hills]) ; nul doute que quelqu'un va bientôt massacrer la parodie acerbe du roman gothique *Northanger Abbey*, et que quelqu'un d'autre osera braver les problématiques austérités de *Mansfield Park* – et c'en sera fini (à l'exception du fragment peu connu *Lady Susan*). *Orgueil et Préjugés* a été pris en charge de bout en bout par une série de la BBC en six parties, au coût de neuf millions et demi de dollars, qui a vidé les rues anglaises tous les dimanches soir (sur les écrans américains en janvier 1998).

La fièvre Jane Austen ou, plus particulièrement, la Darcymania, nous est tombée dessus. Les rédactions ont été réduites à commander des interviews de camionneurs et techniciens installateurs d'isolation des combles qui se trouvaient s'appeler Darcy. Les pèlerinages touristiques à la demeure de Jane Austen (Chawton, Hampshire) ont augmenté de 250 % en octobre, et les ventes de fourre-tout Jane Austen, de porcelaine Jane Austen, de sweat-shirts Jane Austen, de torchons de cuisine Jane Austen et de blouses et tabliers Jane Austen caracolaient aussi dans les gondoles ; tout en écoutant *The Jane Austen Music Compact*

Disc (de la musique que l'« auteure » aurait pu entendre ou jouer), on peut exécuter en deux coups de cuiller à pot une recette du *Jane Austen Cookbook* (tous les ingrédients ont été modernisés) ; et ainsi de suite.

Une grande partie de cet enthousiasme est, cela va de soi, collatérale ou historique : un mélange de snobisme désincarné et d'une vague mélancolie postimpériale. Nul doute, non plus, que nombre des dix millions de spectateurs de la série la regardèrent dans le même esprit qu'ils avaient vu *Quatre Mariages*... – benoîtement stupéfiés par le déferlement de luxe et d'excentricité. Mais ce genre de gaspillage est inévitable, et même approprié. *Raison et Sentiments* et *Persuasion* sont projetés dans les cinémas d'art et d'essai. *Orgueil et Préjugés* dans votre salon ; et – cela colle avec le livre – ses accolades accolent large.

Certains sont peut-être plus amusants que d'autres mais tous les romans de Jane Austen sont des comédies classiques : de jeunes couples cheminent vers une conclusion festive, à savoir : leurs noces. De plus, toutes les comédies de Jane Austen sont structurellement la *même* comédie. Une héroïne, un héros, un obstacle. L'obstacle est toujours l'argent (bien plus que la classe sociale – Mrs Bennet est issue d'une famille de négociants, mais Mr Bingley aussi). À l'exception d'Emma Woodhouse, toutes les héroïnes sont désargentées et n'ont d'autre véritable perspective qu'un célibat étriqué.

Quand le héros fait une irruption haletante, il paraît charrier l'ombre d'une rivale – intrigante, héritière ou vamp. De son côté, l'héroïne est distraite, tentée ou simplement importunée par un double factice du héros, un faire-valoir

– séducteur, opportuniste ou gommeux. Le double est parfois plus riche que le héros (*Persuasion*, *Mansfield Park*) et, à vrai dire, bien plus amusant (*Mansfield Park*). Le héros peut aussi ne pas être aussi séduisant que son double. Dans son adaptation de *Raison et Sentiments* (avec sa double héroïne), Emma Thompson fait de son mieux pour donner un coup de jeune au colonel Brandon – Alan Rickman – mais, dans le roman, il est clair qu'à trente-cinq ans, c'est une épave. Brandon est le châtiment que l'auteure réserve à la folle passion de Marianne pour son double, John Willoughby (interprété dans le film par Greg Wise, séduisant mais dénué de charme). Les défauts du double soulignent les mérites bien plus substantiels du héros. Les héroïnes ont leurs faiblesses mais, de leur côté, les héros sont quasiment des modèles du genre. Deux d'entre eux, Henry Tilney et Edmund Bertram, cadets de bonne famille – sont pasteurs.

Dans *Orgueil et Préjugés*, Jane Austen augmenta la température de la comédie, lui conférant un peu de cette fièvre de ce qu'on pourrait appeler une romance. Rivale et double sont des figures presque mélodramatiquement criardes : la féline et autodestructrice Caroline Bingley, le débauché George Wickham, prompt à s'apitoyer sur son sort. Si chacun crée, certes, des difficultés logistiques, ni l'un ni l'autre n'est capable de représenter une menace sérieuse pour le couple central. Car Elizabeth Bennet est l'héroïne la plus manifestement adorable de tout le corpus austenien, et de loin. Quant au héros, eh bien, Miss Austen, pour une fois dans sa brève existence, ne se retient pas : il est élancé, brun, séduisant, troublant, intelligent, noble et immensément riche. Il est à la tête d'une vaste propriété, d'un hôtel particulier à Londres, de 10 000 livres *net* par an. Sa sœur Georgiana est à la tête de 30 000 livres (comme Emma)

– alors que la dot d'Elizabeth se monte à environ 1 livre par semaine. Aucun lecteur ne résiste à l'expectance éhontée d'*Orgueil et Préjugés*, mais il est manifeste, d'après certaines preuves internes, que Jane Austen ne se le pardonna jamais vraiment. *Mansfield Park* fut son – et notre – pénitence. Tandis que ses propres perspectives se réduisaient, les rêves de romance s'affadissaient en un modeste espoir de respectabilité (ou de « compétence » financière). *Persuasion* fut son poème de la deuxième chance. Puis vint la mort.

Cet automne, alors que la nouvelle série trouvait son rythme, des téléspectateurs bouleversés appelaient la BBC, en larmes, réclamant d'être rassurés quant au sort du couple maudit : tout irait-il vraiment pour le mieux ? Je ne faisais pas partie du nombre mais ils ont toute ma sympathie. Et je compris parfaitement pourquoi les stocks de cassettes vidéo d'*Orgueil et Préjugés*, sortie alors qu'on n'avait encore vu que la moitié de la série à la télévision, se vendirent en deux heures. Lorsqu'on m'avait fait découvrir le roman, à quinze ans, après avoir lu vingt pages, j'avais pris d'assaut le bureau de ma belle-mère jusqu'à ce qu'elle me dise ce que j'avais besoin de savoir. J'avais besoin de savoir si Darcy épouserait Elizabeth. (J'avais besoin de savoir que Bingley épouserait Jane.) J'avais besoin de cette information-là plus que tout ce dont j'avais jamais eu besoin.

Orgueil et Préjugés vous aspire. Curieusement – et je pense que c'est un phénomène unique –, il continue de vous aspirer. Aujourd'hui, quand j'ouvre le livre, et le relis pour la cinquième ou la sixième fois, je ressens la même expectative inassouvie. Comment est-ce possible, alors que le genre en soi garantit la consommation ? La réponse, simple, est que ces amants sont vraiment « faits l'un pour l'autre » – par leur créatrice. Ils sont *fabriqués* l'un pour l'autre : imbriqués pour l'hymen. Ils ne peuvent que se marier.

Andrew Davies, qui a adapté le roman pour la télévision, a eu l'intelligence de considérer sa fonction comme essentiellement obstétrique : il devait porter l'histoire de la page écrite à l'écran aussi intacte que possible. Après tout, il avait l'exemple de la version Olivier-Garson (1940, sur un scénario d'Aldous Huxley, entre autres) : preuve patente que toute ingérence réduira l'original à un vague onguent anodin. La lecture d'Huxley est mortellement charmante ; même Lady Catherine de Bourgh est une bonne pâte. N'empêche, l'adaptateur doit faire son boulot. Le pieux et regardant fan d'Austen a l'œil, et il est toujours prompt à être scandalisé par le moindre manquement à l'étiquette.

Très tôt dans la série, nous entendons Elizabeth déclarer, dans la chambre à coucher qu'elle partage avec Jane : « Si je pouvais aimer un homme qui pourrait m'aimer assez pour me prendre avec mes seulement 50 livres par an, je serais fort satisfaite. » Voilà qui nous installe d'emblée dans le contexte financier (nous verrons d'ailleurs bientôt Mr Bennet s'escrimer sur son livre de comptes) ; mais cela prédispose Elizabeth à une approche chimérique, contraire à sa fière indépendance. Plus tard, quand éclate le scandale de la fugue de Lydia et que Darcy prend congé d'Elizabeth, tristement, à l'auberge près de Pemberley, Jane Austen écrit ceci : « Elizabeth comprit combien il était improbable qu'ils se revoient jamais selon les mêmes termes de cordialité qui avaient marqué leurs rencontres dans le Derbyshire. » Ce qui est traduit dans le film par un bref aparté : « Je ne le reverrai jamais ! » La prose de Jane Austen témoigne du courage de la jeune femme face à l'adversité sociale, celle de Davies semble témoigner d'un amour qu'Elizabeth n'éprouve pas encore. Bougez une seule brique et tout l'édifice branle.

La télé, c'est la télé, et la télé exige des équivalents visuels pour le moindre pronom, pour le moindre adjectif démonstratif. Le visuel est toujours littéral, bizarrement. Tout passage prolongé d'explication du contexte se voit doté d'un somptueux collage. La lettre de Darcy à Elizabeth, avec ses révélations sur le caractère de Wickham, inspire une scène à Cambridge : Darcy en toge et toque, filant sous une colonnade, grimpant un escalier – et surprenant Wickham, une fille de cuisine à demi dévêtue sur ses genoux. Nous voyons Lydia et Wickham papillonnant à minuit (comme ils se bécotent dans la voiture !), nous voyons Darcy arpentant les rues suppurantes de Londres à leur recherche, nous voyons les fugueurs dans leur chambre à l'auberge ignoble. Dès le départ, Elizabeth et Darcy ne pensent pas seulement l'un à l'autre, ils ont des hallucinations sur l'autre : ils ne peuvent donc être que passionnément amoureux. Alors que, dans le roman, Darcy ne s'éprend pas d'elle avant longtemps – mais avant qu'elle ne s'éprenne de lui. Ces deux lentes maturations sont le cœur du livre.

Les autres interpolations de Davies sont le plus souvent subtiles et, à l'occasion, des plus heureuses ; il est l'expert qui a porté à l'écran une grande partie du canon britannique. Mais tout fan de Jane Austen est comme la princesse dérangée par le petit pois – nous sommes si tendres, si délicats... Elizabeth ne dirait jamais (d'un air sceptique) « Étonnez-moi ! » Libertine ou pas, Lydia ne répéterait pas avec appétence la formule (absente de l'original) « Tout un camp de soldats… » Elle ne dit pas, dans le roman, et n'aurait jamais dit : « Nous allons bien rigoler ! »

Je pourrais continuer ainsi longtemps – si je ne craignais d'abuser de la patience du lecteur. Une immersion dans Miss Austen me transforme vite en puriste façon Régence. Bientôt, sa cadence remplace la mienne ; les échanges mondains se crispent et traînent. Si, par exemple, la rédactrice appelait, espérant apprendre que cet article est presque terminé, j'aimerais répondre : « *Nay*, madame, il me semble que je progresse fort mal. Il me faut rester séquestré plus longtemps avec Miss Jane. Puis-je, de ce fait, vous extorquer l'indulgence d'une nouvelle quinzaine ? » Ce qui ferait de moi un anachroniste. Or Jane Austen n'est pas – et ne sera jamais – un anachronisme.

Dans *Changement de décor* (1975), de David Lodge, un petit universitaire de province part enseigner à Euphoric State University, en Californie, tandis qu'un universitaire américain fanfaron et baraqué vient enseigner à Rummidge, trou perdu d'Angleterre, rouge brique et pluvieux. L'Américain, Morris Zapp, commence ainsi nonchalamment son séminaire :

> « Et de quoi meurs-tu d'envie de discuter ce matin ?
> — De Jane Austen, marmonna le garçon au duvet clairsemé […]
> — Ah ouais. C'était quoi, le sujet ?
> — J'ai écrit sur la conscience morale de Jane Austen.
> — Pas trop mon genre.
> — Je n'ai pas compris votre intitulé, monsieur Zapp.

— "Éros et Agapé dans les romans de la dernière période", non ? Où est le problème ? » L'étudiant baissa la tête.

Au premier degré, la plaisanterie tacle le contraste entre les situations différentes de la critique littéraire de part et d'autre de l'Atlantique, les Britanniques se débattant encore dans les champs de bataille où patrouille F.R. Leavis, les Américains s'élançant dans les architectoniques du mythe et de la structure. Mais, à un niveau plus profond, Lodge nous dit que Jane Austen, étrangement, continue de mettre tout le monde d'accord en faisant plancher les uns comme les autres de part et d'autre de l'Atlantique. Les moralistes, le contingent Éros-et-Agapé, les marxistes, les freudiens, les jungiens, les sémioticiens, les déconstructionnistes – tous se reconnaissent dans les mêmes six romans décrivant la classe moyenne provinciale en Angleterre au début du XIXe siècle. Les critiques continuent de s'y atteler parce que les lecteurs ne s'en lassent pas ; à chaque génération, les romans de Jane Austen se renouvellent sans peine.

Chaque époque apporte son éclairage particulier : dans l'actuel bouillonnement Austen, ce sont nos propres angoisses qui sont exposées au grand jour. Collectivement, nous aimons nous repaître des accents et accoutrements de l'univers de Jane ; mais pour le lecteur recroquevillé dans son fauteuil, la réaction est sombre la plupart du temps. Avant tout, nous remarquons à quel point le sort des femmes est étriqué : la brièveté de la nubilité et, à la fois, la lenteur mortelle du temps qui s'écoule en son sein. Nous voyons toute la douleur sociale que les puissants pouvaient infliger et avec quelle perversion ils aimaient s'adonner à ce jeu. Nous voyons combien les impuissants étaient démunis face à ceux qui étaient susceptibles de les honnir. Et nous nous demandons : quel homme, grands dieux, épousera ces filles pauvres – ces *pauvres filles* ? Pas les hommes sans moyens et pas les riches non plus (sauf dans les romans). Alors qui ? Nous nous agitons, nous nous révoltons contre l'enfermement physique (on comprend ô combien que ces réalisateurs veuillent à tout prix « aérer » leurs acteurs). De toutes les vertus, Jane Austen prise par-dessus tout l'« équité » ; mais celle-ci, telle que nous l'entendons de nos jours, ne dispose d'aucun espace social où s'appliquer. Un échange honnête entre Anne Elliot et Frederick Wentworth, et tout *Persuasion* disparaît. Nous rêverions de conférer nos propres libertés aux personnages. Leurs refoulements nous étonnent. Et nous sommes saisis par l'ennui ambiant.

La nouvelle série de la BBC a été vendue par la presse sur la foi d'une sensualité latente dans l'univers de Jane Austen ; il est évident, pourtant, qu'elle en révèle bien davantage sur la sensualité éhontée du nôtre. Après tout, Jane Austen est un auteur notoirement cérébral, pingre absolu dans ses descriptions de la nourriture, des vêtements, des animaux, des enfants, des paysages et du temps. Les années 90 n'entendent pas les choses ainsi.

Quand ils apparaissent sur nos écrans de télévision, Darcy et Bingley chevauchent vers Netherfield Park sur leurs étalons tout à leurs ébrouements, tandis qu'Elizabeth se promène gaillardement sur une colline voisine. Plus tard, sortant de son bain, Darcy regarde par la fenêtre et voit Elizabeth gambadant avec un chien. Lydia est surprise à moitié nue par Mr Collins – et, riant, ne cache point son décolleté. En proie à son imprudente passion pour Elizabeth, Darcy se met à l'escrime. « Je viendrai à bout de cela, marmonne-t-il. J'en viendrai à bout. » Retournant à Pemberley, pas rasé, il saute du cheval tout chaud entre ses cuisses et se jette impétueusement dans un étang. De toute évidence, nous nous éloignons là de Jane Austen pour rejoindre D.H. Lawrence – et Ken Russell. « Il y a beaucoup de sexualité rentrée chez Jane Austen, a-t-on pu entendre Davies déclarer ; je n'ai fait que la libérer. » Mais pourquoi alors s'arrêter en chemin ? Pourquoi ne pas lui prescrire une cure de vitamine C et un massage du dos ? Les personnages de Jane Austen résistent aux bons soins de l'ère de la thérapie, de l'ère de l'évacuation du stress. En bonnes créations littéraires, ils *prospèrent* sur leurs inhibitions. C'est la source même de leur énergie contrariée.

Pour ce qui est des performances des acteurs, elles témoignent de la grande force, en profondeur, de la justesse et de la discrétion de la réalisation de Simon Langton. Jennifer Ehle (on prononce « Ely ») n'est pas tout à fait la parfaite Elizabeth, puisqu'une telle créature ne saurait exister ; Elizabeth, tout simplement, est Jane Austen avec la beauté en plus, or une telle créature n'aurait pu créer Elizabeth. Ehle, comme Debra Winger, crève l'écran. Elle a l'esprit, elle a la chaleur requis ; la douceur de son sourire est quasi orgasmique ; elle réussit à avoir l'air à la fois voluptueuse *et* vulnérable dans les costumes de maternité genre bonnet pour œuf auxquels l'obligation d'« authenticité » l'a réduite ; et elle a les yeux ; mais elle ne réussit pas tout à fait à incarner l'esprit Austen revu pour l'écran. Colin Firth est un Darcy insidieusement convaincant, dans le parcours qui le mène de la probité au sentiment démocratique de mise. Pour connaître son cœur, tout ce dont Elizabeth a besoin, ce sont les faits sous ses yeux. Darcy doit opérer en un rien de temps une évolution intime de deux siècles.

Les seconds rôles sont entraînés par Alison Steadman. Des pisse-froid ont trouvé sa Mrs Bennet trop charnue, trop dickensienne, alors qu'en fait, elle réussit un équilibre miraculeux entre amertume et vulgarité débordante (équilibre encore stabilisé par des traces patentes de son allure antérieure). Susannah Harker est une Jane indolente, confortablement pesante ; Julia Sawalha nous offre les « esprits animaux supérieurs » de Lydia ; David Bamber est un Mr Collins merveilleusement crispé et masochiste ; et Anna Chancellor trouve un pathos inattendu sous les railleries expertes de Caroline Bingley. Le seul gros échec est Mr Bennet. Le débit de Benjamin Whitrow est réfléchi et confiant, mais il se réfugie trop vite dans l'ironie et la pétulance. Personnage le plus désenchanté de tout le corpus de Jane Austen, Mr Bennet est le fond noir du miroir éclatant. Lui aussi est très proche de sa créatrice, qui craignait de déceler en elle-même la faiblesse de son personnage. Mr Bennet voit le monde tel qu'il est, puis s'amuse de son désespoir intime.

La sensualité importée par Davies et Langton est un gain indéniable : toutes les scènes oniriques et duveteuses dans la chambre à coucher, avec Elizabeth et Jane, chandelles allumées, cheveux défaits, nous font ressentir la lourdeur cruciale de leur amour sororal. Elles nous rappellent que la trame émotive du roman est intimement liée à cette relation ; et nous ressentons son poids sans comprendre pourquoi elle pèse tant. Face à la scène où Marianne échappe de justesse à la mort (mal d'amour, fièvre) dans *Raison et Sentiments*, je me suis demandé pourquoi j'étais touché au vif, si chagrin d'entendre Elinor dire à sa sœur, tout simplement : « Ma très chère. » Nous sommes émus car cette formule d'une grande douceur est littéralement vraie – et le restera sans doute toute la vie[1]. Nulle reconfiguration n'attend le parcours amoureux des vieilles filles ; leurs plus proches sont leurs plus chères, et voilà. Dans *Persuasion,* nous devinons la privation plus grande encore d'Anne Elliot lorsqu'elle recherche la chaleur de l'égoïsme dénué d'humour de sa sœur Mary. Nous nous consolons naïvement en pensant que Jane Austen, quoi qu'il ait pu lui manquer par ailleurs, avait, du moins, Cassandra.

Hormis l'enterrement opportun, *Quatre Mariages et un enterrement* eut une autre qualité : en raison d'une scène particulièrement gênante, une édition opportuniste de *Dix Poèmes d'Auden* atteignit les listes des meilleures ventes. Ce recueil s'intitulait *Dis-moi la vérité sur l'amour* et avait la photo de Hugh Grant en couverture (Hugh Grant, au fait, est un très convaincant Edward Ferrars dans *Raison et Sentiments*). Sur Jane Austen, Auden était formidable mais il avait tort :

> On ne pourrait la scandaliser plus qu'elle ne me scandalise ;
> À côté d'elle Joyce est aussi innocent que la coronille.
> Je suis très gêné quand j'avise

1. Cinq décennies plus tard, Anthony Trollope avait pleine latitude d'exprimer cela plus frontalement. Dans *He Knew He Was Right (1869),* Jemima Stanbury, une vieille fille argentée mais désormais âgée, est troublée par la présence de Dorothy, sa nièce en mal d'amour (et désargentée), qui fait remonter ses propres regrets à la surface. Un soir, une bougie à la main, Jemima entre dans la chambre à coucher de Dorothy et la réveille, avec une promesse magnanime qui résoudra tout. « Qu'y a-t-il donc, ma tante ? » demande Dorothy. Jemima commence ainsi : « Embrasse-moi, ma très chère. »

Une petite-bourgeoise vieille fille
Décrivant les effets amoureux de l'argent,
Et révélant si franchement, si sobrement
De la société le fondement économique.

Nous, les gens des années 90, choquerions très certainement Jane Austen avec notre vaste gamme de libertés débraillées et incontestées. Néanmoins, l'hypocrisie n'est peut-être pas absente des vers d'Auden. L'argent – la fortune, la sécurité – pousse Charlotte Lucas à accepter Mr Collins (se « déshonorant » ainsi par un mariage de raison), mais il ne réussit pas à le lui faire aimer. Elizabeth avait éconduit Mr Collins et, fort peu courtoisement, Mr Darcy, avec ses 10 000 livres par an.

À propos de l'*Élégie*... de Thomas Gray, William Empson a écrit que le poème décrit un pitoyable abandon provincial sans nous insuffler ce qu'il faudrait pour nous inciter à vouloir le changer. Le changement est précisément l'objet de la satire. Laquelle est une ironie *militante*. L'ironie, elle, accepte davantage la douleur. Elle ne nous incite pas à transformer la société ; elle nous fortifie pour que nous puissions la tolérer. Jane Austen était une vieille fille issue de la classe moyenne anglaise. Elle mourut dans d'atroces souffrances à quarante et un ans (en prononçant les plus belles « dernières paroles » de tous les temps : quand on lui demanda ce dont elle avait besoin, elle répondit « Rien que la mort »). D'un autre côté, elle survit depuis près de deux siècles. Ses amants sont platoniques mais pléthore.

The New Yorker, 1997

Plus personnel – 3

Christopher Hitchens[1]

« L'éloquence spontanée me paraît être un véritable miracle », déclarait Vladimir Nabokov en 1962. Il reprit cette idée d'une façon plus personnelle dans son avant-propos pour *Strong Opinions* (*Parti-pris*, 1973) :

> [...] Je n'ai jamais fourni à mon public la moindre parcelle d'information qui n'ait été tapée au préalable à la machine à écrire [...] Mes *hum* et mes *euh* au téléphone amènent mes correspondants longue distance à passer de leur anglais d'origine à un pitoyable français. Lors de soirées, si je tente de raconter une bonne histoire, je dois revenir sur la moitié de mes phrases pour effectuer des effaçages et ajouts oraux [...] Personne ne devrait m'imposer de me soumettre à une interview [...] Cela a été essayé au moins deux fois, et l'une des deux en présence d'un magnétophone : quand on m'a fait entendre la bande et que j'ai eu fini de rire, je savais que jamais plus de ma vie je ne répéterais ce genre de performance.

1. Cet article constituait l'avant-propos de *The Quotable Hitchens : From Alcohol to Zionism – The Very Best of Christopher Hitchens*, sous la direction de Windsor Mann.

Nous compatissons. Sans doute la plupart des littéraires espéreraient-ils être inclus à un degré ou à un autre de l'échelle coulissante de Nabokov : « Je pense comme un génie, j'écris comme un auteur éminent et je parle comme un enfant. »

M. Hitchens n'est pas comme ça. Un volume des célèbres mémoires de Christopher Isherwood est intitulé *Christopher and His Kind* (« Christopher et les siens », paru en français sous le titre *Christopher et son monde*). Mais ce Christopher-ci (Hitchens) n'a pas de « siens » : ni pairs ni semblables. Tout le monde est unique mais Christopher est extraordinaire. Et il est possible qu'il inverse totalement le paradigme nabokovien. Il pense comme un enfant (son jugement, bien plus instinctif et moral-viscéral qu'il n'y paraît, est alimenté par la perception enthousiaste que l'enfant a de ce qui lui paraît juste et vrai) ; il écrit comme un auteur éminent ; et il parle comme un génie.

En conséquence de quoi, Christopher est l'un des dialecticiens les plus terrifiants que le monde ait jamais connu. Lénine se vantait que, dans un débat, son objectif n'était pas l'objection mais la révocation : l'annihilation de son interlocuteur. Si ce n'est pas la politique de Christopher, c'est sa pratique. Vers la toute fin du siècle dernier, tous nos plus grands joueurs d'échecs, y compris Gary Kasparov, commencèrent à perdre face à un ordinateur baptisé Deep Blue ; j'ai eu l'occasion de demander à deux grands maîtres de décrire l'expérience Deep Blue ; tous deux ont répondu : « C'est comme un mur qui fond sur vous. » Dans un débat, Christopher est ce mur-là. Le prototype de Deep Blue (Bleu profond) avait été baptisé Deep Thought (Pensée profonde). Dans le même ordre d'idée, on pourrait appeler Christopher : Parole profonde. Avec tout son éventail de références et de précédents géohistoriques, il est quasiment Google ; mais Google (avec ses environ dix millions de résultats en 0,7 seconde) est une sorte de savant idiot, alors que le moteur de recherche Christopher est bien mieux ajusté. Dans n'importe quel débat, je miserais sur lui contre Cicéron, contre Démosthène.

Alors que de simples Terriens s'en sortent avec un méli-mélo de jurons, de propositions subordonnées et de tautologies bien tournées, Christopher parle non seulement en phrases complètes mais aussi en paragraphes complets. De même, quoiqu'il mentionne le phénomène dans les pages étudiées ici, il n'a pas du tout ce que Diderot a appelé *l'esprit de l'escalier**. Les Anglais traduisent parfois cette expression par *staircase wit* – ce qui me semble réducteur, car l'esprit de l'escalier fait référence à tout un sous-ensemble de notre être intellectuel et émotionnel. On vient de fermer à double tour la porte de la salle des débats, de la soirée alcoolisée litigieuse, voire du petit appartement qui abrite le foyer du désir amoureux ; et maintenant l'eureka retardé se forme sur vos lèvres. Ces occasions perdues, ces pouvoirs persuasifs non utilisés peuvent vous hanter pendant toute une vie, notamment, bien sûr, quand l'escalier était celui qui aurait pu vous mener à la chambre à coucher.

Jeune homme, Christopher Hitchens était visiblement loin d'être un prédateur dans la sphère sexuelle (tout en étant visiblement pan-affectif : « Je vais simplement draguer un peu tout le monde, promettait-il, fidèle à son personnage et en toute sincérité, face à un groupe mixte d'une quinzaine de personnes. Et puis je prendrai congé »). J'ignore comment ça se passait, à l'origine, avec les garçons ; mais avec les filles, Christopher était celui qu'il fallait persuader.

Et je sais que, dans ce domaine, quoique dans absolument aucun autre, il lui arrivait parfois de se soumettre.

L'habitude de toujours dire ce qu'il faut au bon moment tend à être reléguée au domaine des ripostes impertinentes. Quand elles sont répétées, les piques, les répliques semblent s'arrêter là. *Untel, rapide comme l'éclair, a dit qu'Untel…* – et c'en est fini. De leur côté, les reparties les plus mémorables de Christopher s'attardent, ai-je découvert, réverbèrent et finissent par s'associer, comme les coups aux échecs… Un soir, il y a près de quarante ans, je lui ai demandé : « Je sais que tu méprises tous les sports… mais une partie d'échecs, ça te dirait ? » L'air légèrement intrigué et amusé, il s'est penché avec moi sur les soixante-quatre cases. Il en ressortit bientôt deux choses. D'abord, il ne fit preuve d'aucune humeur combative, n'offrit aucune résistance (car il s'agissait d'un *jeu*, voyez-vous, or le *pour de vrai* est tout ce qui compte vraiment). Ensuite, il témoigna d'un touchant mépris pour le bon sens. Ce qui incite à une pensée paradoxale.

Quantité d'excellents commentateurs, aux États-Unis comme au Royaume-Uni, font preuve d'un courage rudimentaire bien supérieur à ce dont Christopher s'encombre (nous avons à Londres un chroniqueur que la reine a adoubé, à juste titre, et que j'appelle mentalement, toujours avec admiration, Sir Bon Sens). Toutefois, il est difficile de se prendre de passion pour le bon sens. Et ce que l'on retiendra surtout de Christopher, c'est qu'on *l'aime*. Nous aimons les instabilités fertiles ; nous aimons l'agitation de l'inattendu. Christopher déboule toujours, comme on dit, de là où on ne l'attend pas. Ce n'est pas un orateur banal. Ce n'est pas, je le répète, un homme banal.

Au fil des ans, Christopher nous a spontanément livré plusieurs dizaines de sentences inoubliables. En voici quatre.

1. Il passait à la télé pour la deuxième ou troisième fois de sa vie (si nous excluons *University Challenge*), ce qui nous ramène au milieu des années 70, à l'époque où il avait dans les vingt-cinq ans. Nous étions déjà proches (et collègues au *New Statesman*) ; mais je me souviens avoir pensé qu'un gars aussi télégénique, à faire se pâmer toutes les midinettes, n'aurait pas dû, en plus, être autorisé à avoir un tel sens de la repartie à l'écran. À un moment donné de l'échange, il sortit l'une de ses envolées politiques, une définition tarabiscotée mais intelligible de (je crois) la souveraineté nationale. Le présentateur – un bon vieux cogneur de son côté – marqua une pause, fronça les sourcils et dit, sceptique, sincère et désarmé :

« Je ne comprends pas un mot de ce que vous dites.

— Je n'en suis pas du tout surpris », répliqua Christopher, avant de passer à autre chose.

La discussion poursuivit son cours. Si ça avait été un western au lieu d'une émission-débat, le blessé aurait passé le reste du temps à casser en deux, méticuleusement, la flèche fatale, puis à pousser sa pointe à travers sa poitrine pour la faire ressortir de l'autre côté.

2. Christopher fascine tous les romanciers de sa connaissance, pas seulement en tant qu'ami mais aussi en tant que romancier. J'ai trouvé la réplique que je suis sur le point de rapporter (*in extenso*, ses quatre mots !) si épiphaniquement dévastatrice que je l'ai reproduite dans un roman : en fait, j'ai mis tout Christopher dans un roman. *Mutatis mutandis* (c'est le roman en soi qui dicte les mutations), Christopher

« est » Nicholas Shackleton dans *La Veuve enceinte* – bien qu'il importe de savoir ce que, dans ce cas précis, signifie « est »… C'était en 1981. Nous nous trouvions dans un minuscule restaurant italien de l'ouest de Londres, où devaient nous rejoindre nos futures premières épouses. Deux élégants jeunes hommes en costume cintré réarrangeaient les tables ostensiblement et interminablement avec le personnel, car ils devaient accueillir un groupe important de convives. À l'époque, les gens étaient très conscients de leur classe sociale (car le système de classes était à l'agonie) ; Christopher et moi étions d'innocents petits-bourgeois bohèmes, les deux jeunes restaurateurs plutôt du style héritiers clinquants de hobereaux de province désargentés (avec cet air particulier de ceux qui, avec un stoïcisme épique, attendent le décès d'un parent cacochyme). Au bout d'un moment, l'un des deux s'approcha et s'accroupit à côté de notre table, la bouche en cul-de-poule à travers les mèches fines de sa frange. La position, la frange, la moue : elles lui avaient manifestement permis de remporter de nombreux succès dans son désir de plier les autres à ses quatre volontés. Après un silence aguicheur, il dit :

« Vous allez nous détester mais… »

Ce à quoi Christopher répliqua : « Nous vous détestons déjà. »

3. À partir de l'été 1986, au cap Cod, pendant plusieurs étés, je fis tous les deux jours une partie de tennis avec l'historien Robert Jay Lifton. Je lus puis relus son dernier livre, le plus connu, *Les Médecins nazis*. Pendant les changements de côté, nous parlions, le lundi, par exemple, de « La stérilisation et la vision médicale des nazis » ; le mercredi, de « L'euthanasie effrénée : les médecins prennent le relais » ; le vendredi, de l'« Institution d'Auschwitz » ; le dimanche,

de « Tuer avec une seringue : les injections de phénol » ; et ainsi de suite. Un après-midi, Christopher Hitchens, dont la famille passait ses vacances avec la mienne à Horseleech Pond, était censé nous retrouver sur le court, après un gros repas à Wellfleet, pour être présenté à Bob (et reconduit à la maison au bord du lac). Il arriva, fier d'avoir parcouru tout ce chemin à pied : six ou sept kilomètres – l'un des grands exploits physiques de sa vie adulte. On en était à la balle de set. Bob servit, s'approcha du filet et prit à contre-pied ma tentative de passe. Bob avait (et a encore) vingt-trois ans de plus que moi ; le score était de 6-0. Je pourrais, j'imagine, prétexter que j'étais préoccupé : cet été-là, je me demandais (avec un détachement inquiétant) si j'avais ce qu'il fallait dans les tripes pour écrire un roman sur l'Holocauste. Christopher le savait, il était au courant de mes scrupules.

S'épongeant, Bob dit, sur un petit nuage : « Tu sais, il nous reste fort peu de zones de transcendance. Le sport. Le sexe. L'art…

— Sans oublier les misères des autres, répondit Christopher. La langoureuse contemplation des misères d'autrui. »

J'ai écrit le roman en question. Et je me demande encore si ce n'est pas l'ironie noire, à plusieurs degrés, de Christopher qui m'en a donné le courage. Ce qui demeure vrai jusqu'à aujourd'hui, jusqu'à cette heure même, c'est que, de tous les sujets possibles (y compris le sexe et l'art), celui sur lequel nous nous penchons le plus obsessivement est celui de la Shoah, de ses victimes – ceux dont le vent de la mort a éparpillé les cendres.

4. En conclusion, remontons à 1999. Christopher et moi avions chacun de nouvelles épouses et trois enfants

supplémentaires (huit en tout). C'était l'après-midi, à Long Island. Lui et moi espérions nous payer un petit plaisir fiable : le film le plus violent disponible alors. Nous atterrîmes dans un multiplex de Southampton (nous avions été lamentablement réduits à un Wesley Snipes). Je dis :

« Personne n'a reconnu le Hitch depuis au moins dix minutes.

— Dix ? *Vingt*, tu veux dire. Vingt-cinq. Et plus ça dure, plus je fulmine. Je n'arrête pas de penser : qu'est-ce qui leur *arrive* ? Qu'est-ce qu'ils peuvent ressentir, à quoi ils peuvent s'intéresser, qu'est-ce qu'ils peuvent savoir s'ils ne reconnaissent pas le Hitch ? »

Un Américain d'un certain âge, vêtu de couleurs pastel, perché en équilibre instable sur une bouche d'incendie face aux portes du cinéma, leva ses mains tremblantes en un geste italianisant, et demanda d'une voix ténue :

« Alors, vous nous aimez ? Ou vous nous détestez ? »

Ce vieux bonhomme ne parlait pas de l'humanité ou de l'Occident. Mais de l'Amérique et des Américains. Christopher s'exclama :

— Je vous demande pardon ?

— Vous nous aimez, ou vous nous détestez ? »

Poussant la porte du cinéma, Christopher répondit, sans chaleur ni froideur mais avec une parfaite équité :

« Tout dépend de votre comportement. »

Cela dépend-il vraiment du comportement des autres ? Ou, du moins en partie, des amours et détestations du Hitch ?

Christopher ne supporte plus l'épithète « anticonformiste », qui lui colle à la peau depuis un quart de siècle.

C'est, quoi qu'il en soit, un auto-anticonformiste : non seulement il recherche la position la plus difficile, mais encore la position la plus difficile *pour Christopher Hitchens.* Personne ou à peu près n'est d'accord avec lui sur la question irakienne (mais pas grand monde n'accepterait de débattre avec lui sur le sujet). Nous pensons aussi au soutien qu'il a apporté à Ralph Nader, à sa collusion avec la procédure d'*impeachment* de Bill Clinton (qu'il honnit et qui, dans *The Quotable Hitchens*, occupe plus d'espace que tout autre sujet), et à son soutien à Bush-Cheney en 2004. Christopher souffre souvent de ses isolements ; les gens le devinent, et cela contribue fortement à son magnétisme. Sa personne est en elle-même son propre théâtre, tandis que nous observons les agiles contorsions de cet Houdini auto-enchaîné. Est-ce là que réside la clef de son charisme ? Le fait que Christopher, en fin de compte, se prenne constamment le bec avec le Hitch ? N'empêche, « anticonformiste », aujourd'hui, fait défraîchi. Et si nous devons trouver une épithète, ou ce que la presse anglo-saxonne aime appeler un *narrative* d'un seul mot, alors je suggère d'affiner la chose en : Christopher est un *rebelle.* C'est-à-dire qu'il n'a aucun respect, de prime abord, pour quiconque ou quoi que ce soit.

Le rebelle est un phénomène rare. De toute ma vie, je n'en ai connu que deux autres, tous deux romanciers (mon père, jusqu'à l'âge d'environ quarante-cinq ans ; et mon ami Will Self). On repère un rebelle à ce qu'il ne montre aucune déférence ou même civilité à l'égard d'un prétendu supérieur (cela va sans dire) ; mais il n'en montre pas davantage à l'égard de ses inférieurs vérifiables. Ainsi Christopher, au besoin, sera implacable avec le prince, le président, le souverain pontife ; mais aussi, au besoin, avec le chauffeur de taxi (« Hé, vous ne suivez pas le chemin qu'on vous a indiqué. Éteignez votre clignotant, d'accord ? C'est dingue, merde, cette façon que vous avez tous de nous arnaquer »), le tenancier de pub (« Vous ne rendez pas la monnaie sur les coups de fil ? D'accord. Je vais vous dénoncer au Bureau des consommateurs de la municipalité de Camden ») et le serveur (« Le service est compris, c'est marqué, là. Mais vous dites que c'est au choix. Alors… ? C'est… ? Écoutez. Si vous êtes si malin, pourquoi vous vous escrimez à porter des plateaux dans un bouge comme ça ? »). Le comportement de Christopher au jour le jour est admirable (et parfaitement démocratique) ; et c'est logique, puisqu'il sait que la moralité commence avec les manières. Mais il traite chaque individu séparément et *exclusivement selon les mérites de l'intéressé.* Ainsi font les rebelles.

La plupart du temps, son tempérament est vivifiant, voire envoûtant : par comparaison, M. Tout-le-monde, ou même M. Mieux-que-Tout-le-monde (que nous pourrions appeler Joe Portable), paraît sous-développé. La majorité d'entre nous préside tant bien que mal à un chaos de préjugés et piétés résiduelles, d'inhibitions semi-subliminales, de tabous et d'instinct grégaire, dont certains antiques, d'autres allègrement contemporains (tel le relativisme moral et l'ardente xénophilie qui, en Europe du moins, exclut toujours les Israéliens). Parler et écrire sans crainte ou faveur (ne pas entendre les tambourinements internes) : ces voix-là sont inestimables. D'un autre côté, et le rebelle le sait bien, une insubordination compulsive vous fait courir le risque d'un châtiment spécial : des blessures auto-infligées.

Prenons par exemple les essais de Christopher Hitchens sur la littérature (sous-représentés dans l'ouvrage ici recensé, mais suffisamment impressionnants pour mériter une appréciation distincte). Au cours de la dernière décennie, Christopher a écrit trois critiques hostiles très grinçantes : sur le *Ravelstein* (2000) de Saul Bellow, sur le *Terroriste* (2006) de John Updike, et sur *Exit le fantôme* (2007) de Philip Roth. Quand je les ai lues, je me suis surpris à marmonner le conseil (la vieille institutrice en moi) que j'ai personnellement donné à Christopher plus d'une fois : *Pas d'impertinence envers tes aînés !* La raison, c'est qu'*on ne peut que* montrer son respect : il a été gagné au fil des ans et des livres. Qui pourrait croire qu'à quatre-vingt-cinq ans, Saul Bellow ait eu besoin que Christopher, une bonne demi-douzaine de fois, souligne que le talent bellovien s'étiolait ? De fait, lu avec le respect adéquat, *Ravelstein* est un chant du cygne exquis : il est intègre, beau et digne. Quand on est écrivain, tous les écrivains qui vous ont donné de la joie – comme Christopher en a éprouvé en lisant *Augie March* et *Le Don de Humboldt*, entre autres, ou *The Coup* et *Portnoy et son complexe* – sont nos parents honoraires ; or les attaques de Christopher étaient froidement non filiales. L'irrespect devient le vice qui a tant fasciné Shakespeare : celui de l'ingratitude. À l'instar du roi Lear (qui se souciait de ses filles), les romanciers savent combien le lecteur ingrat a le croc plus acéré que celui du serpent.

L'art, c'est la liberté ; en art, comme dans la vie, il n'est pas de liberté sans loi. Le *décorum* est à la base du principe littéraire, ce qui signifie à peu près l'opposé de la définition du dictionnaire : « Ensemble des règles de bienséance qui sont d'usage dans une société soucieuse de garder son rang » (à savoir la soumission à un consensus moutonnier).

En littérature, le décorum renvoie à la concomitance du style et du contenu – plus un troisième élément que je ne saurais vaguement décrire que comme : *la bonne mesure.* Peu importe le style, peu importe le contenu : les deux doivent se rejoindre. Si l'essai est un art littéraire, ce qu'il est manifestement, alors la même loi s'applique.

Voici quelques citations inconvenantes du *Quotable Hitchens* : « Ronald Reagan fait au pays ce qu'il ne peut plus faire à sa femme. » Sur le convoqueur-pardonneur télévangéliste chaucerien Jerry Falwell : « Si on faisait un lavement à Falwell, on l'enterrerait dans une boîte d'allumettes. » Sur l'entrepreneur politique propalestinien George Galloway : « Méchante nature, qui aurait pu faire un parfait popotin de son visage, mais a gâché l'effet en prenant un trou du cul et en le remplissant de crocs mal brossés. » Le critique D.W. Harding (1906-1993) a écrit un article fameux, intitulé « La haine pondérée ». C'était une étude sur Jane Austen. Soit, la haine stimule ; mais elle ne devrait pas devenir une drogue.

Le penchant de Christopher Hitchens pour les jeux de mots désigne bien le problème. Ils importent peu quand le contexte ne porte pas à conséquence (la lecture est interrompue un instant, voilà tout). Mais un jeu de mots peut être déplacé quand le contexte est grave. Ainsi, cet exemple de 2007 : « Très récemment, l'Église catholique romaine a été souillée par sa complicité avec l'impardonnable péché du viol d'enfant ou, comme on pourrait le dire en suivant la construction de la phrase latine : "No child behind left[1]." » La fin de la phrase précipite le début dans l'inconvenance. Le grammairien et

1. Détournement de *No Child left behind*, une loi sur l'éducation américaine signée en 2002, et qui pourrait se traduire ici littéralement par : « Aucun derrière d'enfant laissé tranquille. »

analyste des usages Henry Fowler (1858-1933), surnommé le « Roi de l'anglais », réfutait l'« idée selon laquelle les jeux de mots étaient méprisables *en soi*... Les jeux de mots sont bons, mauvais ou indifférents [...] ». Fowler avait tort. « Les jeux de mots sont la forme la plus vile de facilité verbale », concède Christopher par ailleurs. Quoique les jeux de mots soient le résultat d'une antifacilité, ils encouragent l'irrespect par rapport à la langue, et tout ce qu'ils réussissent à faire, c'est à rendre les *mots* ridicules.

Comparons ce qui précède au Christopher vraiment digne d'être cité. À l'oral, c'est son esprit lapidaire qui fait mouche ; dans sa prose, ce qui nous ravit, c'est sa magistrale volubilité (l'anthologie idéale comporterait des milliers de pages et des chapitres entiers de sa récente autobiographie, *Hitch-22*). Les extraits suivants ne sont pas des plaisanteries ou des piques. Ce sont plutôt des cristallisations, des aperçus qui ramènent inlassablement le lecteur à une question récurrente : si tout est manifestement vrai, et c'est le cas, pourquoi avons-nous dû attendre que Christopher porte cela à notre attention ?

> Il existe, notamment dans les médias américains, une croyance profondément ancrée selon laquelle l'insincérité est préférable à pas de sincérité du tout.

> L'une des raisons d'être un antiraciste invétéré est le simple fait que la « race » est une invention dénuée de toute validité scientifique. L'ADN peut vous dire qui vous êtes mais pas ce que vous êtes.

> En prenant de l'âge, on apprend une leçon désenchantée : on comprend qu'on ne peut pas se faire de vieux amis.

Sur le mariage gay :

> C'est un signe de la socialisation de l'homosexualité, pas de l'homosexualisation de la société. Il démontre l'expansion du conservatisme, pas de la radicalité, chez les gays.

Sur Philip Larkin :

> La tenace persistance du chauvinisme dans nos vies et dans nos lettres fournit ou devrait fournir le sujet d'une étude critique, pas l'occasion de démonstrations de stupeur.

> [E]n Amérique, votre patriotisme peut et devrait être l'internationalisme.

> Ce sont ceux et uniquement ceux qui souhaitent *changer* les humains qui finissent par les brûler, tels les résidus d'une expérience ratée.

> Telle a toujours été l'absurdité première de la censure « morale », par opposition à la censure « politique » : si quoi que ce soit a vocation à dépraver, à corrompre, pourquoi alors faut-il que les plus dépravés, les plus corrompus soient les censeurs qui montent la garde ?

On pourrait continuer à l'infini. La devise de Christopher – *What can be asserted without evidence can be dismissed without evidence* (« Ce qui est affirmé sans preuve peut être réfuté sans plus de preuves. ») – est déjà entrée dans la langue anglaise. De même y entrera, je le prédis, la formulation trop récente pour être incluse dans le recueil recensé dans ces pages : « Qui nie l'Holocauste confirme l'existence de l'Holocauste. » Quelle justesse, quelle irrévocabilité.

Comme tous les meilleurs énoncés de Christopher, celui-ci a la force simultanément d'une preuve et d'une loi.

« N'y a-t-il donc rien de sacré ? interroge-t-il. *Bien sûr que non.* Aucun Occidental, comme le philosophe Ronald Dworkin l'a souligné, n'a le droit de ne pas être outré. » Nous acceptons les errances de Christopher, son imprudence, parce qu'elles sont inséparables de son courage ; or, la véritable valeur, par définition, n'est pas sœur de discrétion. C'est connu, Christopher a passé il y a peu la frontière entre le pays des bien portants et celui des malades. On peut dire qu'il l'a fait sans ciller ; il a écrit sur ce processus avec une honnêteté et une verve sans pareil, sans compter la plus grande bienséance. Ses nombreux amis et ses innombrables admirateurs en sont venus à redouter le ton « nécrologique, de son vivant ». Mais si l'histoire devait se terminer trop tôt, sa coda sera triomphale.

Le diable privé de Christopher est Dieu ou plutôt la religion organisée ou plutôt le « désir de vénérer et d'obéir ». Il comprend tout à fait que le désir de vénération, entre autres, est une réaction directe à l'ingérabilité de l'idée de la mort. De la religion, Philip Larkin a écrit :

> Cet ample brocart musical mangé par les mites
> Créé afin que nous ne mourions jamais…

D'autres signes témoignent indépendamment de ce que l'esprit séculaire a dépassé : « La vie est une grande surprise, observait Nabokov [né en 1899]. Je ne vois pas pourquoi la mort ne devrait pas l'être encore davantage. » Ou bien Bellow (né en 1915), par la bouche d'Artur Sammler :

> Dieu n'est-il qu'un commérage des vivants ? Or voilà que nous observons ces vivants foncer comme des oiseaux à la surface de l'eau, l'un d'entre eux plonge mais ne remonte pas et on ne le reverra plus jamais [...] Pourtant, nous n'avons aucune preuve qu'il n'y ait pas de profondeur sous la surface. Nous ne pouvons même pas dire que notre connaissance de la mort est superficielle : il n'y a pas de connaissance.

Nous sommes encore hantés par ce genre de pensées ; mais elles n'ont plus le pouvoir de diluer l'encre noire de l'oubli.

Mon cher Hitch : on a beaucoup discuté, chez les croyants, de ton étreinte imminente du sacré et du surnaturel. C'est bien sûr insensé. Mais j'espère encore te convertir, par la force pure de la bigoterie, à ma propre confession : l'agnosticisme. Dans ton ouvrage phare, *Dieu n'est pas grand*, tu ne fais guère de différence entre agnostique et athée ; il est vrai que ce qui nous sépare, toi et moi, est (pour citer Nabokov, encore) une ornière que n'importe quel batracien pourrait sauter. « La mesure de toute éducation, écris-tu ailleurs, c'est qu'on acquiert une idée de l'étendue de son ignorance. » Voilà tout ce que l'« agnosticisme » signifie vraiment : c'est un aveu d'ignorance. Un glissement aussi infime (mais je sais que tu ne t'y laisseras pas aller) me semblerait cohérent avec ton caractère, avec ton acceptation de toute incohérence et contradiction, avec ton romantisme intellectuel et ton amour de la vie, dont j'ai appris à le considérer comme supérieur au mien.

La position de l'athée mérite un adjectif que personne ne songerait à t'appliquer : elle est « frugale ». L'agnosticisme, si je puis le suggérer avec tout le respect qui t'est dû, est une réaction un tantinet plus logique et adaptée à notre situation – à l'indéchiffrable grandeur de ce qu'on appelle aujourd'hui (non sans hésitation) : le multivers. La cosmologie est une construction impressionnante, quoiqu'elle demeure ignominieusement incomplète et approximative ; au cours des trente dernières années, elle n'a guère recueilli plus qu'une série de cuisantes humiliations. De sorte que, lorsque j'entends quelqu'un se déclarer athée, je pense parfois à l'énergique termite qui, tout en continuant de vaquer à sa besogne, se proclame individualiste. Parler d'« intelligence supérieure » ne peut être entièrement frivole ou signifier qu'on prend ses désirs pour des réalités : le cosmos en est bien une, au sens fort simple que nous ne le comprenons pas et ne pouvons le comprendre.

Quoi qu'il en soit, nous savons ce qui va t'arriver, ainsi qu'à tout être qui vivra jamais sur cette planète. Ton existence corporelle, ô Hitch, dérive d'éléments relâchés par des supernovas, par des étoiles explosées. Le feu stellaire était le ventre dans lequel tu reposais, le feu stellaire sera la tombe dans laquelle tu reposeras : digne cours pour quelqu'un qui a toujours brillé de tant de feux. L'étoile mère, bombe H de la création continue, que nous appelons le Soleil, se métamorphosera un jour, de naine jaune à géante rouge, gonflera pour consommer ce qui restera de nous, dans six milliards d'années.

Observer Magazine, 2010

Twin Peaks – 2

La correspondance de Saul Bellow

Saul Bellow, *On a vraiment trop à penser*

« Les mouches patientent avidement dans l'air, écrit Saul Bellow [dans une description de Shwaneetown, Illinois du sud], des écrans de mouches qui font un bruit comme du papier de soie qu'on déchire. » Déchirez donc une feuille de papier de soie, lentement : on dirait exactement le vrombissement renfrogné d'une horripilante vermine. Mais comment, s'interroge-t-on, Saul Bellow savait-il quel bruit faisait le papier de soie quand on le déchire ? Puis l'on se demande ce que ce détail si précis fiche dans la revue *Holiday*, en 1957, plutôt que dans le roman sur lequel il travaillait alors, *Le Faiseur de pluie* (1959). En fait, la formule y figure sans doute, ou une autre encore meilleure. Car les voix fictionnelles de Below et celles qui ne le sont pas s'entremêlent et se pollinisent. Ci-suit une phrase tirée d'une critique de film de 1962 : « La voici, corpulente et vieille, ossature carrée, tassée. » Deux décennies plus tard, l'image refleurit dans le court roman *Cousins* :

> Je me rappelais Riva comme une femme plantureuse, brune, bien en chair, les jambes droites. Toute la géométrie de sa silhouette était maintenant altérée. Elle

s'était affaissée aux genoux comme un cric, devenue losange.

En 1958, une pièce de Gore Vidal fut adaptée au cinéma sous le titre *Le Gaucher*, célèbre western avec son ami Paul Newman ; on entend souvent dire que, lorsque les romanciers se tournent vers la prose discursive, « ils écrivent de la main gauche ». En d'autres mots, leurs tribunes, reportages, journaux de voyage, conférences et mémoires seraient en un certain sens forcés, inauthentiques, pure ventriloquie. Dans le cas de Gore Vidal, l'opinion littéraire semble lui réserver un autre sort. C'est dans les essais (en tout cas, ceux qu'il a écrits avant le 11 septembre 2001) qu'il paraît écrire de la main droite. Ses romans historiques, fermement ancrés dans la réalité, ont leur place. Mais les produits de son imagination débordante – entre autres *Myra Breckinridge* et *Myron* – paraissent complètement gauchers. Saul Bellow, en revanche, est ambidextre de naissance.

C'est aussi un instinctif effréné. De ce point de vue, Bellow est très différent, disons, de Vladimir Nabokov ou de John Updike, pour prendre deux artistes-critiques de haut vol. Dans ses volumineux écrits sur la littérature, Nabokov garde son style personnel et souvent festif, mais il reste toujours un professionnel posé et profond : un pédagogue. Updike, dans son tout aussi volumineux florilège de critiques, indique clairement que les critiques, à la différence des romanciers, sont « en service » : ils doivent se mettre sur leur trente et un, ils ne peuvent pas se présenter en jean. Ce que fait Saul Bellow. Il est plus près de D. H. Lawrence et encore plus de V. S. Pritchett. « Laissons les universitaires peser le pour et le contre, être exhaustifs ou élaborer leurs édifices, écrit-il : l'artiste vit autant de la fierté qu'il met dans ses thèmes de prédilection que dans tout ce qu'il ignore ; l'humilité, c'est honteux. » Bellow aborde tout ainsi. Pas de smoking ou de ceinture de smoking, pas de toge et de mortier à pompon. Quel que soit le genre, le sensorium de Saul Bellow se révèle être un et indivisible.

Inhérent à cette approche : une franche opposition à la tour d'ivoire. Même s'il a enseigné la littérature pendant toute sa vie adulte, Bellow a toujours, et de plus en plus, exprimé ses réserves face à l'université – bien avant que la nervosité idéologique ne transforme les campus en ce qu'il appelait en privé des « centres d'antiliberté-d'expression » (son court essai *The University as Villain* – L'université dans le rôle du méchant – date de 1956). Il est exaspéré, excédé par le genre d'exégète qui veut nous expliquer ce que le harpon d'Achab « symbolise ». Dans l'article pour le *New York Times* intitulé *Deep Readers of the World, Beware !* (1959), il imagine une conversation en salle de classe :

> « Pourquoi, *sir*, entonne l'étudiant, Achille tire-t-il le corps d'Hector tout autour des murailles de Troie... ? Voyez-vous, monsieur, l'*Iliade* est pleine de cercles – de boucliers, de roues de chariot, une myriade de figures rondes. Et on sait ce que Platon disait des cercles. Les Grecs étaient de grands géomètres. – Que ton crâne et ta coupe en brosse soient bénis, répond le professeur. Cette belle réflexion t'honore... Ton approche est profonde et intelligente. Mais j'ai toujours pensé qu'Achille avait fait ça parce qu'il était furieux. »

Les critiques devraient se limiter à l'élément humain, sans plaquer de nouvelles obscurités sur le texte. Notre premier devoir didactique, préconise Bellow, est d'instiller des habitudes livresques : respect, gratitude, enthousiasme.

Accuser les romanciers d'égotisme, c'est comme déplorer que les champions de boxe soient violents. Bellow, tout naturellement, et c'est instructif, se repose sur sa propre évolution pour jeter des principes de base. « On doit tout considérer d'un œil perpétuellement neuf. » Supposer une « certaine unité psychique » avec ses lecteurs (« les autres sont en essence comme moi et, en gros, je suis comme eux »). Accepter la définition que George Santayana donne d'un mot discrédité, la « piété » : « Une certaine révérence pour les sources de notre être. » Chérir notre histoire personnelle, donc, mais ne jamais rechercher l'expérience uniquement pour se donner du grain à moudre : certains écrivains s'enorgueillissent de leurs « efforts particuliers dans les domaines du sexe, de l'ivrognerie » et de la misère (« on m'a même envié la *chance* d'avoir été jeune pendant la Dépression ») – mais se forcer à connaître le monde ne mène nulle part. Il faut résister aux « influences trop lourdes », Flaubert, Marx, etc., et à ce que Bellow, citant Thoreau, appelle la « force sauvage de la multitude ». L'imagination a son « éternelle naïveté » – que l'écrivain ne peut se permettre de perdre.

Les écrits non romanesques de Bellow ont la même force que ses nouvelles et ses romans : une réactivité dynamique aux personnages, aux lieux et au temps (à l'époque). Tous se retrouvent dans le merveilleux portrait *A Talk With the Yellow Kid* (« Conversation avec le gamin jaune », 1956). Le Kid est un escroc octogénaire de Chicago : toute sa vie, il a « vendu à des hommes cupides des biens qui n'existaient pas, des concessions qui n'étaient pas à lui et des projets qui n'étaient que du vent ». Certes, Bellow est à son aise en cette compagnie mais il est en outre assez confiant pour élucider le mystère insaisissable du Kid : « Il n'est pas toujours facile de savoir d'où il vient » car sa « longue pratique de l'insincérité lui confère un avantage ». Et on se demande : quel autre grand écrivain, voire moins grand, a une telle compréhension instinctive de la rue, de la machine, des tribunaux, du racket ? Il faut dire, bien sûr, que Bellow est à l'écoute, anormalement, des hiérarchies sociales partout, en Espagne (1948), en Israël (1967), à Paris (1983), en Toscane (1992). L'extrait suivant est tiré de *In the Days of Mr Roosevelt* (« Du temps de M. Roosevelt » : à savoir la période qui s'étend entre le krach de 1929 et la Seconde Guerre mondiale) :

> La cloque n'avait pas encore tué les ormes, sous lesquels les chauffeurs s'étaient arrêtés, garés pare-chocs contre pare-chocs et avaient allumé leur radio [...] Ils avaient descendu les fenêtres et ouvert les portières. Partout la même voix, son étrange accent chic de la Côte Est, qui chez n'importe qui d'autre aurait irrité ceux du Midwest. On pouvait suivre son discours sans en manquer un mot tout en se promenant. On se sentait relié à ces automobilistes inconnus, hommes, femmes qui, fumant en silence, réfléchissaient moins aux paroles du président qu'ils ne reconnaissaient la justesse de son intonation et y puisaient une grande assurance.

Ce relais, ces douces rangées de radios d'auto, résume parfaitement ce que Roosevelt pouvait donner à l'Amérique et aux Américains : la continuité, dans une époque trouble.

There Is Simply Too Much to Think About est une version légèrement élaguée, puis grandement augmentée, de *It All Adds Up*, le florilège non romanesque de Bellow (1994).

« Divertissement », « bruit », « *crisis chatter* – bavardages sur la crise » : récurrents, déjà, dans le premier livre, ces thèmes sont maintenant devenus omniprésents. « Le monde nous envahit trop ; tôt ou tard, acquisitions, dépenses, nous gâchons nos pouvoirs. » Ce qui tracassait Wordsworth vers 1802 tracassait également Ruskin en 1865 (« Nulle lecture n'est possible pour un peuple dont l'esprit est dans cet état ») ; depuis, ce n'est guère étonnant, les choses ne se sont pas calmées. « Le monde nous envahit trop, et le monde n'a jamais été si présent », écrivait Bellow en 1959. En 1975, il va plus loin : « Dire que le monde nous envahit trop n'a plus de sens puisqu'il n'y a plus de nous. Le monde est tout. » Il n'y a pas d'échappatoire, pas plus dans la campagne du Vermont qu'ailleurs : « Ce qui arrive partout est, d'une façon ou d'une autre, connu de tout le monde. D'ombreux courants mondiaux submergent les terminaisons nerveuses des hommes jusque dans les coins les plus retirés de la terre. » Certes, mais « c'est apparemment dans la nature de la créature de résister au triomphe du monde », le triomphe de « l'agitation et de la turbulence » : le corpus de Bellow est une preuve vivante de cette bravade.

L'un des essais les plus audacieux du recueil est un article apparemment modeste intitulé *Wit Irony Fun Games* (« Esprit Ironie Fête Jeux » – 2003, très probablement le dernier texte que Bellow ait écrit). Bellow décrit ailleurs ses romans ou, du moins, nombre d'entre eux, comme des « comédies grand public » ; ici, il souligne que la plupart des romans sont, de très loin, « écrits par des ironistes, des satiristes et des comiques ». C'est ce que je pense depuis longtemps. Prenez la littérature russe, supposément si lugubre et adulte : Gogol est amusant, Tolstoï dans sa cruelle clarté est amusant, et Dostoïevski, mais oui, est très amusant de même ; et la dernière génération de cette littérature russe, avant d'être exterminée par Lénine et Staline, fut absolument comique : Ivan Bounine, Andreï Biely, Mikhaïl Boulgakov, Ievgueni Zamyatin. Le roman est comique parce que la vie est comique (jusqu'à l'inévitable tragédie du cinquième acte) ; et aussi parce que la fiction, à la différence de la poésie et de toutes les autres formes d'art, est avant tout rationnelle. Ce dernier point n'est pas aussi paradoxal qu'il semble être. Pour reprendre les mots de l'artiste-critique Clive James :

> Le bon sens et le sens de l'humour sont la même chose mais se déplacent à des vitesses différentes. Le sens de l'humour, c'est juste du bon sens qui danse. Quiconque manque d'humour n'a aucun jugement et on ne devrait rien lui confier.

The New York Times Book Review, 2015

Éviter le néant

La Vie de Saul Bellow :
vers la gloire et la fortune, 1915-1964,
de Zachary Leader

Lorsque Saul Bellow émergea et se cristallisa en une entité intellectuelle – à Chicago et à New York dans les années 40 –, il paraissait formidablement, effrontément, inexcusablement bien équipé pour s'épanouir dans les deux sphères de la littérature et de l'amour. « Extrêmement séduisant », d'après un observateur ; « superbe », « beau », « irrésistible » pour d'autres. Après la parution de son premier roman en 1944, il reçut un coup de fil de la MGM : s'il avait l'air trop réfléchi pour les rôles de jeune premier, lui expliqua-t-on, il serait parfait pour ceux du gars « qui se fait faucher la fille par… George Raft ou Errol Flynn ». Nous pouvons être certains que Saul Bellow n'écouta pas longtemps les sirènes de Hollywood. Cela ne lui correspondait guère : singer une succession de défaillants sexuels (Ashley face à Rhett Butler/Clark Gable), maquillé, en costume d'époque, sous le regard brûlant des lampes à arc ?

Non, depuis le début, Bellow irradiait ce qu'Alfred Kazin appelait dans ses mémoires de 1978, *New York Jew*, « une conscience de son destin de romancier qui galvanisait tout le monde autour de lui ». Épidermiquement sensible à la critique, Bellow avait un complexe – qu'un critique appelait le « complexe de l'aplomb ». D'après Alfred Kazin, « il présumait que le monde viendrait à lui ». Ce que le monde fit. Pour citer la première phrase de la biographie magistrale de Zachary Leader, Saul Bellow deviendrait l'« écrivain le plus décoré de toute l'histoire américaine ». Il eut à faire face à un seul obstacle significatif, qui s'évapora, du jour au lendemain, un certain jour de 1949, quand, à l'âge de trente-neuf ans, il découvrit « ce pour quoi j'étais né ». Mais du côté des femmes et de l'amour, en revanche, il ne trouva la solution qu'en 1986, à l'âge de soixante et onze ans.

Pour parachever la panoplie des atouts du jeune Bellow : il jouissait du glamour et de la *gravitas* d'un turbulent exotisme. Quand, à l'aube du XXe siècle, arrivée de Russie (plus précisément, de Saint-Pétersbourg), sa famille traversa l'Atlantique pour débarquer au Canada (à Lachine, puis à Montréal), Saul n'était guère plus qu'une étincelle dans la pupille de son père. Car oui, Abraham était capable d'avoir un certain éclat dans les yeux ; mais le plus souvent, un éclair de rage et de frustration. Enchaînant les fiascos, il fut successivement paysan, grossiste, entremetteur, chiffonnier et bootlegger. « Il avait, devait écrire son fils, le talent de l'échec. » Bellow Sr finit par réussir (en vendant du carburant aux boulangers) mais, avec l'âge, sa colère s'amplifia et, à soixante ans encore, il se battait à mains nues dans la rue. Sa violence était compréhensible : Abraham savait ce que c'était que porter l'équivalent moral de l'étoile jaune ; l'autocratie russe l'avait condamné au banditisme, à la prison, à la ruine, à la fuite ; plus tard, l'antisémitisme mécanisé de l'Allemagne nazie lui avait ravi trois sœurs.

En fin de compte, Abraham fut reconnaissant à l'Amérique (il en vint même à apprécier la nouveauté qui consistait à payer des impôts), mais son assimilation fut toujours fragmentaire. « Écwit-moi leddre, écrivit-il à Saul, à l'automne de sa vie. Encore je suis chef de la fwamille. » Son épouse, Liza, chétive, nébuleuse, rêveuse, figure d'un pathos discret, ne vécut pas assez longtemps pour réussir à s'adapter. Leader note un détail fort significatif :

> La distraction préférée de Liza, c'était d'aller voir un film en matinée, le week-end. Bellow l'accompagnait parfois et se rappellerait une sorte de bourdonnement dans la salle, les chuchotements de dizaines d'enfants traducteurs, dont lui-même, murmurant en yiddish à leur mère.

La vie en famille était donc archaïque, violente, gueularde et « 100 % juive ». Du bon et du mauvais, pourrait-on dire, mais le genre de mauvais auquel les écrivains tiennent plus que tout.

Début 1924, Abraham partit pour Chicago. Six mois plus tard, « des associés contrebandiers faisaient passer la frontière au reste de la famille », qui arriva le jour de la fête nationale, le 4 Juillet, dans la capitale du « cuit dur » américain (la formule est de Bellow). De tous les « professeurs de réalité » qui firent la queue pour former la sensibilité de Saul, le principal fut un Chicagoan exemplaire, Maury, l'aîné de ses frères. Il enjambe les romans de Bellow, avec ses pas moins de cinq apparitions à visage découvert[1]. « Tu piges que dalle, Maury informe-t-il, une fois n'est pas coutume, son cadet qui a toujours le nez plongé dans les bouquins. Et tu pigeras jamais rien. » D'abord coursier (et

1. Sous les traits de Simon (*Les Aventures d'Augie March*), Shura (*Herzog*), Philip (*Le Gaffeur*), Julius (*Le Don de Humboldt*) et Albert (*En souvenir de moi*).

informateur) de la pègre, Maury fit un mariage d'argent et commença à amasser une fortune dans la frange hyperactivement vénale, située entre affaires et politique (l'un des invités au mariage de sa fille était le dirigeant syndicaliste mafieux Jimmy Hoffa). De son point de vue, toute autre occupation n'était qu'un obstacle dans la course au matérialisme.

« Suffit avec toutes ces conneries d'être juif ! » clamait Maury. Dans *Herzog* (1964), lorsque le héros pleure à l'enterrement de son père, l'aîné, Shura, l'engueule : « Te comporte pas comme un connard d'émigré. » La plénitude américaine éhontée, voilà ce que Maury défendait et incarnait – avec son « duché banlieusard », ses cent paires de chaussures et trois cents costumes. Quand Saul remporta le prix Nobel en 1976, d'abord, Maury fut vexé (« *C'est moi*, le malin de la famille », clamait son comportement), puis il affecta l'indifférence, malgré un bref intérêt pour le chèque qui l'accompagnait – était-il exempt d'impôt ? Saul pouvait-il le placer à l'étranger ? Toutefois, lecteur secret, Maury n'était pas exempt de profondeur et de complexité, et Saul Bellow a toujours pensé qu'il y avait dans son énergie un élément de tragique, d'aveugle, de hâtif : la quête de l'oubli. Revanche que la vie prend sur un homme qui en conscience privilégie le lucre à l'amour.

Quant à Saul et l'amour, justement ? Ses maintes liaisons, ses nombreux mariages ? Avant de nous tourner vers eux, signalons une particularité unique de Saul Bellow. Quand on dit que tel ou tel personnage est « inspiré par » telle ou telle personne, nous nous laissons aller à une dérobade. Les personnages sont les originaux, comme nous le voyons à travers les *froideurs* familiales, les menaces de procès, les amis scandalisés et les ex-femmes aigries. Leader aborde ce fait essentiel sans tarder, dans son introduction, et fait en partie sien le verdict de James Wood (l'un des critiques les plus fins de Bellow), qui invoque un « utilitarisme maladroit mais indéniable... Le nombre de gens blessés par Bellow peut sans doute se compter sur les doigts des deux mains, alors qu'il a ravi, consolé et changé la vie de milliers de lecteurs ». Bellow reconnaissait lui-même que la question était « diaboliquement complexe ». Mais, en fin de compte, qui préférerait qu'il en soit autrement ? Le fait que les personnages viennent à la vie ou demeurent vivants sur la page vient moins d'un quelconque contrôle artistique que du pur affect visionnaire de sa prose. Bellow est *sui generis* et prométhéen, un voleur du brasier de Dieu : c'est un plagiaire survolté de la Création.

Dans ses rapports avec les femmes, il pouvait être d'une passivité glaciale, ou tout feu tout flamme. « Quelque part chez tout intellectuel, confie à Herzog l'avocat impitoyable, Sandor, sommeille un crétin. » Bellow aurait été complètement d'accord.

Quand il se fiança à sa première épouse, Anita, en 1937, il avait vingt et un ans. La seule surprise dans l'affaire est que la relation ait mis tant de temps à se déliter, après quinze ans, vingt-deux changements d'adresse et d'innombrables infidélités. « Je n'ai aucune intention, écrivit-il alors à son agent, en 1955, de sauter tout droit d'un divorce à un autre mariage. » Mais c'est bien sûr exactement ce qu'il fit, jetant son dévolu, malgré une salve de coups de semonce, sur la naïve et lunatique Sasha. Dès le début, une amie avait noté que Bellow « était le genre d'homme qui croit pouvoir changer une femme... C'était faux, cela va de soi. Voyons, qui en serait capable ? Vous ? » Voilà qui est bien dit. Mais l'on imagine que la réponse, s'il y en a une, avait plus à voir avec la littérature qu'avec la vie.

Le bonheur, a dit Montherlant, s'écrit en blanc ; il est invisible sur la page. Il en va de même pour la bonté. Anita, intègre et altruiste, n'est donc qu'une présence falote dans les romans ; Sasha, à l'opposé, serait mythologisée, diabolisée et immortalisée dans *Herzog* sous les traits de la terrifiante émasculatrice, Mady. Les termes du divorce n° 2 furent réglés en 1961. Moins d'un mois plus tard, Bellow épousait la tout aussi satinée et peu prometteuse Susan. Il semblerait que l'inconscient créateur de Bellow ait été attiré par la difficulté – afin que sa fiction s'écrive en noir. Cette fois, il réussit à se ménager, du moins, un interlude de ce que Leader appelle : « une course assidue après les jupons » : il revint d'une tournée en Europe « poursuivi par des lettres non seulement de Helen, Annie, Jara et Alina » mais aussi de Maryi, Hannah, Daniela, Maude et Iline. Vers la fin du premier volume de *La Vie*, Bellow est à mi-chemin de sa carrière matrimoniale ; nous savons que suivront encore deux divorces (Susan, Alexandra) avant que tout soit résolu et sauvé par Janis, sa véritable moitié platonique. Alors, l'espoir triompha sur la déception, l'innocence sur l'expérience.

Les romans suivent à peu près cette courbe. Quantité de fois, dans sa *Correspondance* (assemblée en 2010), Bellow se décrit comme un romancier « comique », ce qui me paraît fort juste. Mais on trouve peu de traces d'une auto-évaluation aussi joyeuse, et d'un tel résultat, dans ses « œuvres d'apprenti » des années 40, *Un homme en suspens* et *La Victime*, parfaits exemples du sérieux maussade et obstiné de l'air du temps, le milieu du XXe siècle. Le tournant, qui advint lorsqu'il conçut *Les Aventures d'Augie March* (1953), eut lieu, quoi de plus logique, à Paris – QG mondial de la sinistrose cérébrale. Bellow désespérait, à juste titre, de son troisième roman : il mettait en scène deux invalides dans une chambre d'hôpital. En arpentant les rues de Paris, un jour, Bellow vit les caniveaux chamarrés d'« irisations ensoleillées ». L'épiphanie fut totale. C'en était fini. De Marx, de Trotski, de Sartre, de l'*ennui**, du *cafard**, de la *nausée**, de l'aliénation, du malheur existentiel, du Néant, etc. : tout cela, il l'élimina, le maudit. Désormais, il se consacrerait à la fluidité, aux perceptions d'enfance de son « premier cœur », de ses « yeux originels ». En bref, il s'en remettrait à son âme. Désormais, le chemin était libre pour les splendeurs fervemment *meshuga*, dingues, d'*Augie March*, *Henderson*, *Herzog* et les autres.

J'ai fréquenté Saul Bellow deux décennies durant ; je connais le professeur Leader depuis trente ans, et il est l'auteur de la très estimée biographie de mon père, Kingsley Amis. Je suis donc sans doute désintéressé, mais pas impartial. Il n'empêche, je ne serai sans doute pas le seul à espérer que *The Life of Saul Bellow* devienne la biographie de référence. Leader est respectueux mais pas intimidé, objectif mais jamais anodin, et son travail de critique littéraire, comme sa prose, est infailliblement élégant et perspicace. L'ouvrage est savant et long – l'auteur se trouve être un ajouteur, pas un retrancheur. Mais le lecteur qui pénètre dans ses pages y trouvera une multitude de sujets fascinants. Entre autres : le fonctionnement de la pègre de Chicago ; les remous et « prépercussions » de la révolution sexuelle ; l'ascendance romantique de Bellow (ses affinités avec Blake et Wordsworth) ; et les courants et raffuts du domaine culturel américain, avec ses factions et rivalités, ses énergies tâtonnantes, ses loyautés orageuses et ses haines qui l'étaient encore plus.

Une bonne biographie devrait reproduire et adapter un processus qui nous est familier à tous. On perd, disons, un parent ou un mentor bien-aimé. Une fois que les réactions élémentaires, à la fois universelles et personnelles, ont commencé à s'estomper, on ne voit plus la figure réduite et simplifiée, compromise par le temps – dans le cas de Bellow enrobée d'interprétations, platitudes et approximations de seconde main. On commence à distinguer l'être entier, dans toute sa fraîcheur et son essence. C'est ce qui arrive ici.

Jusqu'à sa mort en 1955, Abraham Bellow décrivit Saul comme un boulet chronique pour sa famille, le seul fils qui « ne travaille pas, qui écrit ». *Ne travaille pas ?* Qu'il dise ça à Augie March (car Augie, se trouve-t-il, est l'auteur de ses *Aventures*) :

> Pendant tout le temps où on ne croyait rien faire, en réalité, ça travaillait extrêmement dur. Dur, dur : ça fouillait, creusait, extrayait, perçait des tunnels, soulevait, poussait, déplaçait des rochers, travaillait dur, dur, dur, dur, dur, s'essoufflait, traînait, hissait. Rien de tout cela ne se voit de l'extérieur. Le labeur est interne. C'est comme ça parce qu'on est impuissant, incapable d'aller nulle part, d'obtenir justice ou récompense, de sorte qu'au-dedans de soi, on trime, on s'escrime, on se bat, règle des comptes, se souvient d'insultes, on croise le fer, réplique, nie, déballe tout, dénonce, triomphe, joue au plus fin, submerge, justifie, crie, persiste, absout, meurt et se relève. Tout ça tout seul ! Où est tout le monde ? Dans les tripes, dans la peau, toute la clique.

Vanity Fair, 2015

Véra et Vladimir

Lettres à Véra, de Vladimir Nabokov

> Mon soleil, mon âme, mon chant, mon oiseau, mon ange, ma peau rosée, mon arc-en-ciel ensoleillé, ma petite musique, mon délice indicible, ma douceur, ma tendresse, ma légèreté, ma chère vie, mes chers yeux…

Ces termes affectueux et ces salutations (soutenus par toute une ménagerie de surnoms : *Goosikins*, ma petite oie blanche, *Poochums*, mon chiot tout fou, *Tigercubkin*, ma douce tigresse, *Puppykin*, ma chienchiennoshka) suggèrent une adoration planétaire et, plus encore, une dépendance désarmée. Dès la deuxième lettre de Vladimir Nabokov à Véra Slonim, après deux mois d'une chaste relation, il étale tout à ses pieds :

> Je ne puis écrire un mot sans entendre comment tu le prononceras et ne puis me rappeler une seule vétille que j'aie vécue sans regretter – si fort ! – que nous ne l'ayons pas vécue ensemble […] Tu es entrée dans ma vie […] comme l'on entre dans un royaume où toutes les rivières attendent depuis toujours ton reflet, et toutes les routes tes pas.

Et elle se poursuit ainsi pendant plus d'un demi-siècle, son ardeur – d'abord, à l'occasion, d'une insécurité bondissante –, évoluant tout de même peu à peu vers une certaine assurance et sérénité. Mais attention : on note une aberration sismique (Paris, 1937), sur laquelle il reviendra avec gêne.

Vladimir (qui pour lui rimait avec *redeemer* – rédempteur) naquit en 1899, Véra en 1902. Ils se rencontrèrent à Berlin en 1923 lors d'un bal de charité organisé par la communauté russe émigrée – forte de 400 000 personnes, d'une remarquable cohésion, d'une grande pauvreté matérielle et richesse intellectuelle. Quoique d'origines fort différentes (lui artiste-patricien, elle issue de la petite-bourgeoisie commerçante juive), ils étaient tous deux représentatifs de leur colonie, d'une grande élévation morale et détachée de ce monde. C'était un bal masqué. Pendant toute la soirée, Véra garda son masque.

Il dut partir immédiatement travailler dans une ferme du sud de la France. Fervente admiratrice de ses poèmes (dont beaucoup étaient intimistes), elle devait savoir qu'il venait de traverser les affres d'une rupture avec une fille qu'il avait espéré épouser. Avec une audace rare, elle lui écrivit jusqu'à ce qu'il lui réponde. Vladimir rétorqua qu'il ne le niait pas ; dans cette première lettre, Véra est déjà : « mon étrange joie, ma tendre nuit ». Lorsqu'il rentra à Berlin, la romance reprit sans la moindre inhibition, en tout cas de son côté à lui. Ils se marièrent au printemps 1925.

L'une des caractéristiques les plus frappantes de Nabokov était sa bonne humeur quasi pathologique, qu'il trouvait lui-même « indécente ». Les jeunes écrivains ont tendance à chérir leur sensibilité, et donc leur aliénation, mais la seule source de mal-être que Nabokov avouait était l'« impossibilité d'assimiler, d'ingurgiter toute la beauté du monde ». L'effervescence de ce mari ne dut pas toujours être de tout repos ; n'empêche, le fait que Véra n'ait pas joui du même tempérament ne fait que nous rappeler la norme planétaire. Leur première longue séparation survint au printemps et à l'été 1926, quand elle dut séjourner dans une succession de sanatoriums en Forêt-Noire, à la suite d'une inquiétante perte de poids accompagnée d'angoisses et de dépression.

Pendant ces sept semaines, Vladimir lui écrivit tous les jours. Couvrant plus de cent pages, l'interlude est l'un des sommets dans la chaîne de montagnes qu'est ce livre. Il tentait non seulement de lui remonter le moral à l'aide de puzzles, de charades, de mots croisés, qu'elle résolvait presque invariablement, mais aussi de la guérir par la simple force de son *amour* – à l'aide de transfusions ponctuelles de sa robuste vénération. On est soumis à l'étrange obsession du quotidien, car il lui raconte tout : ses écrits, ses cours, ses parties de tennis, ses gambadements et baignades dans la forêt de Grunewald (à elle la forêt noire, à lui la verte) ; il lui raconte ce qu'il lit, ce qu'il mange (tous ses repas sont détaillés), ses rêves, ce qu'il porte. De temps à autre, comme en passant, presque avec dédain (ainsi qu'il sied à un ex-adolescent millionnaire), il signale qu'ils n'ont pas un sou.

Ils étaient constamment sans le sou, malgré toute leur frugalité et leur sens de l'économie ; ils durent faire attention au moindre pfennig d'abord, puis au moindre centime, puis aux moindres nickels et *dimes*, jusqu'à *Lolita*, à la fin des années 50 – ils étaient alors mariés depuis plus de trente ans. Les trois premiers romans, *Machenka* (1926), *Roi, Dame, Valet* (1928) et *La Défense Loujine* (1929) étaient à l'évidence des chefs-d'œuvre ; Nabokov s'adressait à des auditoires sous le charme à Berlin, Prague, Bruxelles, Paris et Londres ; il était aisé de comprendre que c'était un génie gigantesque. (Ivan Bounine, le premier Russe Nobel de la littérature, déclara gravement : « Ce gamin a pris un fusil et liquidé toute la vieille garde, moi compris. ») Mais Vladimir et Véra étaient toujours sans le sou.

Leur seul enfant, Dmitri, né en 1934, fut accueilli avec ravissement (loin de lui, Vladimir regrette les « circuits du courant de bonheur lorsqu'il passe ses bras sur mes épaules »). Sans nul doute, c'est cette nouvelle responsabilité qui fit sortir Nabokov de sa tanière et le força à prendre la route, pour de bon. Il sillonnait l'Europe, jonglait avec contacts et contrats, écrivait des critiques, des reportages, acceptait des traductions (dont certaines tristement techniques) du russe, de l'anglais, du français, et inversement. Au printemps 1939, il était encore à Londres, il faisait antichambre, en quête d'un poste à l'université de Leeds – ou, pourquoi pas, de Sheffield. Nabokov dans le Yorkshire ? Ce fut l'une des multitudes de possibilités humaines balayées par la Seconde Guerre mondiale.

Son père, Vladimir aussi, était un homme politique de renom, un libéral (décrit avec une aigreur mémorable par Trotski dans *Histoire de la Révolution russe*). Il fut tué à Berlin, en 1922, pas tout à fait accidentellement, par des malfrats fascistes. Malgré tout, on a l'impression que son fils considérait la réalité du moment comme une distraction vulgaire, une succession de ce qu'il appelait des « actualités boursouflées ». En 1935, à Berlin, la famille ne bougea pas d'un pouce alors même qu'étaient promulguées les lois de Nuremberg (Nabokov n'en fait pas état). Véra et Vladimir avaient fui les bolchéviques chacun de son côté. En 1936, néanmoins, Vladimir comprit, habité tout à coup par une peur longtemps sublimée, que l'Allemagne nazie n'était pas un endroit pour son épouse juive et leur enfant « métis ». Début 1937, afin de préparer leur fuite en France, Nabokov se rendit à Paris. Et c'est alors que cela arriva. L'incartade, la choquante faute de savoir-vivre, ce que Humbert décrivait comme la « fatale délectation ». Due à une créature pas née de la dernière pluie, du nom de : Irina Yurievna Guadanini.

L'imbroglio Vladimir-Irina a été rendu public en 1986 ; Stacy Schiff y consacre une section instructive dans sa biographie de *Véra* (1999). Mais il est douloureux, déchirant de suivre cette histoire du point de vue, pour ainsi dire, de la plume de Nabokov. Quelle effroyable bouillasse ne se prépara-t-il pas sur l'avenue de Versailles ! Une peur mortelle eu égard à sa femme et à son fils, une relation fort peu judicieuse, imprudente, une hideuse crise de psoriasis qui, en un symbolisme sommaire, ensanglanta ses draps et ses sous-vêtements. Voici donc le grand homme, la grande âme, gêné mais taquin (« Ne t'avise pas d'être jalouse »), ricanant de ses « viles rumeurs » : en gros, il se ment mielleusement à lui-même. L'antique loi ne m'a jamais frappé avec autant de force : les gens sont originaux et spécifiques dans leurs vertus ; dans leurs vices, ils sont éculés, éventés, englués dans la compromission. Vertigineuse embardée vers l'ordinaire.

Et ce ne fut pas la fin de l'épisode. En juillet, à Cannes, il avoua tout à Véra – reconnut ce qu'il pensait être un authentique *amour fou** (atténuant le délit à nos yeux, peut-être, mais pas à ceux de Véra). Plutôt imperturbable, semble-t-il, Véra lui demanda de décider, de choisir. Irina parut pâlement sur la Croisette ; mais Vladimir avait choisi, et tout fut fini. « Vois-tu, je n'ai jamais *fait confiance* à qui que ce soit, avait-il écrit à Véra en 1924. Dans tout enchantement, il y a un élément de confiance. » Sa confession et les séquelles iriniennes se passent dans les coulisses. Mais dans ses lettres parisiennes, les corrosifs effets secondaires de la tromperie sont omniprésents. La brusque et vague indécision de Véra (qui désormais hésite à le rejoindre) ; l'exaspération bougonne de Vladimir ; un déficit de confiance, un déficit d'enchantement.

Les Nabokov semblent s'en remettre plus vite que le lecteur que je suis ne s'y serait attendu. Le volume *Lettres à Véra*, classées et annotées avec une terrifiante assiduité par Brian Boyd (le nabokovien en titre), est inévitablement lourd du bas : 439 pages couvrent les années 1923-1939 ; ensuite, après une interruption, à peine quatre-vingts pages (dont beaucoup sont superficielles) couvrent la période 1941-1976. Afin que le volume ressemble à un compte-rendu complet sur leur vie, il eût fallu que les Nabokov passent une semaine sur deux séparés. Or ils étaient plus ou moins inséparables. Quand il voyageait sans elle, le rythme quotidien de sa correspondance est instantanément rétabli, et ni le temps ni l'espace ne manquent pour nous convaincre que l'intimité sans nuages est rétablie, aussi, chaque fois.

C'est la prose même qui procure l'affirmation permanente. La palpitante réceptivité ; les exquises évocations d'animaux et… d'enfants (en rien sinistres, même si le prototype de *Lolita*, *L'Enchanteur*, date de 1939) ; la façon dont tous ceux qu'il rencontre sont minutieusement individualisés (un maître d'hôtel, un bureaucrate, un contrôleur du métro) ; les descriptions détaillées de soirées et de scènes de rue ; la réceptivité au temps, à fleur de peau (Nabokov est le poète suprême des ciels) ; et, sous-tendant tout cela, la somptuosité, le don librement offert de sa sublime énergie.

The New York Times Book Review, 2015

Politique – 3

Le président Trump discourt dans l'Ohio

Lorsque le jeune Bismarck quitta son poste à l'ambassade de Prusse à Saint-Pétersbourg après les quatre années réglementaires, il fit graver sur une bague le verdict suivant : *La Russie, c'est le néant.* Stérile, sclérosée et mortellement repliée sur elle-même, l'autocratie tsariste était le « néant », le vide, d'une nullité absolue. À son tour, Donald Trump figure le *néant.* Le vide intégral. Aucune honte, aucun honneur, aucune intégrité, aucun savoir, aucune curiosité, aucun décorum, aucune imagination, aucun esprit, aucune emprise, aucun bon sens. Néanmoins, dans ce réceptacle immaculément vide, certains citoyens américains réussissent à déverser leur colère, leur ressentiment, leurs ambitions, leurs espoirs. Comment y parviennent-ils ?

Cet été, j'ai quitté Manhattan, direction Youngstown, Ohio, pour voir ce qu'il en était, lors d'un meeting tenu, ou plutôt, offert (entrée gratuite), par le président des États-Unis. Me sentirais-je à mon aise au milieu des autres participants ? En chemin, je me répétai mentalement la loi dite de Barry Manilow, promulguée par le critique-poète Clive James : *Tous les gens que je connais pensent que Barry Manilow est lamentable mais tous ceux que je ne connais pas le trouvent formidable.* Le Covelli Center était bourré à craquer : 7 900 personnes. Me voilà donc, entouré par tous ceux que je ne connais pas.

Et voici Donald Trump qui, à cinquante mètres de distance, applaudit en saluant la foule et égrène son mince répertoire de faux sourires : les seuls à être à sa portée puisque tout «sens de l'humour» qu'il ait pu revendiquer par le passé s'est évaporé depuis belle lurette, en même temps que son pendant : l'équilibre mental.

Il cumule en tout et pour tout trois sourires de façade : le sourire satisfait du pro du tee, qui révèle sa dentition de champion de golf; l'autre pour lequel il se mord la lèvre inférieure rentrée dans la bouche (moins un sourire qu'une imitation de l'Américain moyen); et, sans doute le plus insupportable, le rictus brut de hauteur régalienne qui, tel un masque d'acteur comique, fend le visage d'une oreille à l'autre. Les yeux, de leur côté, demeurent totalement exempts de toute joie.

Eric et Lara étaient là, tout comme Rick Perry, et Anthony Scaramucci (à en juger par son apparence, «le Mooch», *mucci-mooch* la sangsue, pourrait presque figurer sur les catalogues de l'agence pour gigolos haut de gamme qui emploie Don Jr). Ah oui, et Melania aussi. L'épouse de Trump, Melania Knauss. Ma femme à moi, fine observatrice des langages corporels, affirme qu'il ne fait pas l'ombre d'un doute que Melania ne peut pas voir Donald en peinture. Peut-être POTUS (President Of The United States) n'amène-t-il FLOTUS (First Lady Of The United States) que pour un bécot, un câlin et un effleurement de mains, auxquels, désormais, se limite sans doute sa libido. D'aucuns (dont moi) croient que la libido de Trump a été ridiculement amplifiée (notamment par le germophobe en personne, plastronneur de vestiaire spécialiste de l'autopromotion). Tout ce que nous savons de façon plus ou moins certaine, c'est qu'il l'a fait cinq fois.

Même à 12 000 dollars le costume ou quel qu'en soit le prix, l'art du tailleur ne peut pas faire grand-chose de l'opiniâtre armoire à glace DJT. N'empêche, malgré ses rictus et ses larges sourires sans joie, il est de toute évidence fort heureux d'être au Covelli Center. Au moins ne récoltera-t-il pas ici de « critiques mitigées », comme c'est le cas dans le *swamp* (le marais, alias Washington) et dans les médias abonnés aux *fake news*. À voir ses meetings à la télé, la foule maîtrise un quarté d'incantations de peu de syllabes, CONSTRUIS CE MUR, FOUS-LA AU TROU, et U-S-A ; le quatrième étant ON AIME TRUMP, et c'est peu dire : ON AIME TRUMP, ON AIME TRUMP, ON AIME TRUMP...

Récemment, son pourcentage de *très favorables* avait fait la culbute, chutant de 30 % aux environs de 20 %. Mais sa prise de bec avec Kim Jong-un l'a fait remonter dans les sondages. On dit que la base de Trump tournerait désormais autour de 35 %. En résumé, disons donc que, *grosso modo*, à Youngstown, nous voyons comment l'autre tiers vit – et aime.

Je reviendrai plus tard au Covelli Center. Mais, d'abord : quelques remarques d'ordre général.

Depuis des années, Hillary Clinton évoque une « vaste conspiration droitière ». C'est une contradiction dans les termes – moins absurde, cependant, que la référence de Trump à une « vaste conspiration planétaire » autour de l'Accord de Paris (où les tireurs de ficelles s'affairaient, cela va de soi, à escroquer les États-Unis). Par définition, une « conspiration » est secrète. De ce fait, on devrait ignorer toute mention de conspiration impliquant plus d'une poignée de participants – un noyau dévoué à la cause. Ce qui rend loufoque l'hypothèse, parmi des centaines d'autres, d'un 11-Septembre auto-infligé, avec tout son attirail d'équipes de démolition contrôlée et d'opérateurs de missiles Tomahawk. Au-delà d'un certain point, la nature humaine étant ce qu'elle est, un secret n'est plus un secret.

Il n'y a pas de vaste conspiration droitière. Ce qu'il y a, ainsi que Joshua Green l'a brillamment démontré dans *Devil's Bargain : Steve Bannon, Donald Trump, and the Storming of the Presidency*, c'est un effort non coordonné mais disséminé à tout vent, visant, sans grande rigueur, un but commun poursuivi de manière inégale suivant les participants impliqués : à savoir abattre une Hillary Clinton globaliste et multiculturaliste, puis (plus tard, bien plus tard) promouvoir le nationaliste et suprémaciste blanc Donald Trump. Les participants vont des vendeurs de gadgets anti-Hillary (casse-noisettes dont les cuisses de Hillary cassent les noisettes, autocollants de pare-chocs « La vie est une chienne. N'en élisez pas une autre ») à une clique de donateurs ultrariches et ultrapervers (dont certains sont aussi ultratalentueux), le tout orchestré par un aréopage de brillants charlatans – dont le plus notoire est Steve Bannon.

Prenez Robert Mercer, par exemple. *Self-made man* milliardaire, collectionneur de mitrailleuses et fan de déguisements, il est assez crédule pour avoir voulu imposer la candidature au Congrès d'un certain Arthur Robinson, un « chercheur en chimie » de l'Oregon qui, dans sa quête de la clef de la longévité humaine, a amassé, écrit Joshua Green, « des milliers d'échantillons d'urine qu'il a congelés dans des fioles et entreposés dans des maxi-réfrigérateurs». Robinson perdit, de justesse. Après l'élection de Trump, la deuxième fille de Mercer, la très impliquée Rebekah, insista pour que Robinson soit nommé «conseiller scientifique national». Cette campagne échoua aussi – à neuf voix contre une, ose-t-on espérer.

Crédule, Mercer? Sans doute, mais il a aussi été assez futé pour révolutionner la traduction informatique. Au début des années 1990, cette branche était aux mains des linguistes et des grammairiens. Mercer et son collègue d'IBM Peter Brown optèrent pour une approche radicalement opposée, «fondée sur un outil appelé "algorithme espérance-maximisation (EM)" – une méthode d'estimation paramétrique employée par les casseurs de codes pour découvrir des schémas». Les scientifiques lexicographes se moquèrent des tentatives de Mercer mais la «traduction automatique statistique (TAS)» fonctionna – pour toutes les langues connues. C'est la base de Google Translate.

En lisant *Devil's Bargain*, nous sommes assaillis par un doute : pour chaque Bill et Melinda Gates, dans la stratosphère des 1 %, il y a un Robert et une Rebekah Mercer qui cherchent des ennuis et un type comme Trump. Tout cela n'aurait pas été bien grave sans le chef-d'œuvre judiciaire qu'est *Citizens United v. Federal Election Committee* (2010). Citizens United est un groupe marginal de Républicains ennemis jurés de Clinton; il est présidé par David Bossie, autre mouche du coche et barjo embauché par Bannon – puis par Trump, au moment où il lançait son offensive sur le lieu de naissance de Barack Obama.

Avançons jusqu'à la mi-août 2016, trois mois avant l'élection. À ce moment-là, l'avance de Hillary Clinton frôlait les deux chiffres et Trump était «en pleine déliquescence », comme le dit, mémorablement, Douglas Brinkley. Rebekah Mercer se rendit en hélicoptère à East Hampton dans le domaine de Woody Johnson (propriétaire des New York Jets) pour un face-à-face avec le candidat républicain. Joshua Green a donné la version suivante de ce qui s'est passé :

> La famille de Rebekah Johnson avait investi dans Trump à la hauteur de 3,4 millions de dollars, plus si on comptait les soutiens auxiliaires comme *Breitbart.* Elle lui a dit que le Comité national républicain était à deux doigts de le lâcher pour se concentrer sur le sauvetage des majorités républicaines à l'Assemblée et au Sénat.
> « C'est mauvais, admit Trump.
> – Non, ce n'est pas mauvais… c'est fichu, rétorqua-t-elle. À moins que vous ne changiez quelque chose. »
> Mercer dit à Trump qu'il devait se débarrasser de Paul Manafort, dont la tentative bancale pour le modérer afin de le rendre acceptable aux yeux des indécis avait manifestement échoué. En outre, les liens de Manafort avec les autocrates pro-Kremlin nuisaient à sa campagne. « Prenez Steve Bannon et Kellyanne Conway, dit Mercer. Je leur ai parlé ; ils sont d'accord. »

Bannon et Conway s'exécutèrent, Trump s'exécuta, l'électorat américain s'exécuta et, le reste, gênant ou pas, est entré dans l'histoire. Va pour les journalistes, c'est une engeance brute de décoffrage, mais comment les historiens aborderont-ils cette histoire ? *Seul un extraordinaire enchaînement d'événements*, commenceront-ils, *a pu aboutir à l'ascension d'un personnage aussi manifestement…* Nous rougissons face aux historiens, à l'Histoire et à Clio, sa muse. Si l'on écarte pour l'instant l'incommensurable contribution de

James Comey, l'homme responsable de la disgrâce et du désastre américains est Steven Kevin Bannon.

Si Christopher Hitchens était encore en vie, il serait le porte-parole de la Résistance (avec Bernie Sanders). Or, je ne crois pas que, dans ce rôle, Christopher gâcherait beaucoup de munitions à tirer sur le miroir aux alouettes Donald Trump ; il viserait directement Bannon, qui est, ou fut, le « grand manipulateur » mis en avant par *Time.* Après une « carrière kaléidoscopique » – officier de marine, trader chez Goldman-Sachs, chercheur en sciences de la Terre, producteur à Hollywood, magnat des paris en ligne, *editor* de *Breitbart News*, Bannon était à l'affût d'un instrument politique susceptible de l'aider à concrétiser sa « vision ». Il fut un temps attiré par Sarah Palin (ce qui, dans une certaine mesure, vous donne celle de l'homme) ; puis vint Trump.

Green définit Bannon comme un « Falstaff en claquettes » : si l'image est juste concernant le physique, elle est fausse selon quasiment tous les autres points de vue (dans la catégorie vantardise & couardise, on pourrait tout aussi bien appeler Trump : un Falstaff en frusques Brioni). Bannon appartient à un type bien identifiable : le crétin au QI élevé, l'abruti des tests Mensa. Il est très futé et très énergique ; mais il n'a pas un atome d'intelligence *morale.* Or Falstaff en déborde : voyez plutôt sa formidable satire de l'« honneur » martial (« Celui qui est mort mercredi. S'en rengorge-t-il ? »). Certes, le type Bannon m'est familier, mais je dois reconnaître que sa catégorie de nihilisme tendance et décalé paraît inédite. « Quand elle entre dans ta vie, déclare-t-il dans un éloge sans mélange de Julia Hahn (l'une de ses "Valkyries"), ça chie tous azimuts. »

En dépit de ses vulgarités calculées, Bannon a des prétentions intellectuelles, sinon grandioses. Son autodidacticisme censément dévorant ne lui a pas donné accès à une alphabétisation sans faille (« Tous les matins, le président Trump me dit et à Reince... »). Il pratique en outre le papillonnage cérébral : le bouddhisme zen, les écrits de l'occultiste français René Guénon et du théoricien racial italien Julius Evola (un proche des fascistes, dont les idées trouvèrent grâce, un temps, auprès des nazis). Dans le même ordre d'idée, son « étude systématique des religions mondiales » ne l'a pas détourné du rite tridentin de ses origines.

« Tridentin » désigne la forme du rite romain en vigueur dans l'Église catholique entre 1570 (Concile de Trente) et 1964, date de la réforme liturgique entreprise par Paul VI. 1570, 1964 : deux dates majeures du calendrier bannonien. La seconde parce que les années 1960 virent le libéralisme séculaire dégénérer (iconoclasme, sexe et drogue). Il n'est guère étonnant que Bannon se soit extasié devant le programme de Marion Maréchal-Le Pen. Non content de le trouver « quasiment médiéval », il déclama : « Elle est l'avenir de la France. » Le Moyen Âge pour tout horizon : voilà Bannon. Figure également dans son fourre-tout, qui l'eût cru, les platitudes habituelles sur le « clash des civilisations » (avec l'islam). Or il ne s'agit pas d'un clash des civilisations : c'est le clash d'une civilisation avec une mêlée de gangsters religieux (dont bon nombre de convertis). Depuis le 11-Septembre, la terreur jihadiste a fait moins de victimes sur le sol américain que les groupes d'autodéfense suprémacistes blancs.

À n'en pas douter, Bannon est un personnage potentiellement très dangereux : c'est le Cheney de Trump. Le meilleur moyen de neutraliser la menace serait de placarder son visage sur le maximum de couvertures de magazines, et Trump lui indiquerait vite la sortie. Mais cela ne sera sans doute pas nécessaire. Cette triple buse vaudevillesque a habilement manœuvré pour se retrouver dans les couloirs de la Maison-Blanche ; toutefois, dénué d'imagination morale, il n'a pas vu ou ne s'est pas soucié du fait que, parvenu au pouvoir, Trump serait instantanément corrompu, ses fils se toucheraient et il s'autoproclamerait « [s]on propre stratège » (en plus d'être « la personne la plus formidable du monde ») : il n'écouterait plus personne. Où qu'on se tourne, désormais, on entend les gens clamer que Trump est « idiot », « cinglé », un « fou », un « déséquilibré » ; Paul Krugman n'est pas le seul à insinuer publiquement que Trump en est aux premiers stades de la démence sénile. Imaginez son *second mandat*…

Soyons clairs. La fracture psychotique du Parti républicain a débuté le soir des élections en 2008 (le Tea Party s'unit immédiatement après l'investiture d'Obama). *Horribile dictu*, mais un Américain sur trois ne supportait pas de voir un Noir à la Maison-Blanche. Le blond hystérique qui l'occupe aujourd'hui est la conséquence directe de cet atavisme. Quant à son mandat, la question a toujours été, dès le premier jour : à quel moment un nombre suffisant de Républicains feront-ils passer la *patrie** avant le parti ? Comme le dirait Steve Bannon : « Combien de merdes sont-ils capables de gober ? »

Ce soir-là, à Youngstown, le président posa une question rhétorique : « Est-ce qu'il y a un endroit plus amusant, plus excitant et *moins dangereux* qu'un meeting de Trump ? » L'une des trois propositions était vraie – un taux de véracité exceptionnel pour Donald J (« Donald J », au fait, était une des incantations de peu de syllabes qui rimaient, quelle aubaine, avec « U-S-A »). J'ai trouvé ce meeting de Trump d'un ineffable ennui ; il ne stimulait rien qu'une incrédulité plombée ; mais il était en effet parfaitement sans danger. Personne n'était habillé en *stormtrooper* ou en grand Wizard du Ku Klux Klan. Pendant le tour de chauffe, tandis qu'était solennellement entonné le serment d'allégeance, pour lequel tout le stade se leva comme un seul homme (mais tout le monde ne posa pas la main sur le cœur), je demeurai assis, là-haut dans les tribunes, et continuai d'écrire à toute vitesse dans mon carnet en moleskine hautement suspect. Personne ne m'adressa le moindre regard, sans parler d'un second.

Pendant le discours de Trump, on entendit quelques discrètes protestations (des braillements inintelligibles) et les dissidents furent tranquillement reconduits à la porte. Si Trump est loin d'avoir perdu son goût pour la violence par tiers interposé (*cf.* sa récente incitation à la brutalité policière), il accueillit les expulsions avec une légère non-drôlerie et en appela même au Premier amendement : nulle envolée électrisée évoquant brancards et saignements de nez. L'autre changement significatif de son mode opératoire concerne le beau mur à la frontière sud. D'habitude, quand les incantations « CONSTRUIS CE MUR » se taisent enfin, repliant le pavillon de son oreille comme un acteur amateur, il demande : « Et qui va le payer ? » Eh bien, à Youngstown, il n'a pas fait ça. Pourquoi ? Parce que, désormais, la réplique ne serait pas un triomphal « LE MEXIQUE ! » ou « C'EST *EUX* ! » mais le considérablement plus feutré « L'AMÉRIQUE » ou « C'EST *NOUS* » (les estimations grimpent jusqu'à 25 milliards). Hormis quoi, Donald fut un gentil garçon et ne s'écarta pas une seule fois du texte de son prompteur – oubliant de dire, par exemple, qu'il allait virer Jeff Sessions et le remplacer par quelqu'un qui virerait Robert Mueller.

Nous n'échappâmes pas aux contre-vérités coutumières (les Américains sont parmi les gens les plus imposés sur terre) et aux grotesques distorsions (si les primes d'assurances ont augmenté de 200 % en Alaska à cause du « cauchemar de l'Obamacare », pourquoi sa sénatrice a mis dans l'urne l'un des bulletins décisifs contre le retrait ?). Hormis quoi, si l'on n'écoutait pas le contenu, il faut avouer que, de temps à autre et pour un court laps de temps, il paraissait presque présidentiel. Mais qu'est-ce qu'un président fiche dans un meeting après seulement sept mois à la Maison-Blanche ?

Il vient là, nous dit-on, pour la validation. Et il l'obtient. La validation, et une loyauté tout aussi imperméable à la réalité que la National Rifle Association qui s'oppose à toute entrave au port d'arme en s'appuyant sur le Deuxième amendement. Un tiers, *grosso modo*, du près de un milliard d'armes à feu sur la planète (y compris celles de toutes les armées du monde) se trouve aux États-Unis : à savoir à peu près une par personne. Les morts par armes à feu tournent autour de 93 par jour. Je suppose que l'engeance Balles & Gâchette s'accommoderait de 930 par jour ; mais pas de 9 300, car cela dépeuplerait le pays en une génération.

Pour perdre sa base, Trump devrait présider à quelque chose de presque aussi cataclysmique. Transformer la fonction tenue jadis par George Washington, Abraham Lincoln, FDR et LBJ en une poule aux œufs d'or d'une obésité morbide n'y suffit pas. Le plan de réforme du système de santé à la Hood Robin aurait pu suffire, s'il avait été adopté avant la fin de cette année. Un (improbable) krach boursier pouvant être mis sur le dos d'un bouc émissaire n'y suffirait pas non plus ; un nouveau scandale sexuel (guère concevable) pas davantage. Si l'alchimie entre le « gros gamin qui gouverne la Corée du Nord » (l'expression est de John

McCain) et la grosse cruche qui gouverne les États-Unis débouche sur la vaporisation, disons, de Los Angeles, et si celle-ci est suivie par un déballage de tout notre arsenal (avec toutes ses conséquences) : alors oui, *ça*, ça le fera. De toute évidence, Trump n'attend qu'une excuse pour rayer de la carte la Corée du Nord, de quoi récolter une ovation de la planète reconnaissante. J'espère qu'il écoutera quand quelqu'un lui dira la vérité : à savoir que l'Amérique resterait au ban des nations jusqu'à la fin du siècle.

Hormis quoi, les 35 % de Trump sont plutôt solides. La base de George W. Bush, ainsi que l'intéressé le confia à des convives lors d'un dîner de collecte de fonds à un million l'assiette, était constituée par les super-riches. En quoi consiste la base de Trump ?

> Des ingénieurs de l'Intel ont fait une estimation de ce qui se serait passé si on avait autant investi sur l'amélioration d'une Coccinelle Volkswagen de 1971 que sur les puces électroniques…
>
> Je vous donne les chiffres. Aujourd'hui, cette Coccinelle-là ferait dans les 450 000 km/heure. Elle consommerait 5 litres de carburant aux 3,5 millions de km, et elle coûterait 4 cents…
>
> Thomas L. Friedman, *Merci d'être en retard*

Dans un monde dont le rythme s'accélère, les Trumpistes loyalistes piétinent au point mort et courent perpétuellement le risque de rétrograder en marche arrière. Pourquoi et comment Trump leur redonne-t-il espoir ? Il leur redonne espoir parce que – à voix basse et entre crochets – il leur dit :

Les médias des élites vous disent que vous êtes stupides et que vous n'y connaissez rien. Alors, regardez-moi. Je suis stupide aussi et je n'y connais pas plus que vous. Je crois que Frederick Douglass [1818-1895] est encore vivant… et fait du bon boulot, en plus. Je pense que mon héros et modèle présidentiel Andrew Jackson [1767-1845] était « vraiment en colère » à cause de la Guerre civile [1861-1865]. Les gens ne comprennent pas, vous voyez : la Guerre civile, quand on y pense, on se demande : pourquoi ? Mes conseillers me disent que c'était à cause de l'esclavage. Pourquoi on n'a pas trouvé une autre solution ? Vous savez ce que je dis, moi ? « Vivre et laisser vivre. » J'ai inventé cette formule avant-hier. Je la trouve plutôt bonne.

Un jour, ce gars qui bosse pour moi, Steve Bannon, il a dit : « Vous êtes en train de vous familiariser avec l'histoire militaire. » Quand il a dit ça, j'ai tout de suite saisi qu'il avait raison. Prenez Napoléon. Vous savez qu'il a un peu mal tourné [autre façon de dire qu'il a perdu au bas mot un demi-million de soldats en 1812]. Mais son seul problème, c'est qu'il n'est pas allé en Russie ce fameux soir… parce qu'il baisait avec une gonzesse dans la Ville lumière… et ils sont morts gelés [Napoléon est resté six mois en Russie. Sans son armée, il mit treize jours à rentrer de Minsk à Paris]. Je devrais préciser que Napoléon aurait dû partir pour la Russie ce soir-là. Parce que Air France n'existait pas à l'époque. Et il n'avait pas un jet privé avec NAPOLÉON écrit dessus. Les soi-disant médias disent que vous n'avez pas de nouvelles idées. Comme les Démocrates. Moi, je suis un grand militaire [mais scrupuleusement non combattant : ce qu'on appelle aux États-Unis un *chicken-hawk*, un va-t-en-guerre tant que lui-même reste à l'arrière] et j'ai eu deux nouvelles idées que personne n'a jamais pensées avant moi. Numéro 1 : on aurait dû prendre le pétrole en Irak pour nous rembourser de notre investissement. Il suffisait de le siphonner, avec un tube, comme faucher de l'essence mais à une échelle plus grande. Numéro 2 : on n'arrête pas de clamer par-dessus les toits ce qu'on va faire, comme pour Daesh. Ce qui fait qu'on perd l'effet de surprise ! Pourquoi ces grandes armées modernes ne peuvent pas tout simplement fondre sur l'ennemi en catimini ? Mes deux nouvelles idées n'ont rien donné. Rien. Pourquoi ? Parce que la bureaucratie, voilà pourquoi. Eh bien, tout ça, c'est fini, maintenant, les amis. Vous allez enfin avoir la présidence que vous méritez. Les snobs urbanisés disent que vous vivez dans une bulle. Où est le problème ? Les bulles, c'est super. Moi, je suis tellement déconnecté que tout ce que je vois, c'est le petit dossier qu'on me tend tous les matins, surtout des trucs de *Breitbart* et de *The Drudge Report*. De la façon que je vois les choses, mon discours aux boy-scouts a été acclamé par tous. Rien de « mitigé », OK ?

Pour parler franchement, je suis la personne la moins raciste qui a jamais existé dans toute l'histoire du monde, je le jure. Simplement, je n'aime pas les musulmans, et je n'aime pas que les Mexicains viennent ici prendre nos boulots et nos allocations. Et puis je soutiens… je suis à l'origine de… la restriction du droit de vote. Vous n'avez qu'à voir le nouveau comité que j'ai créé pour l'« intégrité électorale ». On ne fait pas ce genre de chose sans croire, tout au fond de soi, comme vous, les amis, que les « gens de couleur », comme les enculeurs de mouches politiquement corrects les appellent, ne devraient pas voter. Ou pas si souvent et pas en si grand nombre.

Steve Bannon a dit que je suis le plus grand orateur américain depuis Brian William Jennings [William Jennings

Bryan], même si je ne le connais pas, ce gars-là. Mais Steve plaisantait, pas vrai ? Ce soir, j'ai bien suivi mon prompteur, mais tous ceux qui ont lu mes interviews savent que j'arrive tout juste à me sortir d'une phrase de cinq mots. Je suis comme vous. Et c'est nous, les gars vraiment futés.
Bref, tout ça. Et malgré tout, j'y suis, là-haut, avec les 0,1 %. Et vous pas… ou pas encore ! C'est vrai, je ne suis plus le leader du Monde libre. Je me suis déchargé de ce boulet sur Angela Merkel, et je lui souhaite la meilleure chance du monde. Mais je suis encore le président des États-Unis d'Amérique. Je suis le Multimilliardaire Commandant en Chef. Compris ?
Alors, tirez vos propres conclusions… Je ne sais même pas pourquoi je prends la peine de vous raconter tout ça. Parce que vous les avez déjà tirées.

La transfusion Trump, la façon dont le ploutocrate sans cœur en donne au ventre du prolétariat laissé sur le carreau, était on ne peut mieux mise en évidence à Youngstown. Et c'était un spectacle d'un désespoir lancinant.

Certaines âmes sensibles – Nabokov en était – sont rebutées par les cirques, les zoos et autres lieux dans lesquels les humains « domptent » les animaux. Ce qu'elles trouvent insoutenable, c'est l'affront fait à la dignité animale. Le public de Youngstown était humain ; mais un humain qui avait abandonné son individualité à la foule. Il serait ardu de dire à quelle sorte d'animal il s'était réduit tout seul. Une hydre mille-pattes, qui sait – de la taille d'un léviathan. Et, au signal de son dompteur, cette bête colossale s'exécutait : numéros de foire, slogans, huées, sifflets, acclamations, cris de joie… sans attendre ou recevoir le moindre morceau de sucre.

Les huées étaient suscitées par les références aux Démocrates, au contrôle des ventes d'armes, à l'Obamacare, à l'immigration (« Nous voulons qu'ils fichent le camp de chez nous, pas vrai !... Nous les renverrons là d'où ils viennent, d'accord ? »), à tout ce qui avait trait au politiquement correct ; les cris de joie étaient suscités par les références au maintien de l'ordre, aux forces armées, au Deuxième amendement, aux *jobs*, à redonner sa place à l'Amérique, à la défense de nos frontières, de la famille, de la fidélité et de la foi en Dieu.

Récemment, Janan Ganesh, chroniqueur au *Financial Times*, notait que le populisme impulsif, genre saut-dans-l'inconnu, se révèle être un phénomène purement anglo-américain (observé désormais avec compassion par les autres nations développées). Pour Janan Ganesh, la frivolité plébiscitaire est le résultat non point de l'adversité mais d'une relative aisance – et de décennies de stabilité intérieure. La France et l'Allemagne (quoique pas l'Italie, qui a eu Berlusconi) ont été plus ou moins vaccinées par l'expérience de tragédies historiques et une profonde culpabilité liée au Troisième Reich, à Vichy, qui demeure dans les mémoires. De son côté, de quel « cauchemar », hormis l'Obamacare, la classe ouvrière américaine avait-elle des difficultés à se réveiller ? Les salaires forfaitaires, un sentiment d'ostracisme national, la domination d'une expertise aux mains de l'élite ou les entraves du politiquement correct ?

Personne ne se revendique jamais du politiquement correct, mais tous les jours nous nous apercevons de ce que nous devons à cette idéologie modeste et désormais plus guère capricieuse ou répressive. Ses effets civilisateurs ont renforcé le progrès évolutionnaire, pour le plus grand bénéfice des femmes, des minorités et de la société dans son ensemble, y compris des Blancs protestants hétérosexuels. En d'autres mots, le statu quo n'était pas le carnage terminal évoqué par le butor qui monopolisait le micro. Son électorat n'en souhaitait pas moins du changement, à tout prix. « Donald Trump nous mènera peut-être à la guerre nucléaire, avait déclaré un supporteur plus tôt. Mais tout vaut mieux que Hillary. »

Le président Trump n'est pas tout à fait le *néant*. D'abord, il représente une erreur catégorielle de vaste amplitude – une erreur catégorielle commise par le peuple américain. Lorsque, en pleine campagne présidentielle, il prétendit qu'il pourrait tuer quelqu'un sur Fifth Avenue sans perdre un seul vote, à un niveau subliminal, Trump tomba à son insu sur une vérité centrale. Parce que l'électorat n'était pas convaincu qu'il était vraiment « pour de vrai » : il ne l'était que dans la mesure où la télé-réalité est pour de vrai. Eh bien, maintenant, Trump, c'est pour de vrai, et sa déliquescence a pour cadre le Bureau ovale.

En novembre dernier, Steve Bannon s'est débrouillé pour amener quantité de citoyens à voter contre leurs intérêts (comme Nigel Farrage au Royaume-Uni). Il est sans doute injuste de distinguer un groupe particulier d'électeurs, mais comment éviter de se concentrer sur une immense « minorité » dont les intérêts sont déjà broyés ?

Le Covelli Center était plein de femmes (dont certaines assises sous des affiches WOMEN FOR TRUMP : LES FEMMES POUR TRUMP) ; il y avait quelques visages noirs et d'autres café au lait ; il y avait même une grand-mère noire. Aujourd'hui, où *Roe v Wade*, soit le droit à l'avortement, est menacé (par le juge Neil Gorsuch), maintenant que les attaques contre le planning familial, sans parler du fameux *gag order*, l'interdiction de publication, détruisent la vie de nombreuses femmes partout dans le monde, je voudrais adresser mes derniers mots aux 53 % de Blanches qui, le 8 novembre 2016, ont choisi de voter non pour une féministe dynamique mais pour un gynophobe constamment compulsif et grossier. Au prix d'un effort considérable (entendu, vous êtes des citoyennes autonomes et ne souhaitez pas que votre vote ne reflète que votre sexe), je pense comprendre vaguement ce que vous ressentiez à l'époque. Mais que ressentez-vous aujourd'hui ? Et j'ai une autre question, à laquelle peuvent répondre tous les Trumpistes qui ne tombent des nues que maintenant : qu'espériez-vous donc ?

Esquire, 2017

Index

Note et remerciements de l'auteur

Le péché naturel de la langue

Au fil de sa composition, un poème lyrique, comme une très brève nouvelle, peut atteindre une limite après laquelle il n'est plus susceptible d'être amélioré. Tout ce qui dépasse deux pages, comme nous le rappellera plus tard John Updike, citant T.S. Eliot, succombe bientôt au « péché naturel de la langue » et exige un travail d'une grande concentration. Par péché naturel de la langue, j'imagine qu'Eliot fait référence à : a) l'indocilité de la langue (sa façon de résister constamment et avec force gigotements aux mains les plus expérimentées) ; et b) sa promiscuité : dans la quasi-totalité de ses interactions, elle manque autant de discernement que la menue monnaie et, comme elle, accumule sueur et poussière.

Les poètes connaissent bien ce sentiment soudain : mieux vaut en finir, et vite, avec les corrections, car ces supposées améliorations causent de vrais dégâts. Les romanciers partagent cette crainte : ils jouent nerveusement avec une inspiration qui leur file entre les doigts. Northrop Frye, philosophe-roi littéraire à qui je dois allégeance, disait que le géniteur d'un poème ou d'un roman était plus sage-femme que mère : le but étant d'amener l'enfant à la vie avec le moins de dégâts possibles. Si la créature est bien vivante, elle réclamera à cor et à cri d'être libérée des « cordons ombilicaux et sondes de l'ego ».

De son côté, la prose discursive (essais et reportages du type présenté dans ces pages) ne peut s'affranchir de l'ego et est en tout cas toujours perfectible. Pour ce recueil, j'ai pratiqué des coupes dans les articles d'origine, fait des ajouts (notes de bas de page et *post-scriptum*), développé, peaufiné... Souvent, j'ai simplement tenté de clarifier mon propos, de le préciser, d'éliminer toute ambiguïté – sans pour autant le rendre plus visionnaire (je n'ai pas maquillé mes prophéties politiques, qui ont souvent, c'est la règle du genre, été contredites par les événements). Il existe des répétitions, des doublons : je ne les ai pas supprimés, car j'imagine que la plupart des lecteurs trieront chemin faisant, selon leur humeur (seuls le critique, le correcteur et, bien sûr, l'auteur étant contraints de lire d'une traite ce qui suit). Je me suis aussi laissé aller à quelque autocensure (j'en ai été surpris, de ma part) : j'ai gommé, moins ce qui aurait pu paraître « inconvenant ou offensant » que les excès de familiarité, les expressions qui sont déjà surexploitées avant même d'être couchées sur le papier. Le péché naturel de la langue est cumulatif et inévitable ; mais nous pouvons au moins supprimer les faiblesses du ponctuel.

MES REMERCIEMENTS LES PLUS SINCÈRES À...

D'abord, à mon amie depuis près d'un demi-siècle, Tina Brown, qui édita mes textes au *New Yorker*, chez *Talk*, à *Newsweek*. Au *New Yorker* je me suis également reposé sur Bill Buford, Deborah Treisman et Giles Harvey. Craig Raine, mon camarade et jadis tuteur, chez *Areté*. Sam Tannenhaus et Pamela Paul du *New York Times Book Review*. Eric Chotiner de *The New Republic*, et Giles Harvey, encore, après son départ pour *Harper's*. Lisa Allardice et Ian Katz au *Guardian*. David Horspool et Oliver Ready au *TLS*. Eben Shapiro et Lisa Kalis du *Wall Street Journal*. Aimee Bell et Walter Owen chez *Vanity Fair*. Côté assistance éditoriale, j'ai toujours eu beaucoup de chance : avec les correcteurs, grammairiens, contrôleurs d'information, rédacteurs et rédacteurs en chef. Peu enclin à opposer aux conseils qu'on me prodigue une impatience invétérée, je n'ai jamais été tenté de renvoyer à quiconque le reproche (en fait jamais exprimé) de Clive James : « Écoute. Si j'écrivais comme ça, je serais toi ! » Enfin, bien naturellement, j'adresse mes salutations aux éditeurs-rédacteurs des versions reliées de mes livres, Dan Franklin chez Cape et Gary Fisketjohn chez Knopf. Sincères remerciements à tous.

J'aimerais féliciter tout particulièrement Bobby Baird, le rédacteur indépendant (actuellement chez *Esquire*) qui, confronté à un monceau de coupures, tapuscrits, pièces jointes et déchets d'Internet, a su concocter un livre. Je suis aussi basse technologie qu'il est possible de l'être, et Bobby fut pour moi à l'image du Créateur : celui qui du chaos fit un monde. Pour reprendre les *Contes d'Ovide* de Ted Hughes, Bobby « interdit aux vents / d'user de l'air à leur gré » et « apprit » aux « rivières / À respecter leurs rives ».

Brooklyn, octobre 2016

Note de l'éditeur

Les éditions Calmann-Lévy et Bernard Turle remercient les éditions Robert Laffont et Georges Belmont et Hortense Chabrier, traducteurs de *L'Orange mécanique* d'Anthony Burgess, © Paris, 1972 (« Le choc du nouveau : *L'Orange mécanique* a cinquante ans ») ; ainsi que la revue *Desports 2*, dans laquelle est paru l'article « Trois coups de raquette », dans la même traduction, sous le titre « Les personnalités bien trempées du tennis ».

Les dates suivant les titres d'ouvrages sont celles de la version originale.

Photocomposition Nord Compo
Achevé d'imprimer en octobre 2017
par CPI
pour le compte des éditions Calmann-Lévy
21, rue du Montparnasse 75006 Paris

CALMANN LEVY s'engage
pour l'environnement en réduisant
l'empreinte carbone de ses livres.
Celle de cet exemplaire est de :
550 g éq. CO_2
Rendez-vous sur
www.calmann-levy-durable.fr

N° d'éditeur : 7100655/01
N° d'imprimeur : 3025231
Dépôt légal : novembre 2017
Imprimé en France.